De zoete waanzin

De zoete waanzin

PAULUS HOCHGATTERER

De Fontein

De uitgave van dit boek kwam tot stand met financiële ondersteuning van het Oostenrijks ministerie voor Onderwijs, Kunst en Cultuur

Oorspronkelijke uitgever: Deuticke im Paul Zsolnay Verlag Wien
Oorspronkelijke titel: *Die Süße des Lebens*
Uit het Duits vertaald door: Sonja van Wierst
Omslagontwerp: Wil Immink Design
Omslagbeeld: Paul Knight/Trevillion images
Zetwerk: ZetSpiegel, Best
ISBN 978 90 261 2736 6
NUR 305

www.defonteinboeken.nl

Daar echter de voornaamste reden voor angst bij kinderen pijn is, bestaat het middel om kinderen tegen angst en gevaar te harden en te wapenen eruit hen te laten wennen aan het verdragen van pijn.

John Locke

Nul

Het kind laat haar wijsvinger langzaam langs de rand van het kopje glijden tot het topje van haar vinger het geribbelde oppervlak raakt. Ze beschrijft een kringetje, tilt, zodra ze er zeker van is dat het voldoende blijft hangen, haar vinger op, brengt hem voorzichtig naar de buitenkant van het kopje en veegt hem af. Ze weet dat sommige mensen niet van een velletje houden, maar dat kan haar niet schelen. De chocola smaakt bitter, precies zoals ze het lekker vindt, veel cacao, weinig suiker. Als ze het kopje bijna omgooit maar het dan weer rechtop zet, trekt een donkerbruin spoor door haar binnenste.

De grootvader speelt met het kind mens-erger-je-niet. Hij weet wel dat ze voor Kerstmis allerlei nieuwe spullen heeft gekregen: Lego, boeken, een dierenfamilie en een GameBoy, maar sinds het kind kan tellen, speelt hij mens-erger-je-niet met haar. Kerstmis, heeft hij gezegd, is geen reden om daar iets aan te veranderen. In het begin heeft hij het kind geholpen met tellen of zich in haar voordeel verrekend, maar dat hoeft allemaal niet meer.

Drie. Het kind schuift de pion, die op het bord staat, hokje voor hokje op. Ze heeft altijd één pion en die is altijd geel van kleur. Vijf. De soldaat van de grootvader maakt een reuzensprong over alle velden heen. De speelfiguurtjes van het kind heten pionnen, die van de grootvader soldaten. Dat was al vanaf het begin zo. De soldaten van de grootvader zijn blauw. Zes. De dobbelsteen rolt naar de rand van de tafel. Op de grond telt niet. Ook dat was vanaf het begin zo. 'Nog een keer,' zegt de grootvader. 'Nog een keer,' zegt het kind. Twee. Jammer. Soms gooit ze twee zessen achter elkaar en dan nog een vijf. De grootvader trekt zijn wenkbrauwen op. 'Acht,' zegt het kind. Sinds september gaat ze naar de eerste klas van de lagere school. Naast haar zit Anselm met het afgeplakte brillenglas. Die weet nog niets van zes of acht. De gele pion staat nu vlak voor de ingang naar het eindveld. Als de grootvader een vier gooit, is hij dood. De vingers van de grootvader zijn knokig. Op het dressoir staat een piepklein kerstboompje met drie zilveren ballen en een paar slingers. 'Iets groters loont voor mij de moeite niet,' heeft de grootvader gezegd en toen het kind vroeg waarom hij geen kaarsen heeft aangestoken: 'Als ik in slaap val, is dat gevaarlijk.' Vier.

Er wordt aangebeld. De grootvader staat op. Hij werpt nog een blik op het speelbord. Aan het slot blijft zijn hand nog een seconde aan de tafelrand hangen. Het kind ziet niet wie er aan de deur is. De grootvader praat. De ander praat. De grootvader draait zich nog een keer om. 'Vier,' zegt hij. 'Ik heb je.' Dan schiet hij zijn jas aan en gaat weg.

Het kind klimt langs de bank, naar de erker, schuift de linkerhelft van het gordijn opzij. Buiten is het nacht. Rond Kerstmis is het altijd heel vroeg donker, maar dat geeft niets als de maan schijnt. Aan de overkant met verlichte ramen het huis waar haar ouders wonen, haar zusje, haar broertje, Emmy de hond, Gonzales de springmuis, die van haar broertje is, hoewel hij hem geen eten geeft, de witte dolfijn, het rendier en die ene pop waarvan verder niemand weet hoe ze heet. Schuin achter het huis de zwarte bomen, waartussen je kunt lopen zonder dat je in het bos bent. Als Emmy erbij is, is het wel gemakkelijk, want dan kun je gewoon van stam naar stam lopen, net zolang tot je de frambozenstruiken ziet en dan word je nog steeds niet bang. Emmy is een bordercollie, dat zijn de slimste honden ter wereld.

Soms verbeeldt het kind zich dat ze ergens anders woont, beneden in de stad, in een klein achterkamertje van de *trafik*, waar moeder de kranten koopt en de sigaretten voor grootvader, of in een wildvoederplaats ginds in de Mühlau, waar de weg niet meer is geasfalteerd en door twee rotstunnels loopt, omdat er naast de omlaagstortende beek geen plaats is. Ze stelt zich voor dat de maan aan de hemel staat en dat Emmy erbij is en dat ze kastanjes kan eten en hooi en dat het buiten een beetje koud is en binnen heel warm en ze stelt zich voor dat ze vroeg of laat thuiskomt en moeder de deur opendoet en heel verbaasd kijkt.

Vier. De gele pion staat daar uit te rusten en is bijna in veiligheid. De blauwe soldaat staat er ook uit te rusten. Eigenlijk zou het zo kunnen zijn dat ze allebei niets weten van wat hen staat te wachten. Eigenlijk zou je ze allebei kunnen pakken, een links en een rechts, ermee de berg achter het huis op klimmen en op de stad neerkijken. Dan zou je een kuil in de sneeuw kunnen graven, met voorin een kijkgaatje, en binnen thee zetten en kerstkoekjes eten, maar alleen de muziekinstrumentjes van bladerdeeg met poedersuiker erop.

Ze zal de pion en de soldaat weer op hun plaats zetten, beloofd, de pion precies voor het eindveld en de soldaat vier stappen erachter, alsof er niets is gebeurd; grootvader zal zijn jack uittrekken, haar daarbij de rug toekeren en ze zal ze allebei terugzetten, heel zacht en snel.

Het kind klautert van de bank, haar rechterhand om de poppetjes, loopt schuin door de kamer, pakt het nieuwe groene gewatteerde jack met de eekhoorntjes erop van de kruk naast het dressoir en trekt het aan.

Buiten is het koud. De maan schijnt zo fel dat de sneeuw tussen de huisdeur en de vogelkersboom glanst als de melkglazen bol in de badkamer. Het pad naar het huis is uitgesleten als altijd. Naar links lopen andere sporen weg; die zijn nieuw. Het kind stapt in de voetstappen. Ze liggen niet zo ver uit elkaar als wanneer grootvader alleen voor haar uit loopt.

Een blauw paard komt over de bergkam achter de schuur aan gegaloppeerd. De gele pion zit erop en lacht. Hij steekt het kind zijn gladde pionarm toe en helpt het opstaan. Ze rijden over de driehoekige weide, rechtdoor naar de top, waar de grote jeneverbes staat, langs de oude stapel vurenhouten planken tot aan het punt waar de weg vrij is, linksaf omlaag naar de stad en rechtsaf de berg op. De sneeuw stuift op. De gele pion achter het kind is zo warm als een kachel.

Het spoor loopt langs het huis van de grootvader tot aan de buxushaag. Het kind prikt een vinger in de sneeuwlaag die bovenop ligt. Er zou een rups kunnen komen, in het gat kruipen en gaan slapen. Het kind haalt haar neus op. In de winter stinkt de buxus maar een klein beetje. Een restje chocolademelk zit op haar gehemelte. Dat is goed. Waar het spoor een flauwe bocht naar rechts maakt, wordt het iets anders. Er klinkt motorgehuil. Het kind kijkt op, want ze weet zeker dat er straks een helikopter over de schuur zal komen. Ze zal met beide armen zwaaien, zo doe je dat. De helikopter komt niet en het geluid verwijdert zich weer. Het kind zet nog een paar pasjes, dan staat het voor een uitgereden dubbel spoor, van een auto of van een tractor. Het neemt de rechtergroef en loopt op de zwarte rechthoek van de schuur toe. Aan de zijkant verschijnen in het maanlicht het sneeuwkind en de sneeuwhond, die ze twee dagen eerder samen hebben gebouwd. Alles is er nog, de pet, de bezem, de kastanje die als spitse snuit voorop zit. Het kind gaat erbij staan, dicht naast de hond, strekt haar arm opzij alsof zij ook een bezem in de hand heeft. 'Nu zijn we met ons drieën,' zegt ze. Ze draait en draait en voelt zich tevreden, alsof de hele wereld naar haar kijkt. Dan weet ze opeens dat ze nog een stuk moet lopen. Voor haar, op de zacht aflopende oprit naar de schuur, ligt iets. Het is geen sneeuwpop.

Het ligt daar als iemand die in de sneeuw een adelaar nadoet, met zijn armen wijd als vleugels. Het slikt het maanlicht in. Het kind zet de ene voet voor de andere. Dan bukt ze. De zwarte veterlaarzen lijken op die van grootvader. De broek is donkergroen, als je goed kijkt. De broek is aan de pijpen een handbreed opgerold. Het jack van lichtbruine grove stof, die een eeuwlang houdt. Bijna alles klopt. Geen handschoenen. Bijna alles. Zijn armen, zijn schouders, zijn kraag. Waar het hoofd hoort, zit het niet. Zelfs een pion heeft daar een hoofd. Het kind buigt diep omlaag. Het is niet zo dat het hoofd ontbreekt. Waar het moet zijn, rond en uit de grond stekend, zit iets plats. Het platte ligt in een kuil en is helemaal zwart. Het kind steekt haar wijsvinger uit en doopt die in het midden, daar waar het een beetje zilverachtig glanst. Het kind schrikt. Het zilverachtige voelt vochtig en tegelijk hard aan. Het kind staat op en loopt terug.

Eerst het autospoor, dan de voetstappen. Het sneeuwkind, de kastanjeneus, de buxusheg. Het gat waarin de rups slaapt. Het paard komt deze keer niet. De dingen veranderen.

Langs de muur, dan naar links, naar het huis van haar ouders.

In het licht van de deur verdwijnt de maan. Haar broer ziet haar en kijkt naar de hand van het kind. 'Wat heb je daar?' vraagt hij. Het kind opent haar vuist. Een gele pion en een blauwe soldaat. Ze had ze terug moeten zetten, de pion vlak voor het eindveld en de soldaat vier stappen daarachter. Het kind beweegt niet. 'Vier,' zegt ze. 'Vier. Ik heb je.' Haar wijsvinger is bovenaan helemaal rood. De pion heeft zijn hoofd nog, de soldaat ook.

De hond is er opeens. Ze snuffelt eerst aan de benen van het kind en dan aan haar hand. Ze duikt weg, legt haar oren plat en stoot een jankend geluid uit.

Een

Hij opent het raam. Kou valt de kamer binnen. Eerst is het stil, daarna hoort hij in de verte een auto starten. Verder beweegt er niets.

Aan de muur het affiche met de regel. Hij voelt hoe die uiteenspat. De zinnen.

Luister mijn zoon naar de instructie van de meester.

Het begint in het midden. Een breuklijn, die hij niet kan bepalen. Hij slikt twee bruine dragees.

Hij staat daar. Zijn huid brandt. Alleen zijn vingertoppen niet. Van buiten komt een vegend geluid. Waarschijnlijk de vos, die over het erf sluipt. Een lucht zonder geur. De maan is allang weg. Allemaal zinsbegoocheling. Langzaam spant hij zijn bovenbenen. De regel. Woorden die hij aaneenrijgt.

Gewillig door de daad.

Hij doet alles net als altijd. Aan het begin isometrisch de ene spierpartij na de andere. Benen, armen, nek, romp. Samentrekken, ontspannen. Samentrekken, ontspannen. Daarna een paar rekoefeningen. Zijn heupen eerst. Kniebuigingen. Strekspongen, losjes, zonder inspanning. Zijn armen laten bungelen, dan omhoogtrekken.

Vanaf veertig neemt het risico van scheuren in het spierweefsel eclatant toe. Hij heeft dat vlak na zijn verjaardag gelezen, in de weekendbijlage van een krant. De dingen waar je bang voor bent, hoor je altijd op het goede moment. Langzaamaan wordt hij warm in zijn flanken. Hij spreidt zijn armen naar opzij. Vanaf zijn slapen schuift deze wilde helderheid voor zijn ogen. De scheur begint te verdwijnen. De angst blijft. Hij weet dat hij daar niets tegen kan doen.

Hij schiet zijn grijze katoenen trainingspak aan, zijn sokken, zijn hardloopschoenen. De sweater heeft op de rechterschouder een losse naad. Hij zal hem aan Irma geven. Ze zal wel klagen over de problemen met de slijmbeurs in haar elleboog, maar ze zal er nog steeds waarde aan hechten dat niemand van hen zijn spullen zelf verstelt. Haar ogen zijn inmiddels nog slechter geworden en daardoor naait ze nog afschuwelijker dan eerst, maar dat vertelt niemand haar.

Zijn iPod aan zijn riem, de dopjes in zijn oren. In deze situatie altijd hetzelfde. Nummer zes. 'Father of the Night'. Op repeat.

De gang door, zonder licht, zevenentwintig passen. De trap af, naar links de winkelgang, door de smalle deur de achtertuin in. Vastgetrapte sneeuw onder zijn voeten, de weg is sneeuwvrij gemaakt. Door Bernhard, de man die soms wekenlang geen woord zegt.

Hij start. De nacht is zo zwart als het binnenste van een fluwelen zak. Dat stimuleert hem. Gisteravond was de hemel nog helder. Hij heeft aan het plaatsje aan de Salzach gedacht met zijn bijzondere belofte. Heel even was hij onoverwinnelijk. Nu zit de hel achter hem aan.

Hij gaat schuin over de lege plaats op de plataan af die vlak naast de muur staat, glipt door het spijlenhek dat op een kiertje staat, ook al lijkt het alsof het al eeuwen is versperd. Hij is buiten.

Ze noemen hem 'de hardloper', dat weet hij, en Ngobu, de stagiair uit Nigeria, zegt sinds enkele weken alleen nog 'LDR' tegen hem, 'Long Distance Runner'. Dat zal navolging vinden, hij voelt dat iedereen hem zo zal gaan noemen. Het klinkt als een bijzonder gevaarlijke soort cholesterol, maar zoiets vindt altijd navolging.

Hij draaft langs de muur op de noordelijke grens. Het is windstil en naar schatting een à twee graden onder nul. Hij steekt de Weyrer Straße over en slaat de hoek om naar de Abt Reginald. De bungalowwijk. Smeedijzeren hekken, net zo oud als hij, crèmekleurige buitenjaloezieën, in de voortuinen buxusbomen en coniferen. Aan het huis van de belastingconsulent de bewegingsmelder, die op een veel te grote afstand is ingesteld en de lamp bij de voordeur laat branden zodra er iemand langsloopt. Het bord, ongeveer een vierkante meter groot, gouden letters achter het dikke plexiglas: MR. NORBERT KOSSNIK, GERECHTELIJK BEËDIGD BELASTINGADVISEUR EN TRUSTEE. Trustee: een schurk, die belastingambtenaren omkoopt en zijn klanten afperst, dat is de waarheid. Die daar dan staat in zijn loden vest, met zijn zwaar verzilverde horlogeketting dwars over zijn pens, baardje van drie dagen, handgemaakte schoenen en zijn leesbril aan een koordje. Geef hem een dreun, denkt hij, sla je vuist tegen zijn voortanden.

De crèche, de basisschool. Platen op het raam, in de tuin een sneeuwkasteel, de gave wereld. Friedegund Mayerhofer, die als crècheleidster binnenkort met pensioen zal gaan en in Lea Wirth een gedoodverfde opvolgster heeft, die haar hele leven bang is geweest dat er een kind ergens vanaf zou vallen. Zaag de bomen om en breek alle gebouwen met meer dan één verdieping af. Kinderen op de begane grond! Zo spreken sommige vaders.

Aan het einde van de weg rechtsaf die naamloze doodlopende weg in, die uitkomt achter de parkeerplaats voor het gemeentelijke wagenpark naast de rivier. Onder het afdak twee enorme sneeuwschuivers, die bij daglicht donkerrood zijn, en enkele kleine sneeuwploegen voor de zijwegen. Daarachter de grindhoop, zo hoog als een huis. De winter was tot nu toe een lachertje, zegt iedereen. Maar hij kan nog komen.

De smalle verbindingsweg, die de promenade langs het water precies op de plaats bereikt waar deze in de bosjes verdwijnt. De passage die hij altijd luidkeels meezingt: *Father of night, Father of day, Father who taketh the darkness away.* Hoge populieren en wilgen. Op de grond ziet hij bijna niets. In oktober is hij hier een das tegengekomen. Een enorm, torpedoachtig beest, dat hard smakkend en blazend tussen de struiken verdween.

Hij merkt nu duidelijk het effect van het hardlopen, voelt hoe in hem, vanuit zijn benen en oren, het geraamte groeit waarop hij steunt. In ijltempo heeft hij uitlopers gevormd, kleine blanke draadweefsels die zich om zijn zenuwbanen leggen. Nog even en hij zal niet meer weten dat dat andere er is, het zwarte gat, waarin de duivel zit en alles tot puin slaat. *Father of day, Father of night, Father of black, Father of white.*

Hij kent hier elke vierkante meter en sluit zijn ogen even. Aan de zekerheid van zijn stappen verandert niets. De terugkerende voorstelling dat hij in een gigantische sneeuwploeg door de straten rijdt. Eerst gooit hij de geparkeerde auto's aan de kant, alsof ze speelgoed zijn, daarna kerft hij een snee in de buitengevels van de huizen.

Met grote stappen loopt hij weg, zet zich met de bal van zijn voeten sterk af. Zo begint vliegen, hij kent het uit sommige dromen. Losjes rechtdoor lopen en je tussendoor telkens weer afzetten. Op een gegeven moment verlies je het contact met de grond en zweef je tien, twintig meter verder, dan zet je weer af, met twee, drie lichte grondpassen. Er bestaan mensen die helemaal de grond niet raken. Clemens is bijvoorbeeld zo'n permanente zwever. Als op een luchtkussen glijdt hij over trappen, kreupelhout, grashalmen, steeds een vingerbreed boven de grond, op zijn gezicht daarbij een naar binnen gekeerde arrogantie, die hoogmoed op grond van zijn ambt. Vandaag of morgen zal hij hem een dreun geven, zomaar, niet wreed maar een stevige, vlakke oorvijg, eerder een kleine politieke demonstratie dan een teken van geweld. Een beheerste handtastelijkheid is een chronisch verwaarloosde zaak in het hoofd van wereldbeschouwelijke functionarissen. Ambtelijke autoriteiten moeten bijvoorbeeld af en toe een beetje gestraft worden, schooldirecteuren, politiemensen, politici sowieso, daar is toch echt niets tegen in te brengen. En Clemens. Met zijn gecoiffeerde baardje, zijn getwijnde sokken en zijn zegelring.

Na een minuut tussen de bomen zie je hoeveel schakeringen de kleur zwart heeft. Zelfs de randen van de weg kun je zien, de kale takken tegen de hemel ook. In de linden en kastanjes van het park zitten om deze tijd de kraaien te slapen.

Father of cold and Father of heat. Voortdurend, denkt hij, ononderbroken. Warm en koud. Je hele leven lang. Hij zal ze bij zich roepen, allebei, op een keer, en niemand zal er iets tegen inbrengen. Het zal een zonnige dag zijn, ze zullen met de trein komen, en als hij hen afhaalt zullen ze hem tegemoet rennen, recht in zijn gespreide armen.

Lantaarnschijnsel. Links de houten brug, waarover je op de wandelpaden ten noorden van de rivier komt. Die is 's nachts doorlopend verlicht, sinds een paar jaar geleden de oude Schöffberger het begin miste en via de struiken in de rivier is gevallen. Rechtdoor het raftingcamp, misschien tweehonderd meter verderop. Het platte zadeldak van de schuur steekt een beetje af tegen de achtergrond. De aanbouw met kantoor en kleedkamers is onherkenbaar.

Hij slaat rechts af. De Imhofstraße, genoemd naar een voormalige burgemeester. De rijweg is schoongeveegd. Op de noordwestelijke hoek van het kerkhof begint een voetpad, dat dicht met kiezelstenen is bestrooid. Kerkhoven worden in elke tijd van het jaar bezocht. *Father of minutes, Father of days.* Winterbegrafenissen. De rood-witte shovel heeft Weinstabel, de doodgraver, thuis in zijn garage staan. Hij houdt ervan zich door de laag bevroren aarde te graven, en noteert steeds de dikte. Gelinieerde schriften met een oranjerode kaft. Sommige mensen zeggen dat hij op de linkerbladzijden zijn lijstjes aanlegt en op de bladzijden ertegenover de toestand van de lijken noteert; bovendien zou hij een enorme verzameling benige schedels hebben, maar zulke verhalen doen waarschijnlijk over iedere doodgraver de ronde.

Het affiche naast de deur. De zin. *De tijd is gekomen om uit de slaap op te staan.* De nachtloper. Dat zou een naam zijn. De centrale zin, die doordringt en je in leven houdt. Vanaf een bepaald moment gaat hij dan voorbij het bewustzijn.

Hij steekt de Hauptstraße over, neemt de spoortunnel, rent langs de enorme hallen van de zaagfabriek, daarna door een wijk van rijtjeshuizen. Achter twee ramen is de blauwe schittering van televisietoestellen te zien. In de Grafenaustraße komt hem na een paar honderd meter een auto met felle koplampen tegemoet. Hij houdt zijn hand voor zijn ogen en steekt zijn middelvinger op als de chauffeur niet reageert. De motor klinkt als die van een tank. Bij het nakijken meent hij te zien dat het een sleepwagen is. Een oud type, een heel oud type. Ook 's nachts hebben mensen wel eens pech, denkt hij.

De slagerij, de tweedehandswinkel, de esoteriewinkel met de geelgroene spiralen aan de gevel. De bestelauto van Marlene Hanke, de eigenaresse van de tweedehandswinkel. Twee motorrijders die hij niet kan thuisbrengen. Vlak voor de spoorwegovergang het idee dat het rode licht opeens kan gaan knipperen, de slagboom omlaaggaat, en er een geheimzinnige trein komt aandenderen, reusachtig en verstard door ijs, zoals zo'n film uit Siberië of Alaska.

Als links voor hem de contouren van de kronen van de linden op de Rathausplatz verschijnen, voelt hij zich beter, het is altijd hetzelfde.

Father of white, Father of black.

Er zijn maar een paar dingen die ik zeker weet, denkt hij: ik heet Joseph Bauer. Ik leef in een verkrampte wereld. Ik heb een gelofte afgelegd. Ik zeg uit mijn hoofd zinnen op. Ik loop hard.

Twee

De dagen waarop 's morgens de mist al door de straten schoof, verliepen in de regel allemaal hetzelfde. De mensen waren gespannen, de automobilisten vergaten hun koplampen te ontsteken, en je had absurde déja-vu-ervaringen. De lucht voelde kouder aan dan ze was. De stammen van de bomen glommen zwart. Het meer lag er zonder geluid te maken. Het irriteerde, maar je was het je niet bewust.

Horn was lopend op weg. Normaal gesproken pakte hij de fiets, maar Martin Schwarz, zijn buurman, had de vorige dag met de sneeuwploeg gereden en de rijweg spekglad gemaakt. Hij had het goed bedoeld en vermoedelijk geen seconde aan het hechtvermogen van fietsbanden gedacht.

Op de meer hellende gedeelten gleed Horn ondanks de profielzolen in zijn winterlaarzen telkens uit. Hij week uit naar de berm zo vaak hij kon. De sneeuw kroop onder zijn broekspijpen. Hij droeg lange sokken en had zijn laarzen stevig dichtgeregen, daardoor raakte het hem niet. Op de plaats waar de weg een bocht naar het westen maakte en boven een dennenbosje de torens van de kloosterkerk verschenen, dacht hij al tien jaar steeds hetzelfde: waarom ben ik hierheen gekomen? Natuurlijk had hij inmiddels honderd verschillende antwoorden gevonden: Irene, die het zo wilde, omdat ze twee keer bij het symfonieorkest was afgewezen, of de kinderen, voor wie hij zich betere ontwikkelingskansen voorstelde, of de lucht, de bergen, het idee-fixe dat de plattelandsbevolking minder psychopathisch was, of natuurlijk de kwestie met Frege – echt tevreden stelde het hem allemaal niet. De gebruikelijke vlucht uit de grote stad? Het verlangen naar een idylle? Het bredere spectrum in zijn beroep? Hij vormde een sneeuwbal en gooide die in de boomtoppen.

Hij sneed de weg af langs de brede, flauw naar het zuiden glooiende vlakte, die 's zomers een maïs- of een bietenveld was, en kwam op de provinciale weg in de buurt van de afbuiging naar het biologische waarnemingscentrum. Hij had het warm. Hij trok zijn handschoenen uit en stak ze aan beide kanten in zijn jaszakken. Na het plaatsnaambord begon het voetpad. Horn stampte een paar keer flink, zodat de ergste sneeuw van zijn broekspijpen viel. De entree in de beschaafde wereld, dacht hij.

De populierenlaan, die een scherpe bocht maakte, werd een paar honderd meter later een stadsweg. Het ene zadeldakhuis uit de jaren zeventig naast het andere. In de voortuinen stonden verlichte kerstbomen. Hier en daar rookte een schoorsteen. Hij stelde zich voor hoe binnen de mensen uit de badkamer kwamen en langs halflege koekschalen liepen.

Irene zat vermoedelijk met haar cello en probeerde haar nieuwe bladmuziek uit, Tobias sliep en Michael was met zijn vriendin gisteren meteen weer vertrokken. Hij maakte ruzie met zijn moeder zodra hij haar zag en ook Irene lukte het niet uit het oude ritme te stappen. In elk geval had hij zijn cadeaus meegenomen. Een donkergrijze wollen trui van Timberland en het nieuwe album van Nick Cave; de rest herinnerde Horn zich niet. Gabriele, Michaels vriendin, was leuk. Donker stekeltjeshaar, een beetje grofgebouwd, rustig, geen zichtbare concurrentie voor Irene. Ze had hem een Moleskine-notitieboekje gegeven. Hij droeg het bij zich en was nog steeds verbaasd hoe zeer ze daarmee de spijker op zijn kop had geslagen.

De Gaiswinklerstraße naar rechts, tot aan de rivier. Zijn blik op de langwerpige kiezelbank aan de overkant, op de grove rotsblokken van de dam en op de huisgevels daarboven. Een stuk rivierafwaarts, vlak voor de brug, was in de bebossing een peilstreep te zien. De laatste overstroming was tweeënhalf jaar geleden geweest, die keer in augustus toen in Niederösterreich de Kamp buiten zijn oevers was getreden en een stuk naar het noordoosten de Enns de hele stad Steyr onder water had gezet. Hier hadden alleen een paar vrieskisten eraan moeten geloven, en een computerinstallatie van een handelsonderneming die stom genoeg in de kelder was geplaatst. Verder was er niets aan de hand. Het ziekenhuis lag op een heuvel, dertig meter boven de waterspiegel, absoluut veilig, werd er gezegd.

Horn stak de parkeerplaats over en nam zoals altijd de zijingang. Als iemand hem vroeg waarom hij dat deed, zei hij: 'Ik verdraag 's morgens de aanblik van de portier niet,' maar in werkelijkheid zat er vermoedelijk een of andere domme dwangneurose achter.

Achter de deuren van het centrale laboratorium zoemden de centrifuges, daarna lachten een paar mensen tegelijk. Een van de plafondlampen op de gang flikkerde nerveus. Hij klom de trap naar de tweede etage op. Voor de ingang van de kinderafdeling stond Elfriede, die op weg was naar de patiëntenbespreking. Ze had zoals altijd ronde, rode wangen en struikelde over haar woorden, toen ze hem alsnog een gelukkig kerstfeest wenste. 'Het is mistig in de stad,' zei hij. 'Dat wil zeggen, het meer zal ook de komende dagen niet dichtvriezen.' Ze riep over haar schouder nog iets van 'schaatsen' en toen was ze weg.

Horn had zijn werkkamer achter in K1, de algemene pediatrische afdeling. Dat betekende dat het in de regel heel stil was, alleen rond het bezoekuur hoorde hij op de gang de opgewonden moeders of jengelende broertjes en zusjes van de patiënten. Af en toe knalde een bal tegen de deur of een driewieler, maar daar had hij nog nooit last van gehad.

's Morgens vroeg stond hij meestal een tijdje voor het raam: zijn blik over de rivier en de rietkraag naar de Ache, daarachter het meer en de rotswanden. 'Daarom ben ik hierheen gekomen,' dacht hij. 'Precies daarom.' Hij hing zijn jas in de kast, zette zijn laarzen bij de verwarming en trok zijn werkschoenen aan. Zijn collega's hadden een beetje gegrijnsd toen hij voor het eerst met zijn blauwe Adidas Rekords was gekomen. 'Ze zijn er weer,' had hij gezegd, 'ik was toen zestien en dat is de enige tijd van je leven dat je de innerlijke zekerheid hebt dat je iets kunt bewegen.' Enkelen waren hem bijgevallen, en Sellner, de plaatsvervangend chef-arts van 121, had verteld dat hij destijds bij het Puma-kamp hoorde en als hij er goed over nadacht was het de hoogste tijd om de zaak weer nieuw leven in te blazen.

Bij de ochtendvergadering op de interne afdeling was er koffie met koekjes. Dat gebeurde anders nooit. Bovendien kwam Leithner, de chef de clinique, vijf minuten te laat. Dat gebeurde anders ook nooit. Hij mompelde een excuus dat niemand interesseerde, en een algemene kerstwens. Toen zette Inge Broschek, zijn secretaresse, een schoteltje met een plak kerststol voor hem neer. Sommigen lachten. Leithner at gewoonlijk staand en er deden heel wat flauwe grappen over de maaltijden bij hem thuis de ronde.

Cejpek had chefartsdienst gehad. Hij vertelde over een jonge vrouw die met heftige hartritmestoornissen was opgenomen en het middagteam de hele middag en de halve nacht had beziggehouden. Toen had haar levenspartner twee lege doosjes van een oud antidepressivum meegebracht en werd alles duidelijk. Hoe dan ook zou ze vroeg of laat op de intensive care terechtgekomen zijn. Horn knikte slechts, toen Cejpek en Leithner hem veelbetekenend aankeken. Hij zou zich met de vrouw bemoeien zodra ze zover was. Bovendien was er een diabeticus geweest, die steeds weer hypo's had doordat hij de insulinesoorten had verwisseld, een zestigjarige vrouw met een vers achterwandinfarct en een honderddertig kilo zware man met een jichtaanval in het gewricht van zijn rechter grote teen, met wie van meet af aan niemand ook maar een greintje medelijden had gehad. Twee patiënten waren overleden, een man die al geruime tijd longoedeem had gehad, en een zevenennegentigjarige vrouw. De mensen met griepverschijnselen waren met een aspirientje en goede wensen weer naar huis gestuurd en op de afdelingen had werkelijk kerstrust geheerst.

Enkele van Horns patiënten waren voortijdig van verlof teruggekeerd, onder wie Caroline Weber. Ze was na anderhalve maand nog niet volledig hersteld van haar kraambedpsychose en was op 25 december 's avonds door haar man naar het ziekenhuis gebracht, omdat ze weer was gaan geloven dat haar pasgeboren dochtertje de duivel was. Horn was er al van op de hoogte, want ze hadden hem thuis opgebeld en hem om een recept gevraagd. Caroline Weber was achtentwintig, haar man was een geduldige shovelmachinist en op de vraag hoeveel kinderen ze in totaal wilden, had hij geantwoord: 'Nou, nog wel een paar.'

Ze baarde hem zorgen. Haar moeder was een paar jaar geleden op een afgerangeerde goederenwagon geklommen en had beide armen over de kabel van de bovenleiding gelegd. Daarna waren in haar woning diverse briefjes gevonden waarop de vrouw eindeloze boetegebeden had geschreven. Haar man, Carolines vader, was na korte tijd bij een mollige platinablonde vrouw ingetrokken. Caroline sprak nooit over hem. Eén keer zei ze: 'Het doet er niet toe of men over mijn vader iets weet of niet.' Moeder dood, vader in zekere zin ook dood, het kind de duivel – er bestond een genadiger lot.

Horn betrapte zich erop dat hij zichzelf met een klein kraaiend meisje op zijn arm voorstelde en Michael en Gabriele daarbij als stralende ouders. Irene zou zich op de achtergrond houden en iets mompelen over mannen die eigenlijk altijd een dochter wensen. Iedereen was vrij ontspannen. Een nieuw element, dacht hij, zou een nieuw element introduceren en de dingen veranderen. Bovendien vroeg hij zich af of hij op zijn achtenveertigste niet nog wat te jong was om opa te worden.

Lili Brunner, de kleine, ronde arts-assistent, porde hem met haar elleboog in zijn zij. Hij schrok op. De anderen staarden hem aan. 'Neem me niet kwalijk, ik had juist een grappige gedachte,' stamelde hij. 'Een dagdroom,' zei Cejpek een beetje hooghartig. Cejpek werd niet moe te beweren dat hij zelf voor honderd procent natuurgeleerde was en de psyche een uiterst absurde organisatievorm van materie. Aan de andere kant verwees hij iedere tweede van zijn patiënten ter beoordeling naar Horn door. 'Een hoge ambtenaar bij de provinciale wegendienst,' zei hij. 'Ik was zo trots dat we greep kregen op zijn hypertonie en nu wordt hij van dag tot dag depressiever.'

'Dat komt voor,' zei Horn.

'Daar ben ik blij om,' zei Cejpek, terwijl hij een stuk peperkoek pakte.

Horn grijnsde. 'Het is altijd beter als de mensen iets hebben wat ze kennen,' zei hij. Lili Brunner keek misprijzend. Ze was onder de collega-artsen zoiets als de vaandeldraagster van ernst. Daar paste bij dat ze zich al meer dan een jaar met de opzet van een hospice bezighield – hoewel ze wat de dood betreft geen traumatische jeugdervaringen kon aantonen, wat ze tegenover Horn steeds weer benadrukte. Men voelde zich door haar in elk geval voortdurend moreel gekeurd, en soms vroeg hij zich af of ze niet bij een of andere geheime orde hoorde.

De rest was gebabbel. Kerstmenu hier, ondankbare kinderen daar. We hebben dit jaar een blauwspar, en je kunt je niet voorstellen hoe snel zo'n omlaaggevallen sterretje een gat in het kleed brandt. Onder andere probeerde men Inge Broschek uit te horen of ze het met bont bezette Prada-tasje, waarover ze al een hele tijd praatte, wel of niet had gekregen. Zonder succes. Uiteindelijk stond ze op, veegde een paar kruimels van haar rok, gooide haar hoofd in haar nek en verliet met een geheimzinnig lachje de vergaderzaal. Horn was er tamelijk zeker van dat Leithner dat ding voor haar had gekocht; maar hij zei niets.

In zijn postvakje op het secretariaat lag een stapeltje verwijsbriefjes. Hij rolde het ongelezen op. Niets overhaasten, dacht hij, één ding tegelijk, vooral met Kerstmis.

Hij keek door Inge Broscheks raam naar buiten op de rivier. De mist kroop de heuvel op. 'En dan moet je niet depressief worden,' zei hij, omdat hem niets anders te binnen schoot. Broschek reageerde niet. Hij was blij toe. Er ontbrak iets. Hij kwam er niet op. De wachtruimte op de polikliniek was rustig. Een magere vrouw, die blijkbaar moeilijk ademhaalde. Een oudere man, die rechtop in slaap was gevallen. Reisberger, de drogist, die zijn hand op de linkerkant van zijn borst drukte en vrijwel zeker geen hartaanval had gehad. Ouders links en rechts van een jongen om wiens onderarm kennelijk een grote hoeveelheid elastisch verband was gewikkeld. Een paar mensen die hij alleen uit zijn ooghoeken zag. Van zijn gebruikelijke verdachten was alleen Schmidinger erbij, met een rode kop en een duidelijk zichtbare vette glans op zijn voorhoofd. Nee, ik laat mijn humeur niet bederven, dacht Horn.

Linda zat aan de receptie. Ze had een ecrukleurige pullover van merinowol aan en straalde ook verder iets feestelijks uit. 'Verpleegsters moet worden verboden zulke pullovers te dragen,' zei Horn. Ze glimlachte en stak hem haar schouder toe. 'Kerstmis. U mag hem aanraken,' zei ze.

'Ik zou niet durven.'

'Waarom niet?'

'Dan komt uw Reinhard misschien met de kettingzaag.' Ze lachte. Linda's vriend werkte als afdelingschef op de afdeling Regionaal Bosbeheer en was in werkelijkheid een extreem zachtmoedig mens. 'Die huilt iedere keer als hij een boom moet laten omhakken,' had Reiter, de assistent op traumatologie, venijnig gezegd. Iedereen wist dat Reiter er graag met Linda vandoor zou gaan, maar met al zijn zwarte krullen en felgekleurde Hugo Boss-hemden niet de minste kans had. Linda was zo'n roodharige bij wie iedere sproet een stuk zelfvertrouwen vertegenwoordigde. Horn dacht even aan Irene. Ze zag er de laatste tijd uitgeput en wat afstandelijk uit. Misschien kwam het ook wel door de kwestie met Michael.

Linda drukte hem drie systeemkaarten in zijn hand. 'Schmidinger, een nieuwe en Heidemarie. Die is er nog niet, maar ze heeft gebeld.' Horn was blij. Heidemarie, de studente met de leukste depressie van de wereld. 'Ik had haar hoe dan ook als laatste aangenomen,' zei hij. 'Aan het eind moet je jezelf een beetje verwennen.' Linda trok een rimpel in haar voorhoofd.

In de behandelkamer stond een klein sparrenhouten setje op tafel. Een donkerrode kaars met gouden sterren. De superkitscherige idylle was eigenlijk een van de weinige redenen die het leven draaglijk maakten. Hij had ook even tijd nodig gehad om dat onder ogen te zien. Je moet jezelf een beetje verwennen, dacht hij. Tot besluit altijd iets prettigs en de narigheid zo mogelijk meteen aan het begin. De hele narigheid. Hij liet Schmidinger binnenroepen.

Een onnoemelijke aftershave en daaronder de lucht van zweetvoeten. 'Ik zeg u, ik kan niet meer!' Horn had geweten dat er zoiets zou komen. Op. Aan de grond. Verwoest. Kapot. Helemaal op. De man zat in een geruit colbert met leren stukken op de ellebogen, had van voren zijn vingertoppen onder zijn riem geschoven en likte de hele tijd zijn lippen. 'In hoeverre niet meer?' vroeg Horn.

'Mijn vrouw... u weet wel.'

'Daagt ze u weer uit?'

Die ogen, dacht Horn, die kleine boze ogen, die rollen als twee rood gemarmerde knikkers. Die neus, van voren een beetje opstaand, en de opgetrokken lippen, waar de punt van zijn tong overheen glijdt. Op sommige momenten verdraag ik mijn beroep niet, dacht Horn.

Norbert Schmidinger had de bruikbaarheid van de psychiatrie een tijdje daarvoor leren kennen, toen hij de destijds anderhalfjarige Melanie voor het eerst tegen de muur had gegooid. Een zenuwarts uit Linz was zo vriendelijk geweest hem in een rapport tijdelijk ontoerekeningsvatbaar te verklaren en op die manier de gevangenis te besparen. Sindsdien was Schmidinger regelmatig bij de psychiater verschenen, elke keer vlak nadat zijn vrouw of een van zijn drie dochters contact had gehad met de traumatoloog of de politie. Horn zelf had hem tijdens een beroepsprocedure tegen een gerechtelijke uitzetting leren kennen en er uiteindelijk niet omheen had gekund te bevestigen dat hij een zekere bereidheid toonde om zich te laten behandelen. Hij had zichzelf daarna een aantal weken lang ellendig gevoeld.

'Mijn vrouw... u weet wel... zoals altijd.'

'Ik wed dat ze u zelfs onder de kerstboom heeft uitgedaagd.'

'Wie dat niet heeft meegemaakt...'

'Bijvoorbeeld met een cadeau waarvan ze er zeker van kon zijn dat u er een hekel aan hebt?'

'U kunt u niet voorstellen...'

'Uw dochters zijn vermoedelijk al een dag van tevoren begonnen. Bij het versieren van de boom.'

'Ik doe zo mijn best!'

Wie was deze keer de klos? dacht Horn. Renate, zijn vrouw, of weer eens Birgit, de jongste? Ze was nog maar vijf.

'Wie was deze keer de klos?'

De roodgeaderde knikkers bleven een seconde stilstaan. Toen zoog Schmidinger de lucht tussen zijn tanden door. 'U weet hoe het is,' zei hij. 'U hebt zelf die verstandige dingen over mijn impulsbeheersing geschreven.'

Waarom hebben we zo'n verdomde schroom om de dingen op te schrijven zoals ze zijn? vroeg Horn zich af. Waarom schrijven we niet 'zware psychopaat' en onderstrepen dat tweemaal als er iemand voor ons zit op wie dat zonder twijfel van toepassing is?

'Er zijn mensen, heb ik gelezen, die niet op één been kunnen staan, hoeveel ze ook oefenen,' zei Schmidinger. 'En als je zo'n tekortkoming hebt als ik, is het niet anders, denk ik.'

'Wie was de klos?' vroeg Horn. 'Wie heeft deze tekortkoming gevoeld?' Schmidinger antwoordde niet, maar kneedde zijn buikvet en likte zijn lippen af.

'U ziet, ik ben gekomen. Ik druk me niet. Ik wil me laten behandelen,' zei hij vervolgens scheef grijnzend.

Horn werd licht in zijn hoofd. Nu is het genoeg, dacht hij, nu is het absoluut genoeg. Bovendien verpest niemand mijn kerstdagen, niemand, en zo iemand al helemaal niet!

'Gebruikt u uw medicijn nog?'

Schmidinger schudde spijtig zijn hoofd. 'Ik kreeg al na een week evenwichtsstoornissen.'

Huiduitslag, dacht Horn, ik had op huiduitslag gegokt. Dat staat op de bijsluiter onder 'veel voorkomende bijwerkingen', nog vóór de evenwichtsstoornissen. Provocatie door wat het meest voor de hand lag had hem altijd al in het bijzonder tegengestaan. Hij schreef Schmidinger tweemaal per dag een half tablet clozapine voor en liet hem over een week terugkomen voor controle. 'En als u niet komt, bevestig ik niets meer,' zei hij. Schmidinger vouwde het recept dubbel, stak het bij zich en stond op. 'Dank u,' zei hij. 'Dank u zeer.' Toen hij wegging, grijnsde hij nog steeds scheef.

Horn trok het raam open. Buiten reed een vrachtwagen langs met opgeschilderde wortels. Schmidinger zou waarschijnlijk niet komen. Hij had het recept en zou daarmee zijn bereidheid om zich te laten behandelen aantonen, als iemand dat van hem vroeg.

Hij maakt me razend, dacht Horn, toen hij naar buiten liep. Ik probeer me ertegen te verzetten, maar hij maakt me werkelijk razend. 'Als de politie naar hem vraagt,' zei hij tegen Linda, 'krijgen ze bij wijze van uitzondering iedere inlichting die ze willen.' Linda was het er voor honderd procent mee eens. 'Daarvoor krijgt u straks een koekje,' zei ze. Waar Horn op dit moment het allerminst trek in had waren koekjes. Nu zou ik haar graag pakken, dacht hij.

De nieuwe leek panisch. Misschien dertig jaar oud, bleek, in overhemd, colbert en een ribbroek die er niet bij paste. Hij ging pas zitten toen Horn hem verzekerde dat er gegarandeerd niets zou gebeuren. Hij deed hem aan iemand denken. Horn kon er niet opkomen. 'Zijn hier dieren?' vroeg de man. 'Zegt u mij alstublieft of er in deze kamer dieren zijn!' Horn schudde zijn hoofd. Sommige dingen werden snel opgelost. 'Hoelang hebt u geen alcohol meer gedronken?' vroeg hij. De man kromp ineen en keek Horn toen recht aan. Plotseling zag hij er nogal opgelucht uit. 'Hoe komt u daarbij?' vroeg hij. 'Als de ellende groot genoeg is, denken de mensen altijd dat ze de enige zijn,' zei Horn. Toen vertelde hij over een jonge man die de stress van zijn werk mee naar huis nam en pas kon loslaten als hij zichzelf een paar cc alcohol had toegestaan, en die, zodra met de positie de druk toeneemt, ook overdag op dit beproefde middel teruggrijpt en goed verdeeld over de dag de glazen jenever achteroverslaat, die ten slotte in de kerstvakantie, omdat ook het spelen met de kinderen en het slapen met zijn vrouw ontspant, vergeet een paar van deze cc's alcohol te nemen. 'En dan sturen uw hersenen de witte muizen al voor de camera,' zei Horn. Hij haalde een flesje diazepamoplossing uit de kast en telde vijfenveertig druppels in een bekertje. 'U neemt dit nu in en gaat weer twintig minuten in de wachtkamer zitten,' zei hij. 'En dan kijken we verder.' De man maakte de indruk alsof hij ook bereid was geweest om twintig minuten lang zijn adem in te houden als dat van hem was gevraagd. Hij trilde over zijn hele lichaam toen hij naar buiten ging.

'Hij doet me aan iemand denken,' zei Horn, terwijl hij een anijskoekje in zijn mond stopte. 'Pepijn,' zei Linda.

'Wat zeg je?'

'Hij lijkt op Pepijn, die ene hobbit uit *In de ban van de ring*. Iets groter misschien.' Er dook een beeld op voor Horns geestesoog. Een klein mannetje met een tamelijk wanhopige glimlach. Linda had gelijk, zonder meer. Hijzelf had het derde deel samen met Tobias in de bioscoop gezien. Aan het einde was Tobias veel fitter geweest, hoewel hij de hele marathon had uitgezeten. Tien uur aan één stuk.

'Drinkt Pepijn?' vroeg hij. 'Zeker,' zei Linda. 'Elke hobbit drinkt. Zou u niet drinken als u een hobbit was?' Daar had Horn geen antwoord op. Bovendien was zojuist Heidemarie binnengelopen. Ze droeg een grijze kunstbontmantel en een donkerrode haarband. 'Een elfenprinses,' mompelde Linda. Hij had er geen idee van of ze jaloers was. Het idee van vaderlijke gevoelens kon hij zich bij haar in elk geval besparen, dat stond vast.

Heidemarie had zichtbaar gehuild. Ze bleek een paar slapeloze nachten achter de rug te hebben, vol uren waarin haar gedachten steeds om vragen over de betrouwbaarheid van diverse zelfmoordmethoden circuleerden. Met Kerstmis had ze van haar ouders geld gekregen, een middelmatig bedrag, in een beduimelde envelop, vergezeld van het commentaar dat het zo het gemakkelijkst was; bij haar moesten ze er altijd rekening mee houden dat ze de dingen die haar werden geschonken, zou afwijzen. 'Ze kunnen niet anders,' zei ze. 'Elkaar geven ze helemaal niets.' Al jaren geleden hadden ze dat zo afgesproken. Waarschijnlijk berusten de meeste relaties op de overeenkomst niets met elkaar te maken hoeven te hebben, dacht Horn.

Ze praatten over de kerstfeesten van haar jeugd, over de leegte van de enorme woonkamer en over de met slingers behangen kerstbomen. De muziek kwam natuurlijk van een grammofoonplaat en het eten was net zo vreselijk als altijd. Alleen door een oudtante die ze tien, twaalf jaar lang op kerstavond een paar uur in de familie hadden verdragen, had ze zich begrepen gevoeld. Toen die tante uiteindelijk aan de gevolgen van een hartspierontsteking was gestorven, had haar moeder gezegd: 'Nou, godzijdank, eindelijk rust!' Misschien dat toen het gevoel van eenzaamheid was begonnen; ze wist het niet precies. Ik zou mijn armen om haar heen willen slaan, dacht Horn, en tegelijkertijd wist hij dat juist dat in wezen de diagnose al was. Je noteert 'depressie', dacht hij, schrijft een medicijn voor en weet dat het altijd te maken heeft met het verlangen naar twee armen om je heen.

'Weet u wat het ergste is?' vroeg ze na een tijdje. 'Het ergste is als je merkt dat je jezelf kwijtraakt; als datgene waarvan je altijd hebt gedacht dat jij het was, uit je wegloopt. Uiteindelijk is wat van je overblijft een lege zak, meer niet.' Daarop wist Horn niets te zeggen. Hoe ouder je wordt, hoe minder je op sommige dingen wist te zeggen, dacht hij.

Ze vertelde over een examen bestuursrecht dat ze had gehaald en hij wist nog steeds geen antwoord op de vraag waarom deze jonge vrouw had besloten rechten te gaan studeren en niet tunnelbouw of architectuur of schilderijenrestauratie. Of meteen maar psychologie. In elk geval kon hij zich inmiddels voorstellen hoe ze vooraan in de rechtszaal stond en misbruikte jongetjes vertegenwoordigde of kleine meisjes, die door hun vaders tegen de muur waren gegooid. 'Het ergste is, edelachtbare,' zou ze zeggen, 'dat deze kinderen in werkelijkheid niets meekrijgen, bijvoorbeeld iets wat we geweld noemen of trauma, nee, het ergste is dat uit deze kinderen alles wordt geslagen of geneukt wat er misschien eerst in zat.' Ze zou niet schromen om 'geneukt' te zeggen en de rechter zou grote ogen opzetten.

'Ik stel me voor dat het fijn is om een vrouw te hebben die met Kerstmis op de cello speelt,' zei Heidemarie en ze keek er verdrietig bij. Horn aarzelde. 'Ja,' zei hij ten slotte. 'Dat is fijn.' Hij dacht aan

Irene, die op kerstavond het largo uit Händels *Xerxes* had gespeeld en hij op dat moment zo veel van haar had gehouden dat het pijn deed. En hij dacht dat een psychiater er niet aan ontkwam mensen tot zich toe te laten, Heidemarie bijvoorbeeld, die hij nooit terechtwees als ze de grens naar zijn privéleven overschreed. Ze praatten nog over de onrechtvaardigheid van het leven en over het zomersemester dat voor de deur stond. Hij verhoogde de dosis van het antidepressivum een beetje en schreef bovendien een slaapmiddel voor. 'Als u weer in Wenen bent, zult u het niet meer nodig hebben,' zei hij. Toen hij haar bij het afscheid de hand reikte, haalde ze een pakje uit haar jaszak tevoorschijn. 'Gelukkig nieuwjaar.' Donkerblauw papier met kleurige sterretjes. Aan het formaat te zien een cd. Voor hij kon bedanken, was ze weg.

Hij draaide het ding een paar keer om en om en legde het toen weg. Hij zou het pas thuis openmaken.

Linda was verdiept in een telefoongesprek en wuifde hem weg toen hij zich over haar heen boog om haar te vragen Pepijn binnen te roepen. 'Maar dat is niet te geloven,' zei ze langs hem heen en ze draaide een krul om haar wijsvinger. Horn ging zelf de wachtruimte in.

De man kwam stralend op hem af. 'Het is allemaal weg,' zei hij. 'Helemaal verdwenen, alsof er nooit iets is geweest.' Horn gaf hem een half doosje diazepamtabletten met een nauwkeurig doseringsvoorschrift mee. 'Hebt u de gebruikelijke waarschuwingen nodig?' vroeg hij hem. De man schudde zijn hoofd. 'Over een maand wil ik u terugzien,' zei Horn. Hij wist dat de man niet zou komen.

Horn werkte zijn patiëntendossiers bij. De computer werkte foutloos. Zelfs de link naar de diagnosesleutel was aangebracht. Dat was na de ramp die door de overstap naar een ander programma was veroorzaakt, die sinds half oktober het hele ziekenhuis in zijn greep had gehouden, een aangename verrassing. Ik behoor tot een generatie waarvan een principieel wantrouwen tegenover elektronica wordt aangenomen, dacht Horn. Dat is eigenlijk afschuwelijk.

Linda zat nog steeds te bellen toen hij de polikliniek verliet. Hij wierp haar een kushand toe. Ze stak haar arm op en hij dacht even dat ze hem wilde tegenhouden. Hij twijfelde een ogenblik en liep toen door.

In het trappenhuis nam Horn de verwijsbriefjes door. Hij rangschikte ze op verdieping, van boven naar beneden, zoals altijd. Zeven stuks, waarvan drie van orthopedie, de kleinste afdeling van het ziekenhuis. Köhler had dienst gehad, dat verklaarde de zaak. Hij had ten eerste een angststoornis uit het boekje en was ten tweede psychiatrisch bovenmatig geïnteresseerd. In het begin had Horn hem een paar keer voor de gek gehouden – de hamerteen was in werkelijkheid een complex psychosomatisch fenomeen en dat soort dingen, maar het had onmiddellijk tot een veelvoud van doorverwijzingen geleid en Horn was er weer mee gestopt.

Derde verdieping. Op traumatologie een oudere man na een bekkenoperatie. Verwardheid door de lange narcose; die zou vanzelf wel overgaan. Op de kraamafdeling een uitgesproken bleke, behuilde negentienjarige kraamvrouw die leek af te glijden naar een postnatale depressie. Op orthopedie zoals verwacht twee van de drie doorverwijzingen honderd procent onnodig: een jongeman met een aseptische necrose in zijn scheenbeenkop, die zo dom was geweest in het anamnesegesprek aan te geven dat hij wel eens cannabis gebruikte, en een vrouw met pijn waarvoor na haar herniaoperatie op de eerste plaats de psychiater de aangewezen persoon leek te zijn. Analgeticatekort, schreef hij op, hoewel hij wist dat Köhler weinig gevoel voor humor had. De derde doorverwijzing was prima. Een vijftienjarige gymnasiaste, bij wie twee dagen voor Kerstmis wegens een osteosarcoom in het bovenste deel van het scheenbeen de rechterkuit was weggesneden. Horn praatte met haar over dansen en skiën en over het feit dat er voor een prothesemaker niets spannenders bestond dan een leuk meisje een nieuw stuk loopgereedschap aan te meten. Aan het slot schreef hij het telefoonnummer van Konstanze Witt voor haar op, een psychotherapeute die een stuk boven de Uferpromenade praktijk hield, een paar minuten van waar het meisje woonde. Voor het geval ze het gevoel mocht krijgen dat ze er niet alleen uitkwam.

Tweede verdieping. Op I22 rook het naar aangebrande melk. Dat was een van die geuren die hij als kind al niet kon verdragen. Zweetvoeten en aangebrande melk. Misschien dat je als arts psychiater wordt, dacht hij, als je de geur van zweetvoeten niet kunt verdragen. 'Het stinkt hier,' zei hij tegen Doris, die net uit het depot kwam met een stapeltje beddengoed over haar arm. Ze grijnsde. 'Dat komt ervan als een Filippijnse verpleegster probeert koffie met opgeklopte melk te maken.' 'Josephine?' vroeg hij. Doris knikte lachend. Josephine had altijd wat bijzonders. Laatst had ze in alle denkbare hoekjes van de afdeling origamizwanen als kerstversiering neergezet. De meeste mensen hadden het leuk gevonden.

De hogere ambtenaar van de provinciale wegendienst, die Cejpek hem had aangekondigd, troonde in bed en zat naar de tv te kijken. *Home alone*, voor de zoveelste keer. Hij kreeg een rood hoofd toen Horn hem verzocht de tv even uit te zetten. Verder bleek hij vooral een dwangmatig gestructureerde persoonlijkheid zonder een greintje depressie. Horn schreef dat ook zo op: 'Geen greintje depressie.' Bij Cejpek was heldere taal altijd de beste optie. De man was onder andere verantwoordelijk voor diverse opdrachten op het gebied van spoorsanering. 'Hoe vaak wordt u omgekocht?' Soms kon Horn de behoefte niet bedwingen om de mensen met hun gedrag te confronteren. De man trok wit weg. Voor de bloeddruk was dat waarschijnlijk gunstig. 'Televisiekijken maakt trouwens impotent, dat heeft een groot Amerikaans onderzoek aangetoond,' zei Horn, voor hij de kamer uit liep. Hij was ervan overtuigd dat de man tot het slag mensen behoorde dat zich door grote Amerikaanse onderzoeken liet imponeren; net als Cejpek.

Ik heb honger, dacht Horn, toen hij het trappenhuis overstak, de laatste tijd heb ik veel meer honger dan vroeger. Hij keek op de klok. Dat overkwam hem anders ook nooit: een halve dag was verstreken en wat overbleef was de onaangename herinnering aan een psychopaat als Norbert Schmidinger. Misschien ook nog een fractie van het gevoel dat een verdrietige rechtenstudente verlangde naar een arm om haar heen.

Hij liep de keuken in. I23 was een afdeling waar je het best meteen naar de keuken kon lopen, ongeacht of je honger had of niet: de twaalf psychiatrische bedden waarvoor Horn verantwoordelijk was, plus zeven min of meer stervenden, verdeeld over drie kamers aan het eind van de gang – het begin van Lilli Brunners hospice. Op instinctief niveau moest deze opeenstapeling van ellende worden gecompenseerd. Er stond een truffeltaart, waarvan een klein stukje ontbrak, minder dan een kwart. De partners en kinderen van hospicepatiënten brachten steeds taarten mee, vooral op feestdagen, hoewel ze heel goed wisten dat daarmee de dood ook niet was tegen te houden. De familie van psychiatrische patiënten bracht niets mee, hoogstens misnoegen en koude koffie. 'Ik kook straks iets voor ons.' Christina, het plaatsvervangende afdelingshoofd, kwam binnen en zette een tas met boodschappen op het werkblad. Ze was lang, een beetje hoekig gebouwd, en deed 's winters aan snowboardwedstrijden. Dat had ze ook na de geboorte van haar mongoloïde dochter drieënhalf jaar geleden niet opgegeven. Het kind ging sinds een paar maanden naar de crèche en ontwikkelde zich prachtig. Vooral Lea Wirth, die aanvankelijk nogal sceptisch was geweest, had haar in haar hart gesloten. De vader van het meisje was nog voor haar eerste verjaardag vertrokken. 'Zeilboten verkopen en een gehandicapt kind – dat gaat kennelijk niet samen,' zei Christina soms en dan had ze daarbij een verbitterde trek om haar mond.

'Dus geen taart voor het bezoek.' Horn trok een gezicht. Christina lachte en kneep in zijn bovenarm. 'Terwijl je nog steeds ongelooflijk dun bent.'

'Onzin!' Gemaakt verontwaardigd deed hij een stap achteruit. In werkelijkheid had hij van Christina altijd alles geaccepteerd; kritiek, complimenten en opmerkingen over zijn lichaamsbouw. Hij wist dat het niets had te maken met het feit dat ze een gehandicapte dochter had.

Benedikt Ley, de achttienjarige timmermansleerling met de dubbele neusring, had zichzelf op kerstavond het laatste restje chemische en nog altijd ondoorzichtige hallucinogene middel toegediend, dat hem al een week eerder in een nogal slechte bui had gebracht. Nu zat hij ondanks aanzienlijke neuroleptica-injecties met wijd open ogen van schrik op zijn bed te transpireren. Toen Horn hem vroeg waarom hij het spul had genomen, sloeg hij alleen maar wartaal uit. 'Waarschijnlijk was het gewoon te duur om weg te gooien,' zei Raimund, de verpleger die op hun ronde door de kamers meeliep. Hij was in zulke dingen duidelijk op de hoogte. Horn had hem er nog nooit op aangesproken.

'Zijn vader slaat hem nog steeds, ook in het openbaar,' zei Christina buiten voor de deur.

'Ook al is hij meerderjarig?' vroeg Horn.

'Dat kan een echte trucker geen lor schelen,' zei ze. Horn had de oude Ley nog nooit te zien gekregen; zijn vrouw echter wel, diverse keren. Ze had altijd een zwartgerande bril op en een donkerpaars gebloemd mantelpak aan. Die moeder heeft in feite behoefte aan optische verbetering, dacht Horn, en op hetzelfde moment vond hij het smakeloos.

Ze stonden voor Caroline Webers kamer en Raimund zou juist gaan vertellen dat ze hem als hulpje van de satan in haar waan had ingebouwd, toen Elfriede de gang in kwam. 'I23 wenst de kinderafdeling een gelukkig kerstfeest,' zei Christina grijnzend. Elfriede reageerde niet. 'Er wordt net een meisje van zeven binnengebracht,' zei ze tegen Horn. 'Volkomen star, zegt niets, beweegt niet. De reddingsploeg zegt dat ze zoiets nog nooit hebben gezien.'

Horn dacht na. 'Starre meisjes die opeens niet meer praten, worden wel vaker binnengebracht.'

Elfriede maakte een serie heftige bewegingen met haar handen. Een paar momenten kon ze geen woord uitbrengen. 'Het moet met de grootvader te maken hebben,' zei ze ten slotte. 'Het meisje heeft hem gevonden. In de sneeuw. Er was iets met zijn gezicht.'

Drie

Kovacs nam de haringen van sparrenhout, die Lipp, de jongeman in uniform, voor hem uit de schuur had meegebracht, en sloeg ze met de kop van een bijl een voor een in de grond, in totaal zes stuks. De weerstand van de bevroren aarde die onder de sneeuw lag, was steeds twee, drie slagen te voelen. Vervolgens nam hij de rol met het gele lint en spande het van de ene haring naar de andere, eenmaal eromheen, tweemaal, driemaal. Liefst was hij helemaal niet meer opgehouden en was hij verder in een kringetje gelopen, steeds weer, om de zaak te laten verdwijnen die zich midden in de afgezette zone bevond. Zoiets wilde hij niet, dat wist hij honderd procent zeker, ongeacht wat erachter zat. Met slaande echtgenoten kon hij omgaan, met drugshandel, die zich 's zomers aan de Uferpromenade afspeelde en 's winters in achterkamers van een bepaald hotel, met de illegale baan in de pletterij en met het feit dat er de laatste tijd zelfs uit afgesloten garages auto's verdwenen. Ook de messen en boksbeugels, die 's nachts hier en daar fonkelden, schrikten hem niet af, en zelfs toen Clemens Weitbauer een jaar geleden in een ruzie zijn halfbroer het geweer op de borst had gezet en afgedrukt, had hij het verwerkt.

Maar hij wenste dit hier weg, zo ver mogelijk weg, dat voelde hij met alle kracht van zijn drieënvijftig jaar. Dat had niets te maken met de kerstvrede, die daarmee wel ondubbelzinnig naar de hel was, en ook niets met het feit dat hij de hele groep op vakantie had gestuurd – Bitterle en Demski in elk geval. De oude Strack was sinds oktober afgekeurd en je kon niet zeggen dat iemand hem miste.

Het sneeuwpoppetje met de gerimpelde muts en het sneeuwdier, waarvan blijkbaar de neus was afgevallen, stonden buiten de afzetting, alsof ze stonden te kijken. Kovacs ging erbij staan. Hij drukte Lipp de rol met lint in zijn hand. Ze waren de camera vergeten. 'Wat vind je van een rechercheur die geen fototoestel bij zich heeft?' vroeg hij. Lipp liep inderdaad rood aan. 'Het spijt me,' stamelde hij. 'Ik heb er niet aan gedacht.' Lipp was Demski niet. Demski was er anders altijd en dacht altijd aan alles: fototoestellen, dictafoons, fixeeroplossingen, glazen potjes, reservebatterijen, handboeien enzovoorts. Nu was hij op vakantie, duiken in Kenia, als Kovacs het zich goed herinnerde. Demski zwom tussen de tijgerhaaien en zijn vrouw en kind lagen vermoedelijk aan het strand.

'Heb je zoiets wel eens gezien?'

Lipp schudde zijn hoofd. 'Ik geloof van niet.'

'Ben je niet lekker?'

'Ik weet het niet.'

Lipp was net twintig, zo mager als maar kon, en knipte zijn zwarte haar blijkbaar zelf. 'Als je niet weet of je niet lekker bent, neem je de auto en haal je ergens een fototoestel vandaan,' zei Kovacs. 'Dan zeuren de collega's straks niet.' Lipp stond er even besluiteloos bij. Kovacs joeg hem met een handbeweging naar de auto. 'Ik fotografeer intussen met mijn hoofd.' Onder het weggaan draaide Lipp zich nog een keer om. 'Hij ligt erbij als een gekruisigde,' zei hij. Wat een onzin, dacht Kovacs.

Het was koud. Een smalle mistbank hing op de heuveltop achter de gebouwen. Kovacs was ook zijn handschoenen vergeten. Ik vergeet mijn camera, dacht hij, omdat Demski er niet is, en ik vergeet mijn handschoenen omdat ik geen vrouw meer heb. Hij bukte. Er lag iets in de sneeuw, in het brede bandenspoor dat hier overal te zien was. Een klein, donkerbruin steentje, verder niets. Hij stak het bij zich.

Hoe heette de apostel, die volgens het verhaal ondersteboven was gekruisigd? Petrus of Andreas?

Kovacs dwong zichzelf goed te kijken. Het lichaam van de man lag op de flauwe oprit naar de schuur. Zijn benen wezen naast elkaar omhoog naar de poort, zijn armen lagen opzij. Zijn nek lag precies op de plaats waar de oprit een knik maakte, dat wil zeggen het hoofd lag al op een vlak stuk, of liever: wat er van het hoofd nog over was.

Een schijnwerper, dacht Kovacs, terwijl hij bij het afzetlint op zijn hurken zakte. Een schijnwerper zou ook niet verkeerd zijn. De camera's bevonden zich in het materiaaldepot, de schijnwerpers ook. De technische recherche zou een heleboel schijnwerpers meebrengen, dat stond vast. Kovacs keek op zijn horloge. Een halfuur nog, vanwege de mist misschien wat langer.

Botsplinters waren er te zien, een stuk kunstgebit, grijze haren. Een oogbol was ongedeerd gebleven; dat zag er grappig uit. Hij lag nogal centraal onder de vrijwel intacte wenkbrauwboog en stond een stukje naar linksbuiten verdraaid. Verder: gebarsten huid en heel veel geronnen bloed.

Over zijn hoofd gereden, dacht Kovacs, hij glijdt uit, valt, en er rijdt iemand over zijn hoofd. Diegene stapt uit de auto, sjort hem de oprit op en drapeert hem daar – wat een onzin.

Een jack van dikke, okerkleurige tweed. Een stof die je verder nergens meer kon krijgen. Drie van de vier knopen waren dicht. Een mosgroene ribbroek, van onderen opgerold. Hoge zwarte rijglaarzen, waarschijnlijk loden gevoerd. Oudere mannen droegen zoiets graag. Geen handschoenen, geen pet. Hij wilde naar buiten, dacht Kovacs, maar niet lang.

Een patrouillewagen bleef op een afstandje staan. Töllmann en Sabine Wieck stapten uit. Ze keken om zich heen en kwamen toen langzaam op Kovacs af. Töllmann bleef telkens staan en lachte hard. Hij droeg de staalgrijze, kuitlange loden mantel, die de politie al eeuwig niet meer gebruikte. Kovacs zelf had hem ook al niet meer gekregen toen hij veertien jaar geleden in dienst was getreden. Hij liep het tweetal een paar stappen tegemoet. 'Drank of bevroren of allebei?' vroeg Töllmann. 'Allebei,' zei Kovacs, terwijl hij een stap opzij zette. Sabine Wieck gaf over op het moment dat het afzetlint haar knie raakte. Töllmann stond een meter verder en was misschien alles bij elkaar iets minder gevoelig. Desondanks had hij een uitgesproken ongezonde gelaatskleur. 'Een dode oude man, zei Lipp aan de telefoon,' stamelde hij. 'Alleen maar: een dode oude man.'

'Wie doet zoiets?' bracht Sabine Wieck met de laatste portie maagsap uit. 'Welke klootzakken doen zoiets?' Waarom denkt ze niet aan een ongeluk? vroeg Kovacs zich af. En: waarom denkt ze aan duivels in het meervoud? Töllmann informeerde naar de technische recherche en de forensische dienst, een fractie te hard, schijnbaar vooral om iets te zeggen, en Kovacs zei dat de man Wilfert had geheten, Sebastian Wilfert. Hij heeft altijd hier op het erf gewoond, op het laatst in een bijgebouw, een voormalige paardenstal en machineloods, die hij voor zichzelf en zijn vrouw voor zijn oude dag had omgebouwd. Zijn vrouw was meer dan een jaar geleden gestorven. Dat had hij allemaal van Lipp gehoord, die verder niets opvallends over de oude man wist te vertellen. 'Gewoon een oude man,' had Lipp gezegd. 'Een oude man zoals honderd anderen. Rouwt om zijn vrouw, schept sneeuw, zit voor het huis en is blij als hij zijn kleinkinderen ziet.'

Kovacs zei Töllmann bij het afgezette gedeelte op Lipp te wachten en samen met hem alles te fotograferen.

'Jij komt met mij mee,' zei hij tegen Sabine Wieck. 'We gaan naar binnen en kijken wat de mensen te vertellen hebben.' Ze glimlachte flauw.

'Trek het je niet aan. Voor iedereen komt het moment dat hij of zij over een geel lint kotst. Je verwacht het niet en dan is het er opeens.' Hem was het bijna dertig jaar geleden overkomen: een bestelbus die op de Tauernsnelweg een aluminium strip was verloren, één relatief klein dingetje, misschien drie, drieënhalve meter lang en vijf kilo zwaar. De strip was met het ene uiteinde op de rijweg terechtgekomen, had men gereconstrueerd, was hoog in de lucht geschoten en in een boog teruggekomen, als een speer. Hij was over twee achteropkomende personenauto's gevlogen, en had de voorruit van de derde precies in het midden doorboord. Hij ging tussen de vrouw en de man, die voorin zaten, door, zonder hen te raken. Het stel had drie kinderen gehad, elf, acht en vier jaar oud. De oudste twee hadden de kleinste tussen zich in genomen. Het was een witte Mitsubishi Lancer geweest, hij wist het nog precies.

Hij vertelde niets. Hij had met haar te doen, zoals ze naast hem liep, geel in haar gezicht en het uniform een beetje te groot. 'Kijk maar rond,' zei hij. 'Maak je hoofd leeg en kijk gewoon een beetje rond. Concentreer je helemaal nergens op, dan zul je de belangrijke dingen zien.' Sabine Wieck tilde haar hoofd op en keek hem verbaasd aan. Hij grijnsde. Het klonk altijd een beetje zenboeddhistisch, als hij zoiets zei, hoewel hij niets had met al dat gedoe uit het Verre Oosten. Hij zag dat ze werkelijk begon rond te kijken. Boven het woonhuis stond de winterse ochtendzon als op een kalenderfoto.

De man en de vrouw die tegenover hen in de deuropening stonden, leken gekrompen. Dat was in zulke situaties altijd het geval. Je ging naar mensen toe die zojuist iets verschrikkelijks hadden meegemaakt, en het leek of ze vlak daarvoor een halve kop kleiner waren geworden. De schoonzoon en de dochter. Ernst en Luise Maywald.

Kovacs begon zijn praatje altijd hetzelfde: 'De verschrikkelijkste dingen blijken in de regel een ongeluk.' Dat zei hij ook in situaties waarin hij wist dat het gegarandeerd onzin was. Dan dacht hij aan dat kind en de aluminium strip en wist dat hij ten minste voor een deel gelijk had. Dat je dus altijd eerst van een ongeluk moest uitgaan, maar omdat een misdaad niet honderd procent kon worden uitgesloten en voor de oplossing de eerste indrukken en de verste herinneringen van cruciaal belang zijn, was hij genoodzaakt medelijden en medeleven op te schorten enzovoort enzovoort. Iedereen begreep dat, niemand wond zich op. Integendeel, de mensen waren blij als ze mochten praten.

De voorkamer was groot en vierkant, zoals in de meeste oude boerenhuizen. Een vloer van gele leisteentegels. Langs de muur tegenover de voordeur een smalle, langwerpige lappendeken met een rij laarzen erop.

In de huiskamer eerst een hond die in de weg stond en zijn tanden liet zien. 'Emmy!' – de vrouw. De hond gehoorzaamde onmiddellijk. De vloer van geolied larikshout, brede planken. Kovacs had iets met vloeren. Hij wist niet hoe het kwam. De wand was rondom met licht hout betimmerd, ahorn of berken. 'U woont hier mooi,' zei Sabine Wieck. 'Licht en vriendelijk.' Ze ziet het juiste, dacht Kovacs. 'Mijn man heeft voor timmerman geleerd,' zei de vrouw. Ze was van gemiddelde lengte, stevig, droeg een spijkerbroek, een wijnrode katoenen trui en een haarband over haar halflange donkerblonde haar. Heel vastberaden, dacht Kovacs, ze weet wat ze wil en haar man weet wat hij aan haar heeft.

Een grote betegelde schoorsteen met een koepelvormige opbouw. Op de bank eromheen drie kinderen, een meisje van een jaar of veertien en een iets jongere jongen. De twee hadden een klein meisje tussen zich in genomen. Kovacs dacht: dat mag niet! Toen stak hij allemaal zijn hand toe. Die vrouw heb ik al eens eerder gezien, dacht hij, in de stad, in de supermarkt, bij het tankstation, ergens.

'Wilt u met ons allemaal tegelijk praten?' vroeg de vrouw. Haar verdriet blijft binnen de perken, dacht Kovacs, en ze probeert zich voor te stellen wat er moet gebeuren. De man stond een beetje op de achtergrond, kauwde op zijn bovenlip en had zijn rechterhand in zijn broekzak. De kinderen zaten rustig, het oudste meisje fluisterde iets tegen haar broertje, over het hoofd van de kleinste. Het zou wel gaan.

De man haalde vier stoelen. De kinderen mochten blijven waar ze waren. De hond ging aan de voeten van het kleine meisje liggen. Er draait hier veel om de kinderen, dacht Kovacs. Sabine Wieck haalde schrijfblok en balpen uit de binnenzak van haar jas tevoorschijn. Hij zou haar bij gelegenheid eens vragen of ze er iets voor voelde om naar zijn team over te stappen.

'Hoe kan zoiets gebeuren?' vroeg de vrouw. 'Wie doet zoiets?' Ze drukte haar duim en wijsvinger tegen haar ogen. Kovacs wachtte een paar seconden. Ze gelooft niet in een ongeluk, dacht hij, en ze denkt niet in het meervoud. 'Wie heeft grootvader gevonden?' vroeg hij. De man tilde zijn hoofd op en keek zijn jongste dochter aan. 'Onze grootvader was altijd voorzichtig,' zei het oudste meisje heftig snikkend. De jongen knikte bevestigend. Sabine Wieck schraapte haar keel. De vrouw wees eerst naar het jongste meisje, toen naar de hond. 'Katharina heeft opa gevonden,' zei ze. 'En Emmy.'

Haar dochter was gisteravond aan de overkant geweest zoals de laatste tijd iedere dag, vertelde Luise Maywald, en alle drie de kinderen hadden een uitgesproken goede relatie met hun grootvader gehad. Zoals je je dat voorstelt – wandelen, verhaaltjes vertellen, zwartepieten. 'Mens-erger-je-niet,' zei het oudste meisje – Ursula, als Kovacs het goed had onthouden. 'Natuurlijk ook mens-erger-je-niet,' zei de moeder. 'Allebei, soms het een, soms het ander.' Haar dochtertje had opeens in de voorkamer gestaan en had er op het eerste gezicht net zo uitgezien als altijd; een beetje kleumend misschien, maar buiten was het de laatste tijd steeds behoorlijk koud geweest. De hond had zich meteen raar gedragen, nu ze erover nadacht, gespannen en geïrriteerd, alsof er iemand in de kamer was die ze niet mocht. Kovacs wierp een blik naar opzij, naar Sabine Wieck. Ze zal al die dingen onthouden, dacht hij, bijvoorbeeld: 'een beetje kleumend' en 'alsof er iemand in de kamer was'. Bovendien paste het uniform haar echt niet.

'Katharina had haar hand naar voren gestoken en haar vuist geopend,' vertelde de vrouw. 'Daarin lagen de twee pionnen van mens-erger-je-niet, een gele en een blauwe. Emmy had haar oren platgelegd en Katharina had iets vreemds gezegd – *Vier, vier, ik heb je*, en toen zagen we dat haar vingers onder het bloed zaten en ze heeft vanaf dat moment geen woord meer gezegd.' Een tijdlang hadden ze allemaal gedacht dat Katharina zich ergens aan had bezeerd, en omdat ze niets zei, ook niet jammerde of zo, is ze in haar eigen hulpeloosheid met haar naar de badkamer gegaan en heeft eerst Katharina's handen gewassen en haar vervolgens helemaal uitgekleed. Maar er was geen verwonding te zien geweest.

'Welke vingers?' vroeg Sabine Wieck. De vrouw begreep het niet meteen.

'Welke vingers zaten onder het bloed?'

'Haar duim, wijsvinger, middelvinger,' zei de vrouw, terwijl ze haar eigen rechterwijsvinger uitstak en haar middelvinger en duim daaronder iets kromde, 'alsof ze ergens aan gevoeld heeft.'

'Ergens aan gevoeld?'

'Ja, maar dat bedachten we pas veel later. Ergens aan gevoeld – zo moet het zijn geweest.'

Ze had eerst haar vader aan de overkant gebeld, maar die nam niet op. Dat gebeurde wel vaker, want zijn gehoor is niet meer zo goed. Na de derde poging had ze toen Georg, haar zoon, eropuit gestuurd, want dat er iets zou kunnen zijn gebeurd, daar dacht op dat moment nog niemand aan. Georg was vijf minuten later weer teruggekomen; de grootvader was er niet. 'Is je in het huis van je grootvader iets opgevallen?' vroeg Kovacs. De jongen schudde zijn hoofd. Het was zo'n mollige twaalfjarige bij wie het haar vet begon te worden.

'Stond de voordeur open?'

'Nee, die was dicht.' Alerte ogen, in zijn stem nog geen spoor van de puberteit.

'Brandde binnen licht?'

'Ja, binnen was licht – de lamp boven tafel en op tafel stond mens-erger-je-niet.'

'En je grootvader was er niet?'

'Nee, die was er niet.'

Hij had hem geroepen en geen antwoord gekregen. Ook in de slaapkamer en in de badkamer en op de wc was hij niet.

'En buiten?'

De jongen schudde zijn hoofd weer. 'Buiten was hij ook niet.'

'Ik bedoel: heb je hem geroepen?'

Nee, hij had hem niet geroepen, want het was koud en donker.

'En toen heb je alleen maar voor je uit gekeken en bent zo snel mogelijk teruggehold?' Sabine Wieck had zich een stukje voorovergebogen. Ze let goed op, dacht Kovacs, ze stelt de juiste vragen en ze begrijpt kinderen. De jongen knikte. 'En Emmy gromde tegen me,' zei hij. 'Zomaar.'

'Wat is het voor een hond?'

'Een bordercollie.' Het klonk altijd heel beslist als het grootste meisje iets zei. Een beetje mollig, dacht Kovacs, spek op de heupen, vlotte bril. Een geweldige grote zus, ongetwijfeld. Later zou ze net zo worden als haar moeder.

Haar vader maakte altijd wandelingen, ook 's avonds, vertelde de vrouw. Vooral van de plek op de heuveltop achter de schuur hield hij. Daar zat hij op een hakblok naast de stapel gekloofd hout vaak urenlang naar de bergen te kijken, of omlaag naar de stad. 'Vandaar dat we het ook niet meteen doorhadden,' zei de man. 'Katharina deed wel een beetje vreemd en keek ons de hele tijd niet aan, maar toen ging ze voor de tv zitten en was alles weer redelijk gewoon.'

'Pas toen ik bij het naar bed brengen de pionnen uit haar hand wilde pakken en ze panisch begon te brullen, vroegen we ons af of er niet toch iets was gebeurd,' vertelde de vrouw. 'Ze sperde haar ogen wijd open en brulde zoals ze nog nooit had gebruld. Toen dacht mijn man: misschien heeft ze een dood dier gezien, een bok of een vos. En even later zei hij het ook: misschien was het een dood dier.'

Hij had zijn jack aangeschoten en een rondje over het terrein gelopen, om beide huizen heen. Er was niets bijzonders geweest. Hij was niet op het idee gekomen naar de loods te gaan. Eigenlijk had hij de hond mee willen nemen, maar die lag als aan de grond genageld naast Katharina's bed. 'Het was volle maan,' zei Ernst Maywald. 'En de lucht was volkomen helder, dat was het enige bijzondere. Ik stond bij het hek en heb naar de stad gekeken, misschien wel een halve minuut. Alles leek voor het grijpen, elke lantaarn op de Uferpromenade.'

Toen waren ze gaan slapen, zonder zich serieus zorgen te maken. Zijn schoonvader was altijd gezond geweest en hechtte de grootste waarde aan zijn onafhankelijkheid. Niets wees erop dat er iets kon zijn gebeurd.

'Hoe oud was uw vader?' vroeg Sabine Wieck.

'Zesentachtig,' zei Luise Maywald. 'Begin maart zou hij zevenentachtig zijn geworden.'

De kraaien hadden zijn aandacht getrokken, vertelde de man, net als in de film. Hij had vroege dienst en moest daarom om halfzes het huis uit. Terwijl hij naar de garage liep, vielen hem twee dingen op: ten eerste dat in het huis van zijn schoonvader licht brandde en ten tweede het heftige gekras van de kraaien. 'Het kwam van de loods,' zei de man. 'En ik ben niet in de auto gestapt maar heb mijn staaflamp uit de kofferbak gehaald.'

'En toen zag u hem?' vroeg Sabine Wieck. Soms kan ze niet wachten, dacht Kovacs – als de spanning te hoog wordt.

'Ja,' zei de man. 'Dat wil zeggen, het was raar. Eerst zag ik de kraaien kringetjes draaien, misschien tien, misschien twintig. Op de sneeuwpop, op de hond, in de sneeuw, alsof ze een kring wilden vormen. Ze vlogen pas weg toen ik dichtbij was en ze rechtstreeks bescheen. Op...' Hij aarzelde. 'Op hemzelf zat geen enkele vogel.'

Het was niet moeilijk voor Kovacs om zich het beeld van zojuist voor te stellen. Het had niet geleken op voer voor de dieren, dat stond vast.

'En toen hebt u gebeld?' vroeg Kovacs. De man bleef stil. 'Toen kwam hij terug,' zei de vrouw. 'Ik was in de badkamer en zag hem in de spiegel. Mijn eerste idee was dat iemand de auto uit onze garage had gestolen.'

'De auto?'

'Ja, hij was zo bleek en zo totaal ontredderd en hij moest tenslotte naar zijn werk...' Ze heeft een gevoel voor het meest voor de hand liggende, dacht Kovacs, en ze kent haar man. Ernst Maywald was lang, nogal mager en had enorme handen.

Hij vertelde het haar meteen en voor ze de behoefte kreeg om naar buiten te rennen, dacht ze aan Katharina. Hun beiden was ogenblikkelijk duidelijk geweest waar de bebloede vingers van de vorige avond en de irritatie vandaan kwamen. 'Ik ben de trap op gerend naar de meisjeskamer en heb haar deken weggetrokken. Ze lag opgerold met de pionnen in haar vuist.'

Samen waren ze naar de loods gelopen. Het werd haar ogenblikkelijk zwart voor haar ogen en ze moest in de sneeuw gaan zitten. Pas daarna hadden ze met de mobiele telefoon van haar man de politie op de hoogte gesteld. De jonge beambte was er twintig minuten later geweest. De anderen kwamen straks, zei hij. Verder had hij niet veel gepraat.

Kovacs keek het kleine meisje aan. Hij wees naar zijn vuist. 'En daar heb je de pionnen in?' vroeg hij. Het meisje keek de kamer rond en zei geen woord.

'Hij is omgevallen en hij was dood,' zei de grote zus. 'Het was een oude man.'

'Zo hebben we het hun verteld,' zei de moeder.

'Hebben jullie je grootvader gezien?' vroeg Kovacs. De jongen en het oudste meisje schudden hun hoofd. De vader hief afwerend zijn armen. 'In hemelsnaam, nee!'

'Ik denk toch dat dat goed zou zijn,' zei Kovacs. Sabine Wieck keek hem verbaasd aan. Hij boog voorover en fluisterde haar in het oor dat ze vooruit moest gaan en ervoor moest zorgen dat het gezicht van de man werd afgedekt. Ze stopte haar schrijfblok weg en stond op. Ze keek nog steeds niet-begrijpend.

'Is dat echt nodig?' vroeg Luise Maywald. Kovacs besteedde geen aandacht aan de vraag. Hij stak zijn hand langzaam in de richting van het kleine meisje uit. 'Ik zou het fijn vinden als je me de poppetjes kon laten zien,' zei hij. Het meisje keek langs zijn rechteroor.

'Ik zou heel blij zijn als ik die pionnen mocht zien – heel even maar.'

Op het moment dat hij met zijn vingertoppen de vuist van het kind aanraakte, zette ze het op een brullen. De moeder drukte haar handen tegen haar oren. Het meisje schreeuwde het hart uit haar lijf. Haar blik ging daarbij door Kovacs' voorhoofd heen. Het kan haar geen zier schelen of ik het fijn vind of niet, dacht hij.

De dikke Mauritz van de technische recherche was er al, zag Kovacs, toen ze naar de loods liepen. Hij had Lipp, Töllmann en Sabine Wieck blijkbaar opzij gejaagd en stond op het punt om het afgezette gebied groter te maken. De mist was komen opzetten. De hemel boven hen was grijsgeel en het was licht gaan sneeuwen.

Kovacs zei tegen Ernst Maywald en de beide kinderen dat ze moesten blijven staan. Katharina had verder gebruld en was met haar moeder thuisgebleven. 'Ik hoop dat u weet wat u doet,' zei de vader. Hij had een bodywarmer aangetrokken en rilde toch.

Een stuk van een donkergroen kunststofzeil lag op het gezicht van Sebastian Wilfert. Wat eronder lag was niet te zien. 'Perfect,' zei Kovacs. 'Ik heb alles gefotografeerd,' zei Lipp. 'Maar toen was de technische recherche er al. Bovendien moet ik u zeggen dat Gasselik door de kerstamnestie is vrijgekomen. Omdat hij zo jong is.'

Kovacs schudde Mauritz de hand. Ze gingen wel eens samen naar het stadion. 'Wat denk je?' vroeg hij. 'De bandensporen,' zei Mauritz. 'Het zou kunnen dat iemand over zijn hoofd is gereden. Maar je weet dat we normaal gesproken niets zeggen...'

'Voordat jullie... ten eerste, ten tweede, ten derde – Ja, ik weet het.'

Wie rijdt een oude man over het hoofd? vroeg Kovacs zich af. Hij wenkte Maywald en zijn kinderen naderbij.

'Is dat jullie grootvader?' vroeg hij. Het broertje en zusje knikten. 'Waarvoor is dat groene ding?' vroeg Georg, terwijl hij op het stuk zeil wees. 'Iemand heeft over het gezicht van jullie grootvader gereden,' zei Kovacs. 'En dat is geen fraai gezicht.' Het meisje slikte een paar keer. 'Waarvoor wijzen zijn benen omhoog?' vroeg de jongen. 'Dat weet ik niet,' zei Kovacs, 'zo lag hij erbij.' Hij bedoelt *waarom* en vraagt *waarvoor*, dacht Kovacs, sommige mensen doen dat. 'Hij viel om en hij was dood,' zei het meisje. 'Hij was een oude man.' Ze slikte een paar keer. Toen begon ze te huilen. De vader sloeg zijn arm om haar heen. 'Hebt u nu uw zin?' vroeg hij. 'Moest u het zo duidelijk zeggen?' Nu trilt hij van woede, dacht Kovacs, en hij heeft grote handen.

Mauritz telefoneerde. 'En een tent,' hoorde Kovacs hem zeggen. 'Wil je hier overnachten?' vroeg hij. Mauritz wees naar zijn voorhoofd. Kovacs keek naar boven: af en toe een sneeuwvlok, meer niet. Toch – neerslag was de natuurlijke vijand van de technische recherche, dat wist hij.

Sabine Wieck kwam op Kovacs af. 'Ik dacht, ik kijk eens in de garage,' zei ze.

'Waarom?'

'Misschien heeft iemand werkelijk de auto gestolen.' Ze lachte.

Vier

Ik eet aardappelpuree met gebakken uienringen. Lore heeft het klaargemaakt. Het is tamelijk lekker, vooral de ringen. Maar ze is wel een Poolse hoer. Ik drink lauwe pepermuntthee. Op de parkeerplaats rijdt Gerstmann met zijn sneeuwploeg heen en weer en maakt de oppervlakte vrij. Het gaat morgen weer sneeuwen, daarom heeft het geen enkele zin. Gerstmann doet zinloos werk en krijgt daarvoor geld van ons. Soms pakt hij gewoon een auto en rijdt daarmee in de omgeving rond. Dan beweert hij dat de auto moet worden ingereden of zo. Vader zegt dat volgens Reiter, de verkoopleider, Gerstmann de belangrijkste man in het bedrijf is. Omdat hij overzicht heeft.

Daniel is er weer. Hij ligt in zijn kamer te slapen. Vroeger sliep hij nooit zo lang. Hij zegt dat hij moet bijtanken. Hij zegt dat hij na vier verdomde maanden ontbering eerst weer goed moet bijtanken.

De klep van de vaatwasser klemt. Ik zet mijn bord naast de gootsteen. Laat Lore het maar opruimen. Daniel zegt dat ze thuis tot een heiligenbeeld bidt dat wonderen verricht en dat ze het daarna met verschillende mannen doet. Zo doen al die Poolse hoeren dat. Bovendien hebben ze allemaal de afschuwelijkste kapsels, meestal felblond.

Ik pak een stuk kerststol van de schaal. Hij is van de banketbakker en al een week oud. Moeder zegt dat er zo veel vet in zit dat hij niet bederft. Hij smaakt ook zo. Misschien een beetje naar vanille. Het tweede stuk smaakt bijna alleen nog maar naar vet. Het is een wonder dat ik niet nog dikker word. Dat zegt iedereen die gezien heeft hoe ik kan eten. Daniel zegt: wie vanbinnen voldoende opgeladen is, kan eten wat hij wil zonder dik te worden. Maar dat klopt niet helemaal: bij mijn vader hangt zijn buik over zijn riem en meer opgeladen dan hij kan echt niet.

De deur van Daniels kamer is dicht. Ik stel me voor hoe hij op bed ligt, op zijn buik, met zijn rechterarm over zijn hoofd geslagen. Ooit zal hij me alles vertellen wat er binnen is gebeurd, heeft hij gezegd. Hij zegt altijd 'binnen' en hij zegt dat hij het zal merken als ik zo ver ben. Hij heeft de afgelopen vier maanden in elk geval getraind. Om dat te weten hoef je alleen maar naar zijn armen te kijken. 'Je bent alweer gegroeid,' zei mijn moeder toen hij thuiskwam. Zelf zei hij niets.

Op mijn bureau liggen twee dingen: mijn GameBoy SP en dat krantenknipsel. Om precies te zijn is het een kopie van een krantenknipsel, dat Daniel me gisteren heeft gegeven. *Kurier.* Bladzijde vier. 'Was het werkelijk een ongeluk?' In dikke letters, met rode viltstift onderstreept. Daaronder het verhaal van een oude man die is overleden doordat iemand zijn hoofd had ingeslagen. 'Het hoofd van de man was onherkenbaar verminkt,' staat er. De man heet Sebastian Wilfert en hij woont kennelijk in de richting van Mühlau, boven de stad. Naast het artikel staat een foto van de man. Je kunt echter niet zien hoe de man eruitzag, want zijn gezicht is rood bekrast, in dikke cirkels. Het kon elk gezicht zijn geweest. 'De macht zal bezit van je nemen,' zei Daniel toen hij mij het artikel in de hand drukte. Eerst wist ik niet wat hij daarmee bedoelde. Toen gaf hij me een dreun. Dat helpt bij mij altijd. Dat blaast de leidingen door.

De autoracebaan staat naast mijn bed. Een enorme acht, vier sporen. Mijn vader zei dat je op mijn leeftijd een autoracebaan moet hebben. Hij had er vroeger ook een. Ik zet hem aan en zet de gele auto met de dubbele blauwe streep in het spoor. Ik pak de handbediening en rij een rondje, heel langzaam. Als ik eerlijk ben, hangt het me een beetje de keel uit. Een rondje met de F-Zero GX, Devil's Dungeon bijvoorbeeld, met de Blue Falcon is duizend keer spannender. Als ik dat tegen mijn vader zeg, zegt hij alleen: twee weken CV, en CV betekent computerverbod. Als ik dan ook nog zeg dat een GameCube een console is en geen computer, zet hij grote ogen op en komt er LLL. LLL betekent licht lichamelijk letsel. Dat weet ik van Daniel en ik zeg het tegen niemand.

Ik rem vlak voor de bocht en geef bij de bochtsplitsing weer volgas. Als je niet echt helemaal gehandicapt bent, heb je dat na een paar uur in de vingers.

Hoe komt een oude man drie dagen na Kerstmis aan een kapot hoofd? Oude mensen glijden uit en breken hun heup, oké, en tuiniers grijpen in de hakselaar, omdat de takken van de sering vast zitten en dan is die hand een bloederige massa – maar hun hoofd?

Zo de bocht in scheuren dat het hek wegvliegt maar de auto toch in het spoor blijft, dat is de kunst. In het begin gaan ze natuurlijk iedere keer over de kop, en dan staan ze daar en zeggen: binnen de kortste keren heb je alle auto's geruïneerd! En: ik had het ook moeten weten – waarom zou je je ineens anders gedragen dan anders? En je voelt dat ze je het spul niet ter plekke weer afpakken omdat het Kerstmis is.

Ik wed dat de mensen naar dat huis gaan en het lijk willen zien. En iedereen wil dat hoofd zien dat geen hoofd meer is, maar alles is afgezet en de politie laat niemand meer door. De een of ander windt zich vast op en zegt iets onzinnigs als: 'Het publiek heeft recht op informatie!' en stelt zich daarbij dat rode bloederige ding voor en misschien dat er een stuk kunstgebit uit steekt.

Ik zet de blauwe auto met de witte ster in de derde baan en neem de handbediening daarvan in mijn linkerhand. Ik ben hopeloos rechts, daarom duurt het precies een half rondje tot de blauwe eruit ligt. Omdat het mijn lievelingsauto is, word ik een beetje boos. Auto's klaar voor de start, volgas, af! Salto mortale! Nog een keer. En nog een keer.

Dan staat Daniel op de drempel. Hij heeft de capuchon van zijn grijze trui over zijn hoofd getrokken. Dat heeft hij zich de laatste tijd zo aangewend. Hij komt op me af en geeft me een dreun. Dat is oké, ik heb vermoedelijk een rotherrie gemaakt. 'Heb je het artikel gelezen?' vraagt hij. 'Ja,' antwoord ik.

'Heb je het allemaal onthouden?'

'Ik denk van wel.'

Hij geeft me weer een dreun, een lichte deze keer. 'Ik ben je imperator,' zegt hij. 'En jij bent mijn schepping.'

Ik zeg niets. Ik adem als Darth Vader.

Vijf

In het middenschip zitten elf mensen. Hij ziet het met één blik. Dat is een van zijn sterke punten. Soms moet hij zijn sterke punten een voor een voor ogen houden: ik kan goed dingen uit mijn hoofd leren, ik kan vierkantsvergelijkingen uit mijn hoofd oplossen, ik zie in één oogopslag hoeveel mensen er zijn, ik loop een marathon in nog geen drie uur.

Op de tweede rij het echtpaar Weinberger, aan de andere kant van het middenpad de oude mevrouw Kocic, daarachter mevrouw Ettl, de assistent-accountant, en naast haar Irma. Die twee zijn met elkaar bevriend. Rechts achteraan zit een jonge vrouw die hij niet kent. Ze heeft een donkere mantel aan met een rode sjaal.

Twee dagen geleden is een oude man om het leven gekomen. Bij de naam Sebastian Wilfert heeft hij geen associaties. De anderen beweren dat ze hem op feestdagen wel eens hebben gezien. Tenminste, toen zijn vrouw nog leefde.

Heer, ontferm U over ons. Christus, ontferm U over ons. Heer, ontferm U over ons.

Irma brult zoals altijd. Bij haar heeft dat niets te maken met die kwezelsterkte, die op de eerste plaats dient om vroomheid te demonstreren. Irma lijdt aan een chronische middenoorverkalking en is bijna doof. De dokters zeggen dat nog een keer opereren geen zin heeft.

Een nietszeggende lezing uit de brief aan de christenen van Efeze, vermaningen aan de gemeente. Matigt u! Absoluut belachelijk, als je bedenkt dat deze apostel Paulus zelf een oneindig narcistische man was, wie het vooral om macht en geld ging. Tegen sommige collega's mag je dat alleen niet zeggen. Robert bijvoorbeeld is een voorvechter van de hypothese dat Paulus voor het christendom belangrijker is geweest dan Jezus zelf, en als je eraan twijfelt, is hij beledigd.

Vermoedelijk praat inmiddels de hele stad over de dood van de oude man. Als je doodgaat aan een longontsteking of aan een hartinfarct, kan het de mensen niet schelen, maar zodra er iemand over je hoofd rijdt, heeft iedereen het over je. Bij de tweede pilaar links is een sculptuur van de heilige Sebastianus aangebracht. Je met pijlen te laten doorzeven, is ook een mogelijkheid.

De patholoog-anatoom zegt dat het midden in de nacht is gebeurd. Daarbij moet je vanwege de lage buitentemperaturen rekening houden met een ruime marge.

In het donker van de nacht verschijnt de goddelijke geest en plet het gezicht van de vijand. Pletten is het juiste woord.

Hij probeert zich de maan in die nacht te herinneren. Het lukt hem niet. Het plompe bord van Kossnik, de belastingadviseur, schiet hem te binnen, en bovendien zijn fantasie om in een enorme rode sneeuwploeg door de straten van de stad te rijden. Hij wou dat hij zijn iPod bij zich had.

Vlak voor het evangelie beginnen de Weinbergers op zijn zenuwen te werken; het is altijd hetzelfde. Die gelijkgeschakelde gezichtsuitdrukking, die blik van 'en preekt u alstublieft iets moois voor ons' waarmee ze ook op doordeweekse dagen aan hem plakken, hoewel duidelijk is dat er op doordeweekse dagen geen preek is.

Die zijn gedachten pakt en te pletter gooit. De regel.

Ik weet dat ik met mijn vuist in hun gezicht zou willen slaan, denkt hij, en ik weet dat dat niet zo zou moeten zijn. Zure wierook, denkt hij, bij die twee schiet me altijd 'zure wierook' te binnen, en dat stelt me gerust, hoewel ik niet weet wat het eigenlijk betekent.

De misdienaar zwaait met de bel. Haar moeder is receptioniste bij Seehotel Werther. Ze heeft een klein broertje en woont in een huizenblok in Furth-Noord. Hoe heet ze ook weer? Het maakt hem gek als dingen hem ontschieten. Namen bijvoorbeeld. Het meisje draagt lage laarzen met een gevlekte bontrand. Het misdienaarskleed is haar te kort.

Mijn zoon heet Jakob, denkt hij, en hij is vijf. Mijn vrouw heet Sophie en werkt als apothekersassistente. Als ze komen, haal ik ze van het station af. Maar pas als het warmer is.

Want op de avond dat Hij werd verraden, nam Hij het brood, brak het en gaf het aan Zijn leerlingen.

Hij tilt de hostie in de hoogte en moet op zulke momenten altijd aan Padre Pio denken, aan zijn wonden die tijdens de consecratie telkens openbarstten en bloed in het verband lieten sijpelen. De Weinbergers hebben vast een plaatje van hem thuis hangen, boven de eethoek of boven hun echtelijk bed. Dat kwezelachtige, ijdele, oneindig op zichzelf betrokken capucijnergezicht, dat je aankijkt in je bord soep, denkt hij, of op je echtelijke plicht.

Daarna nam Hij de kelk met wijn, zei dank en reikte hem Zijn leerlingen.

Hij stelt zich voor dat boven op het koor een donkere gestalte verschijnt, een laserkanon op de padre richt en gaten in zijn handen en voeten brandt, daar, waar ze eerst slechts waren opgeschilderd. Dan laat hij zijn loop wat naar boven zwenken en smelt zijn hoofd weg.

Ik moet het hier snel afmaken, denkt hij, daarna moet ik een tabletje nemen en me bewegen. Dan ga ik even liggen.

Op zijn knieën. Geheim van het geloof. *Uw dood, o Heer, verkondigen wij, Uw opstand prijzen wij, tot U komt in heerlijkheid.* Wachten. Rustig ademhalen. Soms komt hij op een punt waar hij bevelen nodig heeft.

Kerstmis is een moeilijke tijd.

Hij ziet zichzelf langs het kerkhof lopen, onder het spoor door, langs de zagerij. Hij hoort het knerpen van kiezels onder zijn zolen. Ziet het schitteren van de televisietoestellen achter de ramen van de huizen. Heel even kijkt hij in het felle licht van een stel koplampen. Daarna blijven een tijdje de negatieve beelden op zijn netvlies hangen. Hij weet nu zeker dat het die nacht bewolkt was. Geen maan. Geen sterren.

Daarvoor, tweede kerstdag, het bezoek aan zijn moeder en zus. Beiden onmetelijk simpel. Het vette eten, eeuwig dezelfde zinnen. Dat mijn vader er destijds tussenuit is geknepen kan ik goed begrijpen; het heeft niets met mij te maken, denkt hij.

Zijn iPod ligt in de sacristie. Eén keer heeft hij tijdens het opdragen van de mis werkelijk naar muziek geluisterd. Het moet meer dan drie jaar geleden zijn. Daarna dwong Clemens hem naar de kliniek in Graz te gaan.

Er zijn een paar rare dingen in mijn leven, denkt hij. Mijn vader is van de ene dag op de andere verdwenen en heeft nooit meer iets van zich laten horen. Ik ben ingetreden in een orde, omdat het anders niet lang meer zou duren voor ik in duizend stukken zou vallen. Desondanks val ik telkens weer in duizend stukken. Stiekem ben ik ervan overtuigd dat Bob Dylan de weergekeerde Jezus Christus is.

Na het Onzevader geeft hij de misdienaar zijn hand als teken van vrede. Haar vingers zijn rond en warm. Ze heet Renate, nu weet hij het weer.

De jonge vrouw rechtsachter staat alleen. Niemand gaat naar haar toe. Hij heeft met haar te doen. Eigenlijk zou hij zijn arm om haar heen willen slaan. Hij zou naar haar toe willen gaan, zijn arm om haar heen leggen en haar over Sophie en Jakob vertellen.

Zie het lam Gods. Het neemt van ons af de zonden van de wereld.

De Weinbergers komen naar voren voor de communie, natuurlijk, de oude mevrouw Kocic ook, achteraan Josephine Martin, een Filippijnse verpleegster, die een paar keer per week naar de mis gaat, omdat haar man haar slaat en zij zich daar schuldig over voelt. Mevrouw Weinberger doet haar mond ver open. Ze zal nooit een hostie in haar hand aanpakken. Haar tong is geel beslagen, alsof ze angina heeft.

De hostie, een slok wijn. De rand van de kelk afvegen. De kelk afdekken. Rituelen geven je houvast. En de regel. *Die zijn gedachten pakt en te pletter gooit.*

Terwijl hij de zegen uitspreekt, merkt hij de verandering op. In het kerkschip bevinden zich nu twaalf mensen. Rechtsachter, vlak bij de jonge vrouw, staat een smalle gestalte met een blauwe hoofdband over zijn blonde haar. Het is Björn.

Zes

De stoel waarop ze zat was klein. Dat vond hij al zolang hij haar kende. Een oeroude, roodbruin gebeitste Thonetstoel met een barst over de hele zitting. Hoewel ze slank was, staken haar heupen er links en rechts overheen.

Haar bovenlichaam maakte heel langzaam kringetjes terwijl ze speelde. De hals van het instrument gleed daarbij langs haar linkersleutelbeen heen en weer. Haar halflange haar had ze in een paardenstaart gebonden. Daardoor kon je zien dat haar oren afstonden.

Raffael Horn leunde tegen de deurpost en had een erectie. Het is zaterdagochtend, ik kijk toe hoe mijn vrouw muziek maakt en heb een erectie, dacht hij. Er zijn ergere dingen in het leven, zonder meer.

Ze speelde de *Sarabande* uit de suite in D grote terts van Bach. Als ze Bach speelde, was ze helemaal in zichzelf gekeerd. Ook dat was altijd al zo geweest. De naar binnen gekeerde blik, tussen haar lippen af en toe een zweem van het puntje van haar tong, de roodgloeiende randen van haar oren. Vroeger had hij haar op zulke momenten besprongen. De laatste tijd deed hij dat niet meer. Voorzichtig deed hij de staldeur dicht. De ruim vijftig vierkante meter grote kamer, die ze tot muziekkamer hadden verbouwd, was decennia geleden een koeien- en schapenstal geweest en daarom hadden ze hem vanaf het begin de stal genoemd. Af en toe namen gasten plaats aan de lange, smalle tafel van ongeschuurde vurenhouten planken die er stond; te zelden, vond Irene Horn.

De bladmuziek leek haar te bevallen, dat maakte hem blij. Hij had het via een altviolist uit haar orkest bij een instrumentenbouwer in Hallein bij Salzburg gekocht. Het kwam uit Genua, was honderdvijftig jaar oud, in dynamiek zeer strak en wat hem betreft zonder fouten, had de man beweerd. Verder had hij niets gezegd en dat had in Horn een grote bereidheid gewekt om hem te geloven. Irene had evenmin een woord gesproken toen ze het papier op kerstavond uit het etui tevoorschijn had gehaald. Ze had drie, vier keer aan de schroef gedraaid en vervolgens het largo uit *Xerxes* gespeeld, zonder eerst zelfs maar een toon te hebben aangezet. Ze hadden allemaal stilgezeten en Tobias, die ultracoole incarnatie van de puberteit, had tranen in zijn ogen.

Mimi zat op de vensterbank te klappertanden en miauwde verontwaardigd toen hij naast haar ging staan. Op de plank van het vogelhuisje zaten twee koolmezen zonnebloempitten te kraken. 'Zo meteen,' zei hij, terwijl hij in haar nek kroelde. Ze draaide even haar linkeroor naar hem toe, meer niet.

De buitenthermometer stond op min elf graden. Tussen de toppen van de dennen scheen het blauwgeel van de opkomende zon door. Het noordoostelijk deel van de stad leek voor het grijpen te liggen. Over het gedeelte van de rivier dat je vanuit huis kon zien, lag een wazige mistsluier. Een mooie dag, dacht Horn – alsof er nooit iets zou gebeuren.

Hij zette water op. Een van de treurige waarheden van mijn leven is dat hier al tien jaar de zaterdagochtend zonder krant plaatsvindt, dacht hij, en al tien jaar kan ik er niet aan wennen. Hij haalde een blik kattenvoer uit de voorraadkamer, schepte een portie in Mimi's etensbak en mengde er een handvol havermout doorheen. De kat sprong van de vensterbank en streek enthousiast langs zijn enkels. Of ik ben te lui, of ik vind het niet belangrijk genoeg, dacht hij. Hij wist dat hij alleen maar in zijn auto hoefde te stappen en dat vooraan in de winkelstraat een kiosk stond. Tien minuten heen, tien minuten terug. Toch deed hij het nooit. Hij dacht aan de tijd in Wenen, aan de flat in het tweede district en aan de oude kioskverkoper, die van jaar tot jaar steeds blinder was geworden. Op het laatst hadden de klanten hem moeten vertellen van welke plaatsen op de plank hij de tijdschriften en pakjes sigaretten moest pakken. Zijn kranten had hij echter steeds klaarliggen, tot het einde aan toe. Op zaterdag de *Standard* en de *Presse*, zo was het geweest.

Hij schoof een paar broodjes in de oven om ze te bakken, en dekte de tafel voor twee. Tobias zou om twaalf uur binnen komen vallen, zichzelf een dubbele portie Chocopops toestaan en iets mompelen als: 'Het leven is hard.'

Nadat hij twee eieren in de eierkoker had gedaan, stond hij een tijdje te luisteren. Er was maar heel weinig geluid te horen: het zingen van het water dat in de koker aan de kook raakte en het gesmak van de kat aan zijn voeten.

'Je bent de meest verstedelijkte mens op de wereld,' hadden zijn vrienden vroeger gezegd. 'Hoe kun je op het platteland gaan wonen?' Hij had geantwoord dat Furth am See niet het platteland was, maar een stad met meer dan vijfendertigduizend inwoners, een theater, een symfonieorkest, een jachthaven, een hbo en een centraal ziekenhuis, dat niet alleen van plan was zich een eigen psychiatrische afdeling te veroorloven, maar ook met zijn wens een psychiatrische kinderkliniek te mogen beginnen zonder aarzelen had ingestemd. 'Geef toe, het komt door Frege,' hadden sommigen gezegd, en dat had hij ontkend. Natuurlijk kwam het gedeeltelijk door Frege. Frege was een psychopathische klootzak, die zijn kans om Böhler als afdelingshoofd op te volgen, systematisch de grond in had geboord. 'Weet u, Horn is een uitzonderlijk competente collega. Dat bepaalde gebrek aan besluitvaardigheid doet er helemaal niet toe.' Of: 'Gisteren heeft een moeder me apart genomen en gezegd dat ze dokter Horn niet durft aan te spreken, omdat ze zich bij hem vergeleken zo dom voelt.' Frege was allang weg; hij was twee jaar na zijn, Horns, afscheid, naar een kliniek voor verslavingsziekten in Duitsland overgestapt. Toch fantaseer ik nog steeds dat ik hem op zijn bek timmer of een gloeiende naald in zijn heup steek, dacht Horn. Hij schepte koffie in de cafetière en goot er kokend water op.

'Bach en seks gaan niet samen.' Hij draaide zich met een ruk om. Irene stond in de deuropening en grijnsde. 'Ik heb je niet horen aankomen,' zei hij.

'Dat weet ik. Fijn dat je voor het ontbijt zorgt.'

'Doe ik toch altijd. Hoelang ben je al op?'

'Een uur of twee, drie.' Ze kwam op hem af en kuste hem zacht op zijn mond. 'Bach en seks na elkaar gaat wel,' zei ze. Hij nam haar rechteroorschelp tussen zijn vingers. 'Je hebt de wijdst afstaande oren van de wereld,' zei hij. 'Dat weet ik,' zei ze en ze kuste hem nog een keer. 'Voor of na het ontbijt?' vroeg hij. 'Voor het ontbijt,' zei ze.

'De eieren zijn hard,' constateerde Horn even later. De eierkoker was afgegaan op het moment dat ze flink op dreef waren. Hij had naar opzij gegrepen om de stekker uit het stopcontact te halen en de eieren waren in de hete stoom blijven staan. 'In de winter moet je eieren hard eten,' zei Irene en ze stopte een plakje salami in haar mond. Horn knikte. 'Dat maakt je in een sneeuwstorm zwaarder,' zei hij. Ze lachte en blies een haarpiek van haar voorhoofd. Ze ziet eruit als een jong meisje, dacht hij. Hij wist dat ze er nooit ook maar een seconde over had gedacht naar Wenen terug te keren. 'Wat wil je?' had ze gezegd toen het gesprek erop kwam. 'Alles is beter geworden.' Hij had nooit geprobeerd daar iets tegenin te brengen. Michael wel, dat had de relatie met zijn moeder nog moeilijker gemaakt.

Ze praatten over de bladmuziek en over de kwestie van de kwaliteit van muziekinstrumenten in het algemeen. Een instrument dat echt bij je past, moet in zekere zin een lichaamsdeel worden. Bij Yehudi Menuhin en zijn viool kon je dat goed zien. 'Of bij John McLaughlin,' zei hij.

'Wie is John McLaughlin?'

'Barbaar!' Het was een soort spelletje tussen hen. John McLaughlins gitaar had zich ook als een lichaamsdeel gedragen, meestal versmolten en af en toe heel eigenzinnig.

'Straks wil ik nog wat honing,' zei ze.

'Eet eerst je harde ei op.'

Ze liet hem de lege dop zien. 'Bèèèh.'

Horn stond op en slofte naar de voorraadkamer. 'Wat doe je?' vroeg ze.

'Ik haal voor mevrouw de solocelliste haar honing.' Ze gooide een prop van een servetje naar hem.

Horn rommelde een tijdje tussen de potten jam en de flessen met zelfgemaakt vruchtensap. Helemaal achteraan op de plank vond hij een potje tijmhoning, dat ze jaren eerder van een vakantie in Turkije hadden meegebracht. 'De echte honing is op,' zei hij. Ze ploeterde met het schroefdeksel, hield hem ten slotte de pot voor om te openen.

'Hoe ging het gisteren eigenlijk met de kleine?' vroeg ze.

'Ik rij straks wel naar Joachim en Else om honing te halen.'

'Ik bedoel het meisje met die opa.'

Hij pakte nog een broodje uit het mandje, sneed het open en begon het met boter te besmeren. 'Het ging niet,' zei hij.

'Wat bedoel je: het ging niet?'

'Niets. Helemaal niets. Nul.'

'Is ze niet gekomen?'

'Jawel, ze is wel gekomen. Haar moeder heeft haar gebracht, zoals afgesproken.' Hij legde een dun plakje blue stilton op de beboterde helft van het broodje en nam een hap. Bij het zaterdagontbijt had je het krantentype en het gesprekstype, beweerde hij telkens weer, en bovendien het blauwekaastype en het honingtype. Krant en blauwe kaas trof je meestal in combinatie aan, honing en gesprek ook. Irene zei dan meestal slechts: 'Sukkel.'

'Wat bedoel je dan, het ging niet? Heeft ze gebruld zoals bij het eerste contact? Of werd je naar een spoedgeval geroepen?'

Horn voelde enige ergernis de kop opsteken, zoals altijd wanneer Irenes nieuwsgierigheid penetrant begon te worden. Ik moet eruit, dacht hij, anders maken we nog ruzie, ondanks de intimiteit van daarnet. 'Nee,' zei hij, 'ze is gaan zitten en heeft gewoon geen woord gezegd.'

'Een heel uur lang?'

'Een heel uur lang.'

'En wat heb jij gedaan?'

'Gewacht. Ik heb gewacht, verder niets.'

Ze schudde geërgerd haar hoofd. 'Wat heeft het opgeleverd?'

'Niets,' zei hij. 'Het heeft helemaal niets opgeleverd.'

Ze fronste haar voorhoofd en wees met haar wijsvinger naar hem. 'Ik geloof er geen woord van, meneer de analyticus,' zei ze. 'Anders beweer je altijd dat in de therapie niets productievers bestaat dan zwijgen en nu is dat opeens anders?'

'Niks staat vast bij ons psychologen.' Hij doopte een stuk brood in de honing en hield het voor haar neus. Ze pakte het voorzichtig met haar lippen aan. Uiteindelijk beet ze in zijn vinger. 'Na het ontbijt nog een keer?' vroeg hij verrast. Ze lachte en schudde haar hoofd.

Irene Horn liet haar man vlak na de grote rotonde uitstappen en reed verder in de richting van het centrum. Ze hadden afgesproken elkaar anderhalf uur later in het kloostercafé te ontmoeten.

Horn liep eerst de Severinstraße een paar honderd meter zuidwaarts in en sloeg toen de hoek naar het oosten om. Er was geen wolkje aan de hemel, de zon stond inmiddels halverwege en op de achtergrond straalden de toppen van de Kalkalpen over de stad. Het trottoir langs de rijtjeshuizen was wel geveegd, maar er was niet gestrooid. De resterende sneeuw kraakte onder zijn voeten.

Het meisje was op bontlaarzen en in een donkergroen gewatteerd jack met eekhoorntjes achterop naar zijn spreekuur gekomen. Ze stond met haar rug naar de muur en was eerst tien minuten lang volkomen roerloos blijven staan. Toen begon ze langzaam langs de muur te schuiven. Daarbij had ze hem geen moment uit het oog verloren.

Hij was al na korte tijd beginnen te praten, volstrekt tegen zijn gewoonte in.

Geruststellen, dacht hij, je moet zo snel mogelijk haar angst wegnemen. 'Vorige keer was het allemaal nogal spannend,' had hij gezegd. 'De ambulancebroeders en de ziekenwagen, en daarvoor de politie en andere vreemde mensen.' Het meisje was langs de muur verder geschoven, langs de speelgoedkast, tot aan de smalle kleerkast. Daar was ze op de grond gaan zitten, had haar knieën tegen haar lichaam opgetrokken en haar armen eromheen geslagen. Haar rechterhand was in een vuist gebald. 'Je hebt nog steeds het geheim in je hand, hè?' had hij gezegd en het meisje had geen krimp gegeven. Hij had gepraat, gezwegen, met de handpoppen gespeeld. De politieagent had de krokodil op zijn kop gegeven omdat die altijd alles voor de anderen opat, en de heks had vol leedvermaak gelachen. Het meisje had door de poppen heen gekeken, haar blik over zijn bureau laten glijden, over de platen aan de muur, over de boekenkast. Tussendoor was ze hem steeds nauwkeurig blijven gadeslaan, van top tot teen. Hij had erover gesproken dat de dood meestal onbegrijpelijk was en over het feit dat sommige kinderen aardige grootouders hadden en andere niet. Hij had zich de hele tijd hulpeloos en overbodig gevoeld. Toen hij ten slotte zei: 'Onze tijd is om', was het meisje opgestaan. Een paar seconden had ze uit het raam gekeken, op de rivier, de rietkraag en het meer. 'Ik vraag me af of je eigenlijk kunt zwemmen,' had hij gezegd en op hetzelfde moment had hij dat een idiote vraag gevonden. Het was tenslotte winter, en bij de heersende weersomstandigheden zou het meer binnenkort dichtvriezen en de vaders zouden zich haasten om de roest van de schaatsen van hun kinderen te slijpen. Maar het meisje had hem aangekeken en in haar ogen was heel even een andere uitdrukking geweest dan het uur daarvoor. Hij wist nog dat hij zich had afgevraagd of ze op dit moment misschien de enige twee mensen in deze stad waren geweest die aan zwemmen hadden gedacht.

Boven in de top van de conifeer zat een notenkraker alarm te slaan. Horn bleef staan en probeerde een sneeuwbal te maken, maar die viel in zijn hand uit elkaar. In zijn jeugd waren al deze vogels er al geweest: notenkraker, kramsvogel en hop. Urenlang had hij voor het keukenraam gezeten en naar het groepje lariksen achter de tuin zitten kijken, naar het vogelhuisje dat daar op een houten paal was gezet. Zijn vader had hem een voor een de namen geleerd: kuifmees, goudvink, pestvogel. Hij dacht aan Heidemarie en dat ze had gezegd dat ze soms het gevoel had dat aan het eind een lege zak van haar overbleef, niet meer. Wat men zo hoogdravend identiteit noemde, was in werkelijkheid een moeilijk te bepalen zaak die met al die dingen te maken had die in de loop der tijd in je werden gestopt. Bij hemzelf behoorde bijvoorbeeld een zwerm pestvogels ertoe, die veel te ver ten westen van de gebruikelijke route in de tuin van zijn jeugd was neergestreken en daar anderhalve dag was blijven zitten. Hij wist nog dat zijn vader, die op school biologie had gegeven, volledig buiten zichzelf was geweest. De vogels hadden veren kuiven gehad, kleurige strepen op hun vleugels en hadden nauwelijks angst gekend. Hij was toen acht of negen jaar oud geweest en had zich voorgesteld dat hij een pestvogel zou vangen, een lange draad aan zijn poot zou binden en hem op zou laten als een vlieger.

Hij vroeg zich af of Heidemarie met de nieuwe pillen beter kon slapen of nog steeds wakker lag en in de gevoelsarmoede van haar ouders werd gezogen als in een enorme zwarte trechter. Hij vroeg zich af waarom zoons hun moeder vermoordden, maar dochters niet en waarom sommige mensen zelfmoordfantasieën als een enorme bevrijding ervoeren. Met oudjaar vermoorden de mensen elkaar, dacht hij. Oudjaar was over drie dagen.

Met de rijtjeswoningen eindigde ook het trottoir. De straat werd smaller, maar liep in dezelfde richting verder. Een gezette man met een pitbull aan de lijn kwam hem tegemoet. Het was Konrad Seihs, de secretaris van de stedelijke middenstandspartij. Ze groetten elkaar beleefd. 'Fascistoïde zwijn,' mompelde Horn, toen Seihs ver genoeg weg was. De man werd beschouwd als volgende gemeenteraadslid voor interne zekerheid en veiligheid. Hij was beroepssoldaat geweest voor hij in dienst was getreden van de partij. Hij maakte zich onder andere sterk voor meer politiepatrouilles in de sociale woningbouwgebieden van de stad. Horn en hij waren elkaar een paar jaar geleden op een discussieavond over het onderwerp gehandicaptenvoorzieningen fel in de haren gevlogen. Uiteindelijk had Irene een escalatie voorkomen. 'Waar is je professionele afstand?!' had ze tegen hem gesnauwd en ze had hem stevig bij zijn onderarm gepakt. 'Hij is mijn patiënt niet,' had hij geantwoord. 'Stel je eens voor dat hij dat was,' had ze gezegd en hij was inderdaad opgehouden verbaal tegen Seihs in te gaan. Toen hij er later over nadacht had hij begrepen dat het natuurlijk niets uitmaakte als je de bondskanselier als narcistisch gestoorde persoonlijkheid zag of de minister van Economische Zaken als dwangneuroticus met een pregenitale basisstructuur, maar op dat moment had het geholpen. Hij dacht aan Schmidinger en hij stelde zich voor dat mensen zoals hij en Seihs 's avonds in het WSV-clubhuis aan de bar zaten en eerst over het neuken van Thaise schoonheden spraken, vervolgens over de ellende met asielzoekers en over het feit dat je niet kon weten welk deel van de zogenoemde jeugdscene in Walzwerk in werkelijkheid drugshandel en illegale prostitutie was. Hij voelde zich schuldig als hij aan Schmidinger dacht. Aan de ene kant vanwege zijn vrouw en zijn dochter, aan de andere kant vanwege zijn eigen hevige wens de man plat te spuiten en weg te spurten. 'Ik ben arts,' zei hij tegen zichzelf. Tegelijk wist hij dat het niets zou helpen.

Het huis van Joachim en Else Fux stond vlak bij de Mühlaubeek, zo dicht erbij dat de laagste van de twee schuren bij elke grote overstroming onder water stond. Daarom lag er ook niets anders in dan een vracht oude tegels en dakpannen. Joachim had hem jaren geleden alles een keer laten zien. Op de vraag waarom hij hem niet af liet breken, had hij geantwoord: 'Omdat hij er altijd al stond.' Horn leunde tegen de houten balustrade van de brug. De beek had op deze hoogte heel weinig verval. Van de granietblokken aan de rand staken ijstongen over het water heen. Mijn hele leven is één groot stad-en-landspel, dacht hij – heen en weer en nergens voel ik me thuis.

De geur van kaneel kwam hem tegemoet toen hij de huisdeur opende. Else bakte voor iedere gelegenheid, daar kon je van op aan, het laatst vermoedelijk tonnen voor Kerstmis, nu voor oudjaar.

Het tweetal zat aan tafel en sorteerde foto's. Horn trok snuffelend zijn neus op. 'Rodewijntaart met kaneel,' zei Else, terwijl ze opstond. 'Ga je op ziekenbezoek?' Horn lachte. 'Ja, ik ga van huis tot huis en behandel de postfestale depressies.' Ze zette een stoel voor hem bij. Ze is vijfenzeventig en nog steeds een mooie vrouw, dacht hij.

Joachim schoof de foto's bij elkaar. 'Laat maar, ik blijf niet lang,' zei Horn. Hij pakte een foto. Een paar soldaten, jonge knapen in uniformen die hen te groot waren. 'Verbazingwekkend dat foto's met de jaren geel worden,' zei hij. 'De huid wordt geel en foto's worden het ook,' zei Joachim afgemeten. De soldaten op de foto zagen er allemaal hetzelfde uit. 'Wie is dit?' vroeg Horn.

'Ik ben in 1945 opgekomen,' zei Joachim. Twee van de soldaten leken bijzonder sterk op elkaar, bijna een tweeling. Ze zien er allemaal even ongelukkig uit, dacht Horn. Helemaal vooraan stond er een van wie het gezicht niet meer te zien was. In plaats daarvan was een witte vlek, alsof de foto vaak was opgepakt. Hij is het zelf, dacht Horn, hij bekijkt de foto steeds weer en hij tikt iedere keer met zijn vinger op zijn gezicht, alsof hij zich ervan moet overtuigen dat hij daar werkelijk is geweest. In de loop van de tijd wist hij zichzelf op die manier uit.

Horn wees op de man. 'En deze hier ben jij?' vroeg hij.

Joachim Fux raapte haastig de foto's bij elkaar en stopte ze terug in de doos die op tafel stond. 'Het was toen niet prettig,' zei hij. Zijn hand trilde. Ik heb hem gestoord en te veel gevraagd, dacht Horn. Hij wil niet praten en hij wil de foto's liever niet laten zien.

'Houdt dat qua tijd een keer op?' vroeg hij voorzichtig. Joachim keek hem aan. Hij was bleek geworden en zijn kaakspieren waren gespannen. Hij knikte nauwelijks zichtbaar.

'Ik ben zevenenzeventig. Toen was ik zeventien.'

Zeventien. Een kind. Soms valt er niets te zeggen, dacht Horn. Hij geloofde wel dat het toen niet prettig was geweest. Hij kon de wens zichzelf uit die tijd weg te vegen heel goed begrijpen; hij wist dat posttraumatische symptomen jaren later nog kunnen optreden, soms zelfs hevig.

Else zette een bord met kerstkoekjes voor hem neer. Hij draaide met zijn ogen. 'Je hoeft niets te nemen,' zei ze. 'Dat doe je automatisch als er iemand op bezoek komt.'

'Hoe gaat het met je schouder?' vroeg Horn. Hij wilde weg van die oorlogsverhalen. Joachim stak zijn linkerarm langzaam naar voren, balde zijn vingers tot een vuist en strekte ze weer.

'Beter?'

'Een beetje.'

Horn behandelde Joachim Fux sinds een paar maanden voor een schouder-armsyndroom, dat zo hardnekkig was als schouder-armsyndromen meestal zijn. 'Ik ben een dilettant in neurologie,' zei hij en Joachim zei dat hij er niet aan dacht om naar een andere dokter te gaan. Op het laatst had Horn hem een corticoïdedepot in de bovenste deltoïde spier gegeven en gezegd als dat niet hielp, alleen nog de oude mevrouw Limnig uit Waiern met haar kiezelstenen en haar pendel overbleef. Horn tastte zijn bovenarm af. Het medicijn deed kennelijk zijn werk. De drukgevoeligheid was minder geworden. Achter op de schouder zat nog een klein gebied dat pijn deed bij het aanraken. 'Je bent een harde,' zei hij. Joachim stond op, keek hem aan en antwoordde niet. Hij was een halve kop kleiner dan Horn, mager en bruinverbrand. Hij stond meestal licht gebukt en naar rechts gedraaid, iets wat verdween zodra hij bewoog. 'Dat komt van vroeger,' had hij geantwoord, toen Horn er destijds over begon. Joachim Fux was bijna dertig jaar postbode in Furth geweest en had de grote zwarte schoudertas consequent links gedragen, wat de afwijkende houding inderdaad verklaarde, in elk geval voor een deel. Toch was hij ook op het eind al zijn collega's in snelheid de meerdere geweest. Voor zijn pensionering hadden ze hem de zwart-met-gele Puch-dienstbrommer, waarmee hij meer dan vijftien jaar lang op pad was geweest, cadeau gegeven. Hij had hem als enige nog regelmatig in gebruik gehad. Nu reed hij ermee naar zijn bijenvolken, zolang de weersverwachting het toestond. Anders gebruikte hij een donkergroene Opel Astra Combi.

'Wil je honing?' vroeg Joachim.

'Hoe kom je daarbij?'

'Iedereen die bij me komt wil honing.'

'Ben ik iedereen?'

Else schaterde. 'Nee, je bent niet iedereen.'

Horn kon het tafereel dat hij ooit op deze lichte plaats in de bossen ten zuiden van de stad had meegemaakt, nog altijd oproepen als een film. Geen van de mensen had hem gekend en ze hadden hem alleen gehaald omdat ze wisten dat hij de nieuwe psychiater was. Een leerling-boswachter had hem in een oeroude Lada Taiga, waaraan iedere vering ontbrak, langs een slingerende goederenweg omhooggereden en hij dankte de hemel toen hij mocht uitstappen. Voor hen bevond zich een houten schuur, een zwartbruin verweerde blokhut, van het soort van oude almhutten, maar dan iets hoger, en links van hem tien of twaalf bontgeverfde bijenkasten, voor een deel losstaand, voor een deel op elkaar gestapeld, en daartussenin een aantal mensen, waartegen eerst alleen twee politie-uniformen afstaken. Toen was een stevige kale man in burgerkleding op hem afgekomen en had hem zijn hand toegestoken: 'Ludwig Kovacs, recherche,' had hij gezegd. Een oudere vrouw, overigens voormalig verpleegster, had de politie geïnformeerd: ze had thuis een briefje van haar man gevonden waarin hij aankondigde zich te willen ophangen, en nadat ze het huis en de bijgebouwen had doorzocht en hem niet had gevonden, kon ze maar één plek bedenken waar hij dat eventueel zou doen. 'Hij was bezig een bijenkast schoon te maken, toen de collega's kwamen – alsof er niets aan de hand was,' had Kovacs verteld. Hij had met hen volkomen ontspannen gekletst en gezegd dat het allemaal een vergissing was en op de overmatige bezorgdheid van zijn vrouw was terug te voeren, toen een van de twee min of meer toevallig een blik in de loods geworpen gehad en de staande trap op het laadvlak van de oude vrachtwagen gezien en de ijzeren strop boven aan de hefarm. Toen hij zelf met zijn vrouw was nagekomen, was de man buiten zichzelf.

Horn was op het groepje mensen toegelopen en had gezien dat de agenten de man nog steeds links en rechts vasthielden. Kovacs had onverschillig gezegd: 'Dat is de zenuwarts,' dat kon Horn zich nog herinneren. Net zo goed herinnerde hij zich de uitdrukking op het gezicht van Joachim Fux. Het was de uitdrukking van iemand die ter plekke dood wil.

Misschien was gewoon alleen al dankzij het feit dat hij Fux toen niet had laten opnemen een zekere band met hem en zijn vrouw ontstaan, misschien had het er ook mee te maken dat hij nooit naar de achtergrond van zijn zelfmoordplannen had gevraagd en ook zijn afkeer van elke vorm van psychotherapie had geaccepteerd. 'Geeft u me medicijnen zodat de drang om mezelf op te hangen verdwijnt,' had Fux gezegd. 'En probeert u nu maar niet bij mij iets naar boven te krijgen – dat lukt namelijk niet.' Hij had hem medicijnen gegeven, een heleboel, vooral in het begin, en Joachim Fux had er op het laatst niets meer op tegen gehad in leven te blijven. Ze hadden over verschillende dingen gesproken, over moeilijkheden in de omgang met dwang en vrijwilligheid in de psychiatrie, over het feit dat er helemaal niet zo'n verschil was tussen katten en bijen als huisdieren en over de bevolking van Furth am See, die eigenaardige stedelijke Alpenbewoners, over wie bijna niemand zo veel kon weten als een voormalige postbode. Op een dag hadden hun vrouwen elkaar leren kennen en even later hadden ze elkaar allemaal getutoyeerd. Alles was heel logisch en normaal verlopen. Joachim Fux had zich vervolgens op nog meer bijenvolkeren toegelegd, een voor een, en omgekeerd evenredig had Horn de dosis psychofarmaca kunnen afbouwen. Fux had ten slotte gezegd dat hij nu wel meer duidelijkheid in zijn leven had en Horn had gevonden dat je meer niet kon verwachten.

'Natuurlijk wil ik honing,' zei Horn en hij pakte een rumkogel van het bord.

'Iedereen wil honing,' zei Joachim.

Else Fux keek gespannen toe. 'Nou?' vroeg ze.

Horn slikte. 'Dat weet je toch. De beste rumkogels van de wereld. Op de eerste plaats walnoten en boter. Vetgehalte vijfennegentig procent. Zoals altijd.'

'Jij kunt het je veroorloven.'

'Ja, omdat Irene bijvoorbeeld geen rumkogels maakt.' Else lachte. 'Arme man,' zei ze. Horn weerde af, toen ze het bord met koekjes voor zijn neus hield. 'Honing wil ik, heb ik gezegd, geen koekjes.'

Joachim draaide zich naar de deur. 'Ga je mee of zeg je me wat je nodig hebt?' vroeg hij.

Horn nam afscheid van Else. 'Oude mensen verliezen hun geduld,' zei ze met een blik op haar man. Ze wist dat Horn altijd meeging naar de bijenschuur.

Het rook er sterk naar was, zacht en streng tegelijk. Aan het eind van de ruimte stond, gedeeltelijk onder een wit zeil, de centrifuge. Je blik viel erop als iemand de deur opende. Tegen de muur links stonden lege honingraten klaar om te worden gerepareerd. Daarachter hing een okerkleurige overal en de imkerhoed met het beschermende net ervoor. In de plankenkast, die de hele rechtermuur in beslag nam, stonden, naar herkomst van de honing geordend, de potten opgestapeld. Daarvoor had Joachim Fux een soort bar van larikshout getimmerd. Daar liet hij meestal zijn klanten proeven. Horn ging op een van de krukken zitten. Hij hield van de houten betimmering tegen de wanden en het schuine dak, de geur en het zonlicht op de honingpotten. Speciaal hield hij van de grote, roestbruin geschilderde industriële verwarmingsradiator, die Joachim had aangesloten op de centrale verwarming van het huis om de ruimte ook 's winters een beetje warm te houden.

Joachim Fux vertelde over een nieuwe locatie boven St. Christoph, op de zuidelijke oever van het meer. Een jonge boer had hem tussen de lariksbossen een stilgelegde houtopslagplaats ter beschikking gesteld. Als vergoeding vroeg hij honing voor zichzelf en zijn gezin, verder niets. Een maand of twintig geleden had Joachim er de eerste bijen heen gebracht, om te beginnen maar vijf volkeren, zoals hij altijd deed wanneer de opbrengst van een plek nog niet in te schatten was. Het rendement van de eerste twee seizoenen was vervolgens sensationeel geweest – een bijzonder lichte en aromatische soort honing, enigszins vloeibaar en sterk gekonfijt. Hij zette een pot voor hem neer en legde er een lepeltje en een papieren servetje bij.

Horn schroefde het deksel los, doopte de lepel in en haalde hem langzaam weer naar boven. De honingdraad werd dunner. Het kleine spiraaltje dat hij maakte waar hij het oppervlak raakte, vloeide binnen een seconde uit.

'Kun jij je van iemand in deze stad voorstellen dat hij een oude man over het hoofd rijdt?' vroeg hij.

Joachim keek hem verrast aan. 'Vraag je dat zomaar?'

'Jij kent de mensen hier,' zei Horn. Hij merkte dat hij zich opeens ongemakkelijk voelde. Ik behandel dat meisje, dacht hij, verder niets. Het is niet goed al te veel te willen weten.

'Als ze dronken genoeg zijn, kan ik me dat van sommige mensen wel voorstellen,' zei Joachim ten slotte.

Misschien is het zo eenvoudig, dacht Horn: iemand die flink heeft gedronken en toch al niet zo opmerkzaam is, zoals de meeste mensen hier, schakelt per ongeluk in zijn achteruit, duwt de oude man omver en rijdt over zijn gezicht. 'Je hebt gelijk,' zei hij. 'Ik kan me dat ook voorstellen.'

Horn nam de punt van de lepel in zijn mond. De honing smaakte pittig en jong. 'Wittebroodhoning,' zei hij. Joachim knikte tevreden. Horn bekeek hem aandachtig. Hij heeft een bril op, dacht hij, dat was vroeger niet zo. Hij wordt oud.

'Hoe gaat het met je?' vroeg hij.

'Is het toch een huisbezoek?'

Horn likte het lepeltje grondig af. 'Als Else erbij is, zou je toch de waarheid niet zeggen.'

'Klopt,' zei Joachim. 'Met mij gaat het goed – dat is de waarheid. Dat wil zeggen, bepaalde dingen kloppen niet, maar verder gaat het met mij goed.'

'Wat bedoel je: bepaalde dingen kloppen niet?'

'Dat je met het klimmen van de jaren alles vergeet – dat klopt bijvoorbeeld niet. Het tegendeel is waar: sommige dingen staan plotseling zo helder voor je dat het pijn doet.'

'Dat heeft misschien met je nieuwe bril te maken.'

Joachim grijnsde en zette hem af. 'Ik weet dat hij lelijk is,' zei hij. 'Maar bij kunstlicht gaat het niet meer zonder.' Sinds een paar dagen moest hij bijvoorbeeld aan het moment denken waarop hij in het begin van zijn imkerbestaan met de varroamijt bij enkele volkeren werd geconfronteerd. Hij had voor de korven gestaan, al die dode en gedeformeerde bijen gezien en het had bijna zijn hart gebroken. Of die kwestie met de jongste zoon van Wertzer, die voor het hotel zomaar op Fux' dienstbrommer was gestapt en weggereden. Hij was teruggekomen met een enorme brandwond op zijn kuit, huilend, en hij zou hem, Fux, en de hele posterijen aangeven, want de uitlaat van de brommer was vast niet volgens voorschrift en hij zou hem smartengeld moeten betalen en een invalidenuitkering. De amper zestienjarige knaap had daar op het voorplein van het hotel tegen hem staan schreeuwen en hij zelf was zo verbluft dat hij geen woord kon uitbrengen. Opeens was de ingangsdeur van het hotel opengezwaaid, de oude Wertzer was naar buiten gestormd, een nogal kleine, gedrongen man, was tussen hen tweeën gestapt en had zonder ook maar een woord te zeggen zijn kleinzoon een flinke draai om zijn oren gegeven, de klassieke combinatie: links-rechts, eerst de palm en daarna de rug van zijn hand. Vervolgens wees hij hem, nog steeds zonder een woord, met uitgestrekte arm naar de poort en de jongeman was afgedropen, zonder de minste aarzeling, met gebogen hoofd en de vingers van zijn grootvader in zijn gezicht.

'Een paar weken geleden waren die dingen volledig onderdrukt,' zei Joachim Fux. 'Opeens duiken ze op en je weet niet waar ze vandaan komen.'

Horn legde het lepeltje op het servet en draaide het deksel op de pot. 'Gaan er eigenlijk verhalen over de oude Wilfert?' vroeg hij. 'Wilfert?' – Fux staarde hem een seconde geschrokken aan en richtte toen zijn blik in de ruimte alsof hij moest nadenken. 'Zijn huis lag postaal niet in mijn wijk,' antwoordde hij ten slotte. 'Zijn dochter kocht af en toe honing bij mij, zoals zoveel andere mensen.'

'Maar verhalen?'

'Bedoel je: over hem?'

Horn knikte. Fux zette zijn bril af en drukte zijn vingertoppen tegen zijn oogleden. Hij zag er plotseling ontzettend moe uit. Horn dacht aan het moment voor de loods. De dood is nog steeds dicht bij hem, dacht hij – ik had dat moeten bedenken. 'We kunnen ook over iets anders praten,' zei hij haastig. Fux wimpelde het af.

'Zijn vrouw is nog niet zo lang dood,' zei hij zacht. 'Plotseling, aan trombose of zoiets. Zijn dochter zorgt nu voor hem, zijn schoonzoon werkt in de zagerij, een paar kleinkinderen. Een gewone oude man, zeggen de mensen.'

'Niets bijzonders?'

'Hij was jager. Maar dat zijn veel anderen hier ook.'

Cejpek was jager, bedacht Horn, en ook Martin Schwarz, zijn buurman, ging soms op jacht. Tobias zei dat alle jagers aan bomen vastgebonden moesten worden en overgelaten aan de wilde dieren, en als hij ouder en sterker was dat hij dan vegetariër zou worden. Mijn liefde voor mijn zoon manifesteert zich momenteel vooral in tikjes tegen mijn hoofd, dacht Horn, maar elke echte vader-zoonliefde doet dat in een bepaalde ontwikkelingsfase.

Horn nam twee potten van de nieuwe woudhoning en een pot van een bijna witte, crèmeachtig geroerde koolzaadhoning, die Irene zo lekker vond. Joachim verpakte de potten zorgvuldig in vloeipapier en wilde ten slotte geen betaling, zoals altijd. Horn wist inmiddels dat het geen zin had te protesteren en stopte zijn portemonnee weer weg.

'Wat is de varroamijt?' vroeg hij toen hij naar buiten liep. 'Iets wat in je nek zit, je uitzuigt en gehandicapt maakt,' zei Joachim Fux. Hij zag er nog steeds doodmoe uit.

'Mij?'

'Voor zover je een bij bent: ja.' Ze keken elkaar aan. Horn lachte.

Toen Raffael Horn in de richting van het centrum liep en af en toe een wolkje voor zich uit blies, dacht hij dat hij onder geen voorwaarde nog een keer Konrad Seihs en zijn pitbull wilde tegenkomen. Ik sla hem de tas met de potten honing in zijn smoel, dacht hij, terwijl hij zich voorstelde dat Seihs noch zijn hond erop gerekend had en heel raar stonden te kijken.

Even later, terwijl hij via de Severinbrug de Ache overstak en een blik naar het westen, naar het ziekenhuis, wierp, schoot hem te binnen dat hij was vergeten Joachim te vragen hoe bijen eigenlijk overwinteren.

Zeven

'Lefti, zie ik er raar uit?' vroeg Ludwig Kovacs. Lefti, de eigenaar van het restaurant, zette een glas natuurlijk troebel pils voor Kovacs neer en keek hem onderzoekend aan. 'Natuurlijk zie je er raar uit, commissaris,' zei hij. 'Dat wil zeggen, niet jij persoonlijk, maar jij hier, op mijn terras met je biertje midden in de winter, en je zwarte wollen muts aan deze enige, speciaal voor jou neergezette tafel, met al die sneeuw eromheen, en daar beneden het meer dat al half is bevroren. En als je dan nog bedenkt dat dit een Marokkaans restaurant is, waarvoor je nu zit in je blauwe gewatteerde jas en dat er in Marokko mensen in een blauwe gewatteerde jas die niet weten of ze bij het drinken hun handschoenen moeten uittrekken of niet, niet zo vaak voorkomen, als je dat allemaal bedenkt, zie je er raar uit.'

'Dat stelt me gerust,' zei Kovacs. Hij trok zijn rechterhandschoen uit. 'Proost.'

'Daar moet ik wel bij zeggen dat er in bepaalde streken in Marokko zwarte wollen mutsen worden gedragen. Boven in de Atlas, in Ifrane bijvoorbeeld of rondom de Jebel Toubkal.'

'Dan ben ik gerustgesteld dat ik niet in alles zo erg opval.'

'Commissaris, je begrijpt me niet.'

'Zoals altijd.'

'Ja, zoals altijd.'

Kovacs en Lefti mochten elkaar. Dat had er maar gedeeltelijk mee te maken dat de overvallen van skinheadbendes op de 'Tin' volledig waren gestopt sinds Kovacs met zijn team regelmatig in het restaurant verscheen. Het was iets persoonlijkers. Lefti had er een aangeboren gevoel voor of iemand een hele maaltijd met een lang verhaal wilde of alleen maar een glas bier. Kovacs stelde dat erg op prijs. Bovendien was Lefti nieuwsgierig, maar nooit opdringerig, hield van voetbal en stond op gespannen voet met iedere vorm van bureaucratie, wat er uiteindelijk toe leidde dat de mensen hem vertrouwden en hij altijd goed op de hoogte was. Dat stelde Kovacs ook op prijs, soms tenminste. En ten slotte was er nog Szarah, Lefti's vrouw. Ze stond dag in, dag uit in de keuken en was daar zonder meer een lot uit de loterij. Dat was ze in elk geval voor Ludwig Kovacs, toen vier jaar geleden zijn vrouw was weggelopen. 'Zonder Szarah zou ik verhongeren,' zei hij soms, waarop Lefti zei: 'Geen sprake van. Kijk nou eens naar jezelf, je zou misschien een maagzweer krijgen, maar verhongeren zou je nooit.' En dan zei hij weer: 'Maar Szarahs wortelpuree met munt heeft mijn leven gered.' Lefti sputterde daarna nog een beetje tegen, maar eigenlijk was hij het ermee eens. Hij waakte over zijn vrouw, hoewel iedereen zag dat dat volkomen overbodig was, aangezien Szarah alleen al met haar cipresachtige figuur en haar uitzonderlijk gebogen neus iets zo ontzagwekkends had, dat niemand haar ooit te na zou komen.

Het meer zal inderdaad dichtvriezen, dacht Kovacs. Tot voor kort had nog niemand dat voor mogelijk gehouden, maar nu was het opgeklaard en de temperaturen bleven onder nul. Zijn blik gleed over het besneeuwde terrein van het gemeentelijke buitenbad, over het gebouw van het overdekte zwembad met zijn lage dak, over de smalle steigers van de bootverhuur, over de blokken van de beide oude hotels aan het meer en over de jachthaven, waar op dit moment geen enkele mast uitstak. Kovacs dacht aan zijn eigen jol, die hij in Waier, op de noordelijke oever, bij Fred Ley op het droge had liggen. Het was een oud, aardig bootje van helder gelakt acaciahout en de boeg en de zitbanken waren van teak. De laatste paar jaar had hij het vaker verhuurd dan zelf gebruikt, en dat, terwijl hij na de scheiding had gedacht dat hij nu doorlopend zou gaan varen, om te vissen of zomaar. Yvonne, zijn vrouw, had een hekel aan het meer, de toeristen die elk jaar kwamen, de vissen en de koude westenwind, die ze de schuld gaf van haar gewrichtsklachten. Bij Charlotte, hun dochter, was het niet anders geweest. In zoverre was het alleen maar logisch dat ze nu met Yvonnes nieuwe man in Traun bij Linz woonden, in een omgeving waar in de wijde omtrek geen groot water was te vinden.

Hij greep in zijn jaszak en zocht de balpen die hij altijd bij zich had. Vroeger had hij er over elk geval waaraan hij werkte aantekeningen mee gemaakt, in een dik DIN-A6-boekje met een oranje kaft. Toen hij op een keer Bitterle en Demski betrapte toen ze boven zijn boekje hun hoofden bij elkaar staken en lachten, had hij het voortaan thuis gelaten. Af en toe schreef hij nog op servetjes of tafelbladen, tekende schema's of stelde zich begrippen in zijn hoofd voor. Meestal was echter de balpen in zijn hand voldoende om zijn gedachten op een rijtje te krijgen.

De serie auto-inbraken, die sinds eind november speelde, was nogal duidelijk. Altijd 's nachts, altijd vlak bij een uitvalsweg – in een zijstraat of op de eerste parallelweg. Die mensen kwamen 's avonds, keken in welke auto's dingen rondslingerden, kleren, tassen, elektronisch spul, en kraakten enkele uren later de sloten. Ze waren hoogstwaarschijnlijk in een auto met gestolen kenteken onderweg, kwamen uit Roemenië of Moldavië, en opereerden vanuit een organisatiecentrale die nog niet was gelokaliseerd. Ze gaven de voorkeur aan de middelgrote steden in het zuiden en oosten van het land: Wiener Neustadt, Krems, Steyr, Bruck an der Mur, Villach, Furth. Ze werkten uiterst snel en lieten geen bruikbare sporen achter. Er werd over gefantaseerd hoe ze zouden reageren als iemand hen dwarsboomde, maar in werkelijkheid wist men het niet, want het was nog nooit gebeurd. In wezen interesseert het me allemaal niet, dacht Kovacs. De patrouilledienst moet zijn werk doen, en de verontwaardiging van mensen die hun laptop in de auto laten liggen, ken ik nu wel.

Hij merkte dat zijn bier kouder werd, stopte zijn pen weg en trok zijn handschoen aan. Het kan me geen zier schelen als iemand me ziet, dacht hij. In sommige situaties moeten de anderen je niets kunnen schelen.

Op de Uferpromenade liepen een paar groepjes mensen, onder wie een stel joggers. De zon stond iets boven de top van de Kammwand en hulde het grootste deel van de stad in een witgeel, flikkerend licht. Over een uurtje zou het schemerig worden.

De terrasdeur achter zijn rug ging open. Kovacs schrok een beetje. Het was Lefti. Hij droeg een stoel voor zich uit, zette hem bij de tafel en ging zitten. Hij had een dikke grijsbruine trui en vingerloze wollen handschoenen aangetrokken. 'Geniaal,' zei Kovacs. 'Je eet blijkbaar regelmatig in de buitenlucht als het vriest.' Lefti lachte. Achter hem aan kwam Szarah met twee grote porseleinen kommen en lepels en een stuk witbrood naar buiten. Ze groette Kovacs met een decent knikje. Ze is een godin, dacht hij, niet direct mooi, maar ze heeft een intelligent gezicht en een autonomie in haar houding waar je versteld van staat. 'Wat is dat?' vroeg hij. 'Rodelinzensoep,' zei ze. Ze zette de schalen neer, vlot en toch voorzichtig. Toen verdween ze weer.

'*Bismillah*,' zei Lefti. 'Eet smakelijk,' antwoordde Kovacs. De soep smaakte naar rode peper, komijn en kaneel. Lefti depte de soep met zijn brood op en gebruikte zijn lepel bijna niet.

'Hoe weet je altijd wat ik nodig heb?' vroeg Kovacs.

'Deze keer was het niet zo moeilijk. Wat zou een commissaris die in de winter op een terras zit nodig hebben? Bovendien was dat van de soep Szarahs idee, niet het mijne.'

Hij springt over zijn eigen schaduw, dacht Kovacs, en hij vertrouwt mij. 'Je hebt geluk met je vrouw,' zei hij.

'Ja, met haar en mijn dochters en met jou, commissaris.'

'Jullie oosterse beleefdheid werkt me soms behoorlijk op de zenuwen.'

'Jij hebt minder geluk gehad met je vrouw en je dochter. Waarom zou ik niet beleefd zijn?'

Kovacs zei een tijdje niets. Hij dacht aan de koelheid van Yvonne en aan Charlotte, die mettertijd steeds meer op een zak aardappelen was gaan lijken, vormeloos en passief. Ik heb nooit iets van haar begrepen, dat is de waarheid, dacht hij. Van Yvonne tenminste een tijdje wel. Hij viste een groot stuk rode peper uit de soep en voelde dat de tranen in zijn ogen sprongen. Lefti zag het. 'Het spijt me, commissaris,' zei hij. 'Jullie hebben gewoon minder zenuwen in je mond,' antwoordde Kovacs, 'veel minder.' Lefti wachtte even. 'Ik bedoelde dat van je vrouw en je dochter.' Kovacs nam een slok bier. Inmiddels was het zo koud geworden dat zijn tanden er pijn van deden.

'Daarover huil ik allang niet meer. Geloof je trouwens echt dat het vooral een kwestie van geluk is of het in een relatie werkt of niet?'

'Allah schenkt je ogen en oren en de deemoed om te wachten.'

'En kasteleins uit de Maghreb die in geheimzinnige gelijkenissen spreken als je ze een concrete vraag stelt.'

Lefti maakte een buiging. 'Zoals je wilt, commissaris.'

Waarschijnlijk had hij zelfs gelijk met zijn ogen en oren en was het vanaf het begin een probleem van niet goed opletten. Iemand wiens beroep het is zoveel mogelijk meer waar te nemen dan anderen, ontmoet een vrouw en vertrouwt op het diffuse gevoel dat alles zo'n beetje klopt.

Yvonne had twintig jaar geleden in het kader van haar managementopleiding stage gelopen bij de firma Fernkorn en was op zomerse avonden regelmatig in Manolo's strandcafé verschenen. Hij, Kovacs, was stamgast bij Manolo geweest, vanwege de Italiaanse koffie, vanwege de keur aan grappa en vanwege de rotanstoeltjes, waar je uitgesproken goed op zat. Maar op de eerste plaats liepen hier geen yuppen noch de cryptocriminele horecaondernemers in en uit, die je op de terrassen van Wertzer en Fernkorn aantrof, maar het publiek van het stedelijke strandbad en een paar mensen die in de jachthaven hun onopvallende boten hadden liggen. Yvonne had een nauwsluitend, eigeel topje gedragen, dat wist hij nog, en onder de sandaalriempjes pleisters op haar hielen. Ik heb naar haar tieten gestaard, dacht Kovacs, en de tieten hebben teruggestaard, toen vielen de pleisters me op en toen pas heb ik haar gezicht bekeken. Als je een en een bij elkaar optelt, weet je dat dat in het beste geval bruikbare seks oplevert, maar verder niets. Misschien had ze toen al op een even verachtelijke manier naar de mensen gekeken die rondom aan een tafeltje zaten als vijftien jaar later, en had hij niets gemerkt. Achteraf was iedereen sowieso slimmer geweest dan hij en had beweerd dat het van het begin af aan zo klaar als een klontje was geweest dat het niets kon worden, en hij had daar gezeten en eerst bier en sterke drank gedronken en tot slot zijn verrekijker uit de kist gehaald. Volkomen stompzinnig, had hij gedacht, maar op de een of andere manier had het hem houvast gegeven.

De bierschuimresten aan de rand van het glas waren inmiddels bevroren. Kovacs kraste er eerst een beetje in, toen brak hij een stuk van het wittebrood en veegde de soepresten uit zijn kom. 'Vroeger zou ik gezegd hebben: ik ben op de eerste plaats rechercheur, op de tweede plaats echtgenoot en vader en op de derde plaats terraszitter,' zei hij. 'Nu zeg ik: ik ben meestal terraszitter en af en toe nog rechercheur. Maakt niet uit of je een goede verstandhouding met je vrouw hebt of niet, je raakt een stuk van je identiteit kwijt als ze je verlaat.'

Lefti draaide zich naar opzij en keek in de richting van het restaurant. 'Ik leef al twaalf jaar in dit land, ik draag wollen truien en handschoenen, ik drink jullie wijn, ik denk in jullie termen, ik zeg shit en hoerenzoon, maar wat jullie met die identiteitskwestie doen zal ik nooit begrijpen.'

'Jij hebt dat ook niet nodig. Jouw vrouw zal namelijk nooit weglopen,' zei Kovacs.

'Klopt. Dat zal ze nooit.'

Ik ben een terraszitter, af en toe rechercheur, en op de derde plaats iemand die een keer per week met de uitbaatster van een tweedehandswinkeltje neukt, dacht Kovacs. Dat laatste gebeurt op basis van wederzijdse behoeftebevrediging, dacht hij, meer niet, van zoiets als liefde is in de verste verte niets te merken. Kovacs wist dat Lefti dat wist, en dat was reden genoeg om over de kwestie geen woord te zeggen.

Hij trok zijn handschoen uit, om afscheid te nemen. 'Wat doen jullie met oudjaar?' vroeg hij.

'Niets,' zei Lefti. 'Bij ons is het nog 1426 en de jaarwisseling vindt over een maand plaats. Het restaurant doen we op slot. Dat loont, is gebleken.'

Kovacs knikte. Hij wist nog goed dat hij die eerste januari zeven jaar geleden 's morgens de Tin binnenkwam. Lefti had midden in de gastenruimte gestaan, lijkbleek, met een provisorisch verband om zijn hoofd en nergens was er meer iets heel geweest. Het troepje dat om twee uur 's nachts alles kort en klein had geslagen, was geleid door de zoon van een liberaal parlementslid; daarvoor waren er heel wat getuigen. Eerst hadden de kaalkoppen champagne uit flessen gedronken, toen stoelen opgetild en gewoon laten vallen. Ten slotte hadden ze met stompjes kaars 'weg met de buitenlanders' op de muur gesmeerd en daarbij in koor '*Es zittern die morschen Knochen*' – een fascistisch lied – gezongen. Een oudere man die vond dat hij dit lied vaak genoeg in zijn leven had gehoord, hadden ze met een pepermolen zijn neusbeen gebroken.

De vader van de hoofdverdachte had vervolgens zelf de rechter uitgezocht; en het oordeel was zo belachelijk uitgevallen als te verwachten was: zes maanden voorwaardelijk. De zoon van de geachte afgevaardigde had bij de hoofdzitting de hele tijd zitten grijnzen en na het vonnis gezegd dat Lefti blij mocht zijn dat ze zijn vrouw niet hadden verkracht. Op sommige dagen was het goed om geen wapen te dragen, had Kovacs toen gedacht. Dat kon hij zich nog herinneren.

'Bedank Szarah nog een keer hartelijk van me,' zei hij, terwijl hij de ritssluiting van zijn jack omhoogtrok.

'Ik weet zeker dat het haar een genoegen was.'

'En als jij maar eens een greintje minder beleefd was...'

'Dan zou jij weten dat je moet oppassen,' zei Lefti, terwijl hij zijn hand opstak en bukte om de soepkommen af te ruimen.

Kovacs liep naar beneden in de richting van de Promenade. Hij bewoog snel omdat hij dat altijd deed, niet omdat hij het koud had. Ik ben een snelwandelaar, dat hoort ook bij mijn identiteit. Charlotte had daar altijd over gezeurd en Yvonne had waarschijnlijk alleen haar mond maar gehouden omdat ze het belangrijk vond haar sportiviteit te demonstreren.

Hij bereikte het meer vlak voor de bootverhuur. Waar vroeger Manolo's Strandcafé was geweest, zat nu Frank Holdereggers watersportzaak. De man had eerst een surfcentrum op Cyprus, en daarna vele jaren lang een duikschool op de Malediven gehad. Ten slotte had hij genoeg geld gespaard en was zodra hij de kans kreeg teruggekeerd naar de stad waar hij was geboren. Dat het te maken had met Manolo's ongeluk had het beeld een beetje bezoedeld, maar als Holderegger het niet had gedaan, was iemand anders in de bedrijfsruimte getrokken. Manolo was toch niet meer levend geworden, dat stond vast. Hij was op een zonnige ochtend in oktober met zijn Corvette te hard een bocht van de Kanaltalsnelweg in gereden, had tijdens de salto met gemak de hindernis van de vangrail genomen en was honderdvijftig meter lager in een zijrivier van de Tagliamento terechtgekomen. Sommige mensen hadden deze dood in Italië zelfs romantisch gevonden. Vermoedelijk waren het dezelfden die daarvoor regelmatig roddelden over Manolo's vermeende homoseksualiteit: goed dat die nicht naar huis gaat om te sterven. Dat Manolo eigenlijk uit Napels kwam, dat ongeveer duizend kilometer van het Kanaltal vandaan ligt, kon niemand iets schelen. Holderegger scheen in ieder geval geen homo te zijn, dat stelde de stad gerust. Bovendien was hij in de paar jaar die hij weer in het land was een van de beste kenners van het meer geworden, zowel wat de vogel- en visstand als wat de meteorologische eigenaardigheden ervan betrof. Vissers en surfers vroegen zijn advies en met het biologische waarnemingsstation had hij absoluut serieuze kontakten. Alleen toeristen die wilden duiken, kregen telkens weer wilde verhalen te horen, vooral dat de kwestie met het nazigoud in het Toplitzmeer pure fantasie was en de schatten van het Derde Rijk eigenlijk hier, bijna op gezichtsafstand, onder een door een explosie veroorzaakte aardverschuiving van de berg waren verdwenen, nadat eerst het transportschip onder aan de Kammwand tot zinken was gebracht. Hij bracht de mensen die naar aanleiding van zijn verhaal volop boekten naar een ruim dertig jaar geleden gezonken vissersboot, beweerde dat die de loods was geweest die de schattentransportboot ooit had gevolgd en dat het bij de rotsblokken die ernaast lagen om die aardverschuiving ging. Er kwamen na die duiktochten nooit klachten, integendeel, op Holdereggers website waren zulke enthousiaste verhalen te lezen dat ook het stadsbestuur uiteindelijk van een correctie afzag.

Ik onderzoek beroepsmatig zogenaamde feiten, dacht Kovacs, maar eigenlijk willen de mensen niets liever dan bedrogen worden. De mensen kiezen voortdurend het verkeerde.

Op het Promenadepad had het strooizout de resten van sneeuw en ijs van het wegdek gevreten. Geschikt voor alle soorten loopproblemen, dacht hij. Ooit zal ik er misschien blij om zijn. Hij liep in zuidelijke richting, langs de bootverhuur, langs de oprit naar Wertzer en de aanlegsteigers van het lijnschip naar Sankt Christoph en Mooshaim. Vlak voor de jachthaven stapte hij in de schaduw van de berg. Op hetzelfde moment kwam de wind opzetten. Hij trok zijn muts over zijn oren. Op de andere kant van de pier zaten onbeweeglijk vijf, zes meeuwen. Elk jaar bleven een paar vogels hier. Op de een of andere manier voelde hij zich met hen verwant.

Hij liep de hele oostboog af, een stuk over het einde van het asfalt tot aan de plek waar de Fürstenaubach in een waterval in het meer uitmondde. Hij bleef even op de brug staan om op de stad terug te blikken.

De zaak met de oude man was nog niet van tafel. Hoewel hij het gevoel had dat hij snel zou worden opgelost. Bijvoorbeeld dat de schoonzoon met die oude groene Steyr-tractor had gereden en op de aanhanger brandhout voor de tegelkachel had geladen. Omdat het maar een klein stukje was, had hij de houtblokken niet goed vastgebonden en steeds achterom gekeken of ze niet begonnen te glijden. Op die manier had hij de oude man over het hoofd gezien. Afgelopen. Ongeveer zo simpel zou het zijn. Dat het hoofd van de oude man er dramatisch had uitgezien, was verder niet verwonderlijk, want het was vrijwel zeker dat ieder hoofd waar een tractor overheen was gereden, er dramatisch uitzag. Hij moest aan Mauritz denken, die binnensmonds had gevloekt, omdat in de sneeuw de bloedspetters nauwelijks bruikbaar waren en die bandensporen alles nog onoverzichtelijker hadden gemaakt. En hij moest aan Sabine Wieck denken, aan hoe ze naast hem had gelopen, bleek in haar gezicht en toch vastbesloten en aan hoe het uniform een flink stuk te groot was geweest. Hij zou haar in zijn team halen; ze had precies het soort energie en honger naar de waarheid die hij toen hij net dertig was ook had. En ze beviel hem. Zo'n dochter zou ik graag hebben gehad, dacht hij, ze heeft niets van een zak aardappelen, helemaal niets. Ik zal Mauritz eens bellen, dacht hij, misschien heeft hij al resultaten. Hij heeft er wel een hekel aan in het weekend te worden gestoord, maar ik heb er een hekel aan als ik niets in handen heb. Bovendien heb ik er een hekel aan, dacht hij, als om drie uur 's middags de schemering invalt, zodat je niets anders overblijft dan naar huis te gaan.

Hij hoorde het knallen al uit de verte. Het was elk jaar hetzelfde. Een paar dagen voor oudjaar sloten de jongeren uit de wijk zich aaneen, ook degenen die anders het hele jaar niets met elkaar te maken wilden hebben, en begonnen hun voorraden rotjes, voetzoekers en vuurpijlen af te schieten. Met het grote vuurwerk konden ze niet concurreren, maar als ze hun spullen voortijdig afstaken, konden ze zeker zijn van de reacties van bepaalde bewoners. Er zouden ook dit jaar enkele aangiften worden gedaan, de collega's zouden uitrukken, de gebruikelijke verdachten wegens ordeverstoring op hun kop geven en ten minste een inbeslagneming op grond van overtreding van de vuurwerkwet uitvoeren – daarmee kalmeerden ze in elk geval Alexander Koesten, de architect die schuin onder Kovacs woonde.

Op de rand van het lange, rechthoekige bassin van de fontein zaten zeven of acht jongeren. Toen ze Kovacs zagen aankomen, gingen de meesten ervandoor. Alleen Matthias Fries, een zeventienjarige met rood haar en een bleek gezicht, die van zichzelf beweerde dat hij alleen gestolen spullen droeg, en Sharif Erdoyan, een ongelooflijk dikke Turk die door iedereen 'sheriff' werd genoemd, bleven zitten. Ze blowden, ongetwijfeld. 'Dag, commissaris, hoe gaan de zaken?' zei Erdoyan, die probeerde serieus te kijken. 'Dag Sheriff, aardig dat je dat vraagt.'

'Op de een of andere manier is men verantwoordelijk voor het welzijn van zijn buren.'

'Daar heb je gelijk in. Hoe hoog is overigens ook weer het wettelijk toegestane maximum aan marihuana voor eigen gebruik?'

'U brengt me in verlegenheid, commissaris. Ik geloof dat dat van het lichaamsgewicht afhangt.'

De sheriff was eenentwintig, kwam uit Konya en had sinds een jaar of twee een vinger in de pap bij alles wat in het zuidelijk deel van de stad met cannabinoïden te maken had. Ander spul raakte hij niet aan. Dat wisten ze inmiddels zeker; daarom hadden ze hem tot nog toe met rust gelaten, ook al was de laatste tijd de roep vanuit de stad om ingrijpen van de politie steeds harder geworden. Met name Konrad Seihs, die afschuwelijke secretaris van de middenstandspartij, had zich daar sterk voor gemaakt. Mike Dassler, de leider van de werkgroep 'Verslaving en moraal' was tot nu toe kalm gebleven. Ingrijpen uit alle denkbare hoeken hoorden tot zijn dagelijks brood.

'Van dikke mensen kun je over het algemeen op aan,' zei Kovacs.

Erdoyan knikte. 'Honderd procent, commissaris.'

'Weet je nog wat me ertoe zou kunnen brengen die pitbullkerel achter je aan te sturen?'

'Opiaten en kinderen, commissaris. Hoe zou ik dat kunnen vergeten?'

'Uitstekend.' Kovacs stak zijn hand op. 'Een gelukkig nieuwjaar, heren.'

Matthias Fries spuwde demonstratief op de grond, in de richting van de fonteinstralen, die midden in het bassin omhoogspoten. Fries deed graag gevaarlijk, maar hij was in werkelijkheid totaal onschuldig. Kovacs kon hem desondanks niet uitstaan; hij had iets van een fret. Erdoyan schreeuwde hem iets achterna. Hij verstond het niet, draaide zich om en hield zijn hand achter zijn oor. 'Misschien word ik binnenkort zelf vader!' Dat is precies wat deze stad nog ontbreekt, dacht Kovacs. Hij zag een schare kleine dikke Turkse jongetjes voor zich die allemaal hun potpijpjes bij zich hadden, en daarna zag hij Charlotte voor zich, die er vast en zeker geen idee van had wat een potpijp is en toch in haar hele leven nog niet tevreden was geweest.

Kovacs naderde hal B. Al drieënhalf jaar woonde hij in deze voormalige fabriek en vanaf de eerste dag had hij zich er zo thuis gevoeld als daarvoor nog nergens. Vanaf het begin had hij van de zwart-rode bakstenen muren gehouden, de boogramen met de kleine vlakverdeling en de enorme stalen poort bij de ingang en vanaf het begin hadden ook de paar rijken die in zijn buurt waren komen wonen, hem betrekkelijk weinig kunnen schelen. Na de scheiding was er voor hem uiteindelijk geen andere mogelijkheid geweest dan de gezamenlijke woning in Furth-Noord te verkopen en als alternatief was hem het Walzwerkproject waar met scepsis tegenaan werd gekeken wel gelegen gekomen. De sociale woningen in de flatgebouwen met de voormalige arbeiderswoningen waren natuurlijk snel verhuurd geweest, wat de toch al aarzelende belangstelling voor de vrij te vergeven wooneenheden in de drie vroegere fabriekshallen verder had gereduceerd en de vanafprijzen omlaag had geschroefd. Kovacs had zijn schouders opgehaald, hij had een leuke woning van zeventig vierkante meter gevonden, vier meter hoge kamers, directe toegang tot de gezamenlijke daktuin, het raam naast zijn bed op het zuidoosten. Charlotte kon, als ze wilde, op de kleine galerij slapen, die eigenlijk als werkruimte was bedoeld maar die hij niet als zodanig gebruikte. Charlotte wilde nooit. Daar was hij blij om.

Zijn blik viel op de kerstboom die voor de boekenkast op een laag bijzettafeltje stond. Een cadeau van Marlene. Dat van de wederzijdse behoeftebevrediging tussen hen klopte wel, maar wat haar betrof, behelsde het ook kennelijk de behoefte om ongetrouwde mannen kerstbomen met kerstballen en gouden engeltjes te geven. Bovendien was er de kwestie met oudejaarsavond. Ze had in een tijdschrift iets gelezen over een hotelletje in Lungau, had ze verteld, eigenlijk een verbouwd boswachtershuis en omdat het maar negen kamers had, had ze er maar vast een gereserveerd. Ook al wist ze natuurlijk dat hij het liefst thuisbleef, bockbier dronk en om middernacht hoogstens even het dak op liep. Hij voelde zich duidelijk onbehaaglijk. Het was begonnen om de seks en nu waren er kerstbomen en romantische arrangementen voor oudjaar. Ik ga het afzeggen, dacht hij, nu meteen. Hij bedacht dat hij ook Mauritz had willen bellen. Hij pakte de telefoon van de houder. Eerst Marlene. Hij toetste het nummer in. Ze had haar mobieltje op voicemail gezet. 'Bel me,' zei hij, verder niets.

Hij ging naar de keuken, zette water op en deed gedroogde pepermuntbladeren en een paar stukken kandijsuiker in de inzet van de theepot. Ook dat had hij van Lefti: pepermuntthee in plaats van een middagborrel. Ik word nog oosters, dacht hij. Aan de andere kant had hij duidelijk minder vaak hoofdpijn nu hij zich aan dit principe hield.

De hemel was helder gebleven. Vanuit het keukenraam kon hij in het zuidwesten de bleekrode avondlucht zien. De eerste sterren zouden snel verschijnen. Zijn verrekijker stond naast zijn bed, hij had hem de laatste tijd niet meer opgeruimd. Deze keer zou hij het dak op gaan, de tijd nemen en hem goed instellen. Hij zou in het zenit beginnen met kijken; daar stond in deze tijd van het jaar Andromeda. Zoals altijd zou hij M31 zoeken en zich er zoals altijd aan ergeren dat je de spiraalstructuur van de nevel ook bij optimale vergroting niet weg kon nemen. Daarna zou hij naar het oosten zwenken en eerst een paar van zijn lievelingsobjecten zoeken, Capella in Voerman bijvoorbeeld, of Aldebaran in Stier. Natuurlijk had het hem gestoord toen Eleonore Bitterle had gespot: 'Mijn baas is sterrenkijker geworden', en natuurlijk had hij het zich ook aangetrokken dat de andere collega's hem eveneens steeds op de hak namen. Maar toen hij vervolgens op Stracks vraag waar het eigenlijk goed voor was om urenlang door zo'n buis te turen, had hij geantwoord: 'Ik zoek God, daar is het goed voor,' had iedereen op slag zijn mond gehouden, van het ene moment op het andere.

De Triomfmars uit *Aïda*, enigszins gedempt. Hij moest zich even oriënteren. Zijn mobieltje zat in de binnenzak van zijn jas, buiten aan de kapstok. Hij had een krijgshaftige beltoon nodig, vond hij destijds, en Demski had hem bij het downloaden geholpen. Hij sloeg het ding open. 'Ik hoop dat je het niet al te erg vindt, maar oudejaarsavond wordt anders dan je hebt gepland,' zei hij.

'Daar ben ik heel verdrietig om,' antwoordde de stem aan de andere kant. Het was beslist niet die van Marlene.

'Dat u verdrietig bent, spijt me,' zei hij. 'Wie bent u?' In het scherm was een vast telefoonnummer te zien, dat hem bekend voorkwam.

'Maar commissaris!'

De laatdunkende toon, de enigszins Zwitserse toonval. Het was Patrizia Fleurin, de patholoog-anatoom. Ze was al jaren verantwoordelijk voor dit rayon, voerde haar secties indien mogelijk uit op de pathologische afdeling van het stedelijke ziekenhuis en stuurde lijken slechts in bijzondere gevallen naar het universiteitsinstituut in de Sensengasse in Wenen. Tot verdriet van de pathologie-assistenten hield ze van onconventionele werktijden. 'Omdat ik niet denk dat u mij privé wilde opbellen, mevrouw, denk ik dat u aan de snijtafel staat,' zei hij.

'Heel goed,' antwoordde ze. 'Ik zou u inderdaad niet privé durven bellen.' Voor haar lag nu iemand, een oude man, die ooit een hoofd had gehad. Aan de onderkant van het voormalige hoofd is iets opvallends. Ze gelooft dat hij het moet zien.

Acht

Ik slaap alleen nog maar in mijn zwarte cape. Het masker ligt naast mijn bed op de grond. Daniel heeft me die spullen gegeven. Hij zegt dat ze een heleboel geld hebben gekost, maar dat hij onuitputtelijke reserves heeft. Onze moeder zegt dat hij waarschijnlijk steelt, maar dat ze het niet kan bewijzen en onze vader zegt dat als iemand hem daarbij betrapt hij zijn hand afhakt. Onze vader is de grootste autohandelaar in de wijde omtrek en verkoopt Jaguars en Rolls-Royces en Range Rovers, en op een keer heeft hij bij een jachtpartij iemand anders in zijn been geschoten, maar dat was een ongeluk. Kortgeleden heeft hij de jonge Stuchlik een Dodge Viper verkocht. Daarbij heeft hij de grootste slag van zijn leven geslagen, hoewel hij twaalf procent korting heeft gegeven. Hij zat in de woonkamer en brulde de hele tijd van het lachen. Daniel zegt, als onze vader doodgaat, dat hij dan de winkel zal overnemen, alleen maar heel even, en dan verkoopt hij hem en krijgt er een smak geld voor.

In huis is het helemaal stil. Dat is op zondagochtend altijd zo. Als ik uit mijn raam kijk, zie ik het dak van de assemblagehal, daarboven die heuvel die eruitziet als het spitse uiteinde van een citroen en daar weer boven de hemel.

Ik ga naar de voorraadkamer en snij een stuk marmercake af, die onze moeder gisteren van de banketbakker heeft meegebracht. Zelf kan ze niet koken of bakken of zo. Ze zegt dat haar eigen moeder een mislukkeling was en haar dat nooit heeft geleerd. Eigenlijk zou ik graag een kop chocola maken, maar dan gaat er vast iets fout en wordt iedereen wakker, dus doe ik het maar niet.

De koelkast in de keuken zoemt. Als er niemand anders is, blijf ik gewoon staan wachten tot hij weer ophoudt. Ik kijk daarbij naar de rode secondewijzer van de klok. Drie minuten en eenentwintig seconden. Niet eens zo lang als een kleine pauze op school. En dan is alles weer goed koud, het mineraalwater en de melk en de kerstworst met de dennenboompjes of de klok op het snijvlak. Daniel zegt dat ze die worst binnen ook kregen, de allerlaatste dagen, en eigenlijk vindt hij het afschuwelijk, want in wezen is het doodnormale minderwaardige worst, alleen zijn de boompjes en de klokken donkerder gekleurd dan eromheen. Daniel zegt dat er qua smaak geen verschil is tussen de donkere en de lichte delen.

Mijn kleren liggen klaar. Mijn handschoenen, mijn hoofdband. Ook mijn laarzen in de voorkamer. De cape draag ik onder mijn jas. Ik heb een opdracht.

Daniel heeft me nog iets gegeven. Het is zwaar. Ik probeer het tussen mijn broekband te steken, maar dat lukt niet. Ik pak daarom mijn rugzak.

Daniel heeft gezegd dat ik zelf mijn eerste doelwit mag uitzoeken. Het is een test. Darth Vader heeft ook een tijdje nodig voor hij is gearriveerd waar hij hoort. Daniel zegt: pas als je de dingen doet, weet je dat je ze kunt. Hij zegt: pas als je iets kunt, kun je je ook verdedigen, en hij zegt dat dat het enige in het leven is wat loont: je verdedigen.

Het is schemerig en koud. Het eerste wat er gebeurt, is dat mevrouw Reithbauer met haar uitgeholde vuilnisbakkenras van een collie me voor de voeten loopt. Dat absoluut bescheten gezicht en dan de onvermijdelijke vraag: 'En waar ga je naartoe op deze vroege ochtend?' Ik glimlach als een boer die kiespijn heeft en zeg: 'Naar de kerk,' en dan zegt zij: 'Klopt, het is zondag, maar je bent er vroeg bij,' en ik zeg: 'Eerst is er nog een herdenkingsmis,' en zij vraagt: 'Voor wie?' en dan zeg ik: 'Ik weet niet voor wie.'

Ik loop de Ettrichgasse uit tot aan de krantenkiosk. De donkergroene rolluiken zijn omlaag. Ik sla de hoek om naar de Lorenzgasse. Rolands huis is gemakkelijk te herkennen aan die rode brievenbus, zoals in Amerikaanse films. Roland zegt dat zijn vader vroeger een keer met zijn motor door Amerika is gereden en dat de brievenbus daarvandaan komt. Ik geloof er geen woord van, maar dat doet er nu niet toe. Roland is een leugenachtige klootzak, dat weet ik sinds dat bioscoopverhaal. Daniel zegt als iemand tegen je liegt, dan sla je hem meteen op zijn smoel of je verklaart hem vanbinnen dood, dat helpt ook. Momenteel is Roland in elk geval met zijn ouders en zijn overbodige zusje skiën in het Zillertal en dat is prima. Zijn oma, die op het huis past, woont in Mühlau en omdat ik haar auto nergens zie, zal zij er ook wel niet zijn.

Via een voetpad, dat loopt tussen het tweede en het derde huis ernaast, kom ik aan de achterkant van de wijk. Ik loop in omgekeerde richting langs het hek en klim er bij een oude kersenboom overheen. Ik heb een opdracht. Daniel zegt als je niets doet tegen die homo- en lesbo- en gastarbeidersbende, word je vastgezet. Dat weet hij ook vanbinnen, zegt hij en hij zegt bovendien dat degene die er iets tegen doet als eerste een teken moet maken.

De biotoop is dichtgesneeuwd, het riet ernaast bijna helemaal geknikt. Een van de glazen bollen mist een stuk, ongeveer zo groot als mijn handpalm. Roland heeft het met zijn steenslinger eruit geschoten, maar dat weet niemand behalve ik. Een nogal geniaal schampschot overigens, ieder ander had de bol volledig kapotgemaakt.

De sleutel van de tuinschuur ligt onder een oude tegel boven op de houtstapel. Iedere sukkel zou hem daar vinden.

De konijnen en cavia's huppelen in hun kooien zenuwachtig heen en weer als ik binnenkom. Ik doe de deur achter me dicht en ga op een oude tuinstoel zitten. Ik vertel ze het verhaal van Anakin Skywalker, die Darth Vader wordt, en hoe hij na het gevecht met Obi-Wan op de lavaberg ligt en niets meer heeft, geen armen en geen benen en geen adem en alleen nog maar verbrande huid en dat dan de imperator komt en hem een nieuw gezicht geeft. De dieren kalmeren terwijl ik praat. Ze luisteren allemaal.

Twaalf konijnen, vijf zwart met witte vlekken, twee wit met rode ogen, een wit met blauwe ogen, een zwart met een witte vlek op zijn borst, drie grijs. Zeven cavia's, vijf glad, twee met krullen. Het witte konijn met de blauwe ogen heet Kylie Minogue. Zo heeft Rolands zusje het genoemd.

Ik maak mijn rugzak open. Ik zet het ding dat Daniel me heeft gegeven met de kop naar beneden op de grond. Het is een vuisthamer. Hij heeft een houten steel met een ovale doorsnede.

Ik zet het Darth Vader-masker op. Ik adem zoals hij. Dan doe ik de caviakooi open en haal een van de dieren eruit. Hij is grijs met een donkerbruin achterlijf. Hij piept niet. Hij kijkt me niet eens aan.

Negen

De donkergroene Golf rijdt sinds anderhalve week op nieuwe winterbanden. Ze zien er nog steeds als zwartgeverfd uit. Een jonge politieagente, die blijkbaar niets afwist van interne afspraken, heeft Robert aangehouden en het profiel gemeten. Robert, die altijd alles beter weet, staat erbij en betaalt vijfenveertig euro boete, dat is een leuk idee. Clemens heeft de zaak vervolgens telefonisch geregeld. Daar heb je een abt voor, dat hij zulke dingen regelt.

Als hij van de eerste naar de tweede versnelling schakelt, kraakt het. De Golf heeft al honderdzestigduizend kilometer op de teller, dan mag dat waarschijnlijk wel. De parkeerplaats af, naar rechts de Stiftsallee op, over de Rathausplatz, Severinstraße, over de brug, tot aan de grote rotonde. Hij rijdt hem drie keer rond. Als er niets aankomt, doet hij dat wel eens. Afslaan naar het westen, het tankstation, de bocht om naar het biologische waarnemingsstation, na twee kilometer het begin van de snelweg.

De kip met rozemarijn die hij tussen de middag heeft gegeten, ligt hem zwaar op de maag. Hoewel het hem heeft gesmaakt en je kunt Irma bepaald niet verwijten dat ze geen moeite heeft gedaan. De kippen die zijn moeder braadt, zijn altijd afschuwelijk, ongezouten en vanbinnen rauw. Daarbij is er in de regel volledig doorgekookte rijst. Zijn zusje lacht dan en zegt dat hij kip met rijst al in zijn kindertijd lekker vond.

De vluchtstrook is over hele stukken slecht geruimd. Als je van de rijbaan af komt, zou het gevaarlijk kunnen zijn. Een zilvergrijze BMW haalt hem in. In de achteruitkijkspiegel heeft hij gezien dat de wagen koplampen in de vorm van gele cirkels heeft. De Golf bromt als een tractor. Daarmee kan hij maximaal honderdveertig rijden.

Onder het eten een gesprek over het programma bij de jaarwisseling. De dankdienst op oudejaarsavond. Die zal Mattheus opdragen. De hoogmis op 1 januari. Iedereen zal daarbij zijn, de burgemeester en wethouders zullen op de eerste rij zitten, Clemens zal in zijn preek diplomatiek verwijzen naar de behoeften van de sociaal zwakkeren, net als ieder jaar, en zelf zal hij net als ieder jaar het contact met de realiteit verliezen op het moment dat hij in een van die apengezichten kijkt. Verder niets bijzonders deze dagen: geen huwelijk, geen doop, geen begrafenis. Ook die Sebastian Wilfert is nog niet vrijgegeven. Een platgereden gezicht – die term maakt op een pathetische manier vrolijk.

Links doemen achter een met eiken begroeide heuvel de platte hallen van de kippenfarm op, dan de kerktoren van Waiern. In de bocht van de afslag laat hij het gas pas los als hij voelt dat de achterkant van zijn auto opzij begint te schuiven. Hij heeft voor zijn doen lang geen ongeluk gehad, het laatste meer dan twee jaar geleden, toen hij met zijn lange Volvo-stationcar een melktankauto vol heeft geramd.

Op de parkeerplaats voor het bejaardenhuis staan eenendertig auto's; op de voorste rij linksbuiten een VW Touareg, die hij hier nog nooit heeft gezien. De markeringslijnen zijn grotendeels onder oude sneeuwresten bedekt. Dat is verkeerd. Het hele leven verloopt via markeringslijnen. Hij parkeert naast de blauwgrijze Renault Megane van een waard uit Sankt Christoph, die zijn moeder hier in het tehuis heeft laten opnemen en haar ongeveer om de zondag bezoekt.

De lucht is droog en vol vorst. Soms heeft hij zulke beelden: de lucht midden in de winter, die uit niets anders bestaat dan uit dicht op elkaar gestapelde lichtblauwe vierkanten. Of de smalle gangen die onder de oppervlakte door de sneeuw lopen, kilometers lang, waarin piepkleine wezentjes van hot naar her rennen.

Het gebouw is net zo lelijk als alle andere Oostenrijkse bejaardenhuizen. Als je eerlijk bent, moet je toegeven dat de bejaardenhuizen in Zwitserland of in Duitsland of in Noorwegen misschien ook zo lelijk zijn; hij kent ze niet. Nee, in Noorwegen naar alle waarschijnlijkheid het minst, in Duitsland wel. Een heleboel balkons in elk geval, waar je niet op mag, omdat ze bang zijn dat oude mensen per abuis over die groene balustrades klimmen en de dood tegemoet springen. Een entree waarin yuccapalmen en enorme ficus-dit-en-dat-exemplaren uit hydrocultuurbolletjes naar het licht van sterke plantenlampen omhooggroeien, stoffen papegaaien op houten stokjes zitten en in het receptiehok iemand zit voor wie iedereen die door de deur binnenkomt, een aanslag op zijn rust is.

Hij bezoekt hier mensen die anders geen bezoek krijgen, Franziska Zillinger uit Mooshaim en Leopold Rödl uit Furth, maar Leopold Rödl ligt momenteel met doorbloedingsproblemen van zijn benen in het ziekenhuis. Af en toe houdt hij een dienst in de kapel van het huis, die dan nauwelijks wordt bezocht.

Franziska Zillinger is achtennegentig en bijna blind. Haar dochter is enige jaren geleden aan hartfalen gestorven, dat wil zeggen, eigenlijk aan haar extreme vetzucht, en haar kleindochter, die een succesvolle bankemployee is, heeft geen tijd om haar te bezoeken. Mevrouw Zillinger houdt van kerkliederen, dat maakt de zaak nogal eenvoudig. Hij neuriet 'Mijn herder is de heer' wanneer hij haar appartement in gaat, en zij zegt: 'Jaaa... Mijn herder is de heer' en begint al te zingen. Ze kent naar schatting alle regels; hij kent er tien, maar dat geeft niets. Bij het refrein wordt ze dan ongelooflijk hartstochtelijk en het 'Gij nodigt mij aan uw eigen tafel' jubelt ze de wereld in alsof ze hier ter plekke de eeuwige zaligheid moet verwerven.

'Hoe gaat het met u, mevrouw Zillinger?' vraagt hij. Ze keert haar gezicht naar hem toe en haar rechterhand komt zijn kant op. De hand heeft iets van een oude tak. 'Als u er bent, meneer kapelaan, dan gaat het goed met me.' Hoewel hij het niet is, houdt hij erg van de aanduiding 'meneer kapelaan'. Ze heeft ooit een kapelaan gekend, denkt hij. Hij stelt zich voor dat ze verliefd op elkaar waren en dat het net zo was als in een ouderwetse film. Sophie komt er op dit moment niet tussen. Daar verbaast hij zich een beetje over, want soms voelt hij een zekere afstand. Hij kijkt in die ogen met de troebele lenzen en vraagt zich af of de iris bij oude mensen over het algemeen weer zo blauw wordt als bij pasgeboren kinderen of dat hij zich dat maar verbeeldt.

Hij vertelt haar van de jaarwisseling die voor de deur staat en zij zegt dat ze nooit van oudjaar heeft gehouden en dat sinds ze niets meer ziet, het geknal op haar zenuwen werkt; hoewel het hier in Waiern niet zo erg is als destijds in Mooshaim, waar ze vlak bij het meer hebben gewoond, dicht bij de pier waar om middernacht het grote vuurwerk werd afgestoken. De katten kwamen dagenlang niet meer onder de kast vandaan, elk jaar hetzelfde. Of het haar laatste jaarwisseling zal zijn, vraagt ze zich allang niet meer af, want sinds het verlies van haar dochter is het allemaal niet meer belangrijk. Met de dood van haar man na de oorlog was ze het geluk kwijtgeraakt en met de dood van haar dochter de zin van haar leven. 'Dat van "Gij nodigt mij aan uw eigen tafel" is als een mooi sprookje,' zegt ze. 'Je stelt je een huis voor waarin iedereen bij elkaar zit en vrolijk is en dan voel je je niet zo alleen. Gewoon een sprookje. Maar zoiets mag ik waarschijnlijk niet tegen een priester zeggen.'

In zijn hoofd begint iets te tollen. Hij merkt dat hij zich daar nog goed tegen kan verzetten. Hij vraagt zich twee dingen af. Ten eerste: wat is er de laatste tijd gebeurd? En ten tweede: wat doet er in mijn leven toe? De regel, de verlosser, mijn vrouw en mijn kind. 'Hebt u eigenlijk iemand gekend die Sebastian Wilfert heet?' vraagt hij.

Eerst glijdt er iets over het gezicht van de vrouw, als een bries, vluchtig en vaag, dan is het alsof iemand haar onder de ellebogen pakt en haar langzaam opricht. Ten slotte zit ze daar in haar leunstoel, met wijd opengesperde ogen en haar vingers om de armleuningen geklemd. Ze ziet eruit alsof ze zojuist de duivel heeft gezien, denkt hij. Na een tijdje ontspant haar gezicht zich en ze gaat weer ineengedoken zitten. Ze schudt haar hoofd. 'Nee, ik heb niemand gekend die zo heet,' zegt ze zacht. 'Maar mijn man wel. Vroeger.'

'Iemand heeft over zijn hoofd gereden. Waarschijnlijk met een tractor,' zegt hij. Ze sluit haar ogen en zegt niets.

De tas met zijn broek, zijn sweater en zijn schoenen staat op de achterbank. Zijn iPod ligt in het dashboardkastje. Hij moet hier weg. Hij moet rennen, maakt niet uit waarheen.

Tien

Dit jaar eindigt niet goed, dacht Raffael Horn. Hij lag op zijn buik, reikte naar rechts en probeerde de hoorn te pakken te krijgen. Hij had gedroomd dat hij volledig buiten adem een station bereikte en toen zag dat de trein voor zijn neus wegreed. De digitale wekker op zijn nachtkastje wees vier uur zevenenveertig aan.

Lili Brunner was aan de lijn. Ze sprak gehaast. 'Raffael, het spijt me, maar ik geloof dat je moet komen.' Het ging om Caroline Weber. Ze was in de loop van de avond steeds gespannener en paranoïder geworden. Onder andere had ze de hele tijd beweerd dat haar dochtertje beneden bij de poort stond te wachten tot ze naar binnen kon glippen. Onzichtbaar als ze was, zou ze naar de afdeling komen en haar ziel uit haar lijf rukken. Alles was geprobeerd om de vrouw te kalmeren, persoonlijke begeleiding en een heleboel medicijnen, maar alles zonder succes. 'Waar is ze nu?' vroeg Horn.

'In de keuken.'

'Hoe komt ze daar?'

'Ze heeft Lydia een elleboogstoot gegeven en toen kwam ze binnen – met Lydia's sleutel.'

Lydia was een Chileense verpleegster, hoogstens één meter zestig lang, maar wel een vechtertje. Wie tegen haar wil langs haar was gekomen, had flink wat energie gehad.

'Hebben jullie de slotenmaker al gebeld?'

'Ze zegt dat als er iemand aan de deur zit, ze dan haar polsslagaders doorsnijdt.'

'Haal hem toch maar. En laat hem wachten tot ik er ben,' zei Horn en hij hing op.

Irene was naast hem rechtop gaan zitten en keek hem slaapdronken aan. 'Wie?' vroeg ze. 'Caroline Weber,' zei hij.

'Is het ernstig?'

'Als Brunner aan de telefoon haar ongerustheid niet kan verbergen, is het ernstig.'

'Wees aardig tegen haar,' zei ze.

'Tegen wie?'

'Tegen mevrouw Weber. Ze ziet haar kind voor de duivel aan.'

Ze kuste hem op zijn wang, voor hij kreunend uit bed stapte. Ze onthoudt alles, dacht hij, en ik vertel haar veel te veel.

Min dertien graden op de buitenthermometer van de Volvo, en geen wolkje aan de hemel. Stabiele hoge druk. Volgens het weerbericht zou er de komende paar dagen niet veel veranderen. Caroline Webers psychose was puur psycho-meteorologisch niet verklaarbaar. Horn reed de bochten omlaag naar de snelweg bewust langzaam. Het is vijf uur in de ochtend en ik hou rekening met overstekend wild, dacht hij. Ik word oud. Een vallende ster raasde in een flauwe boog door de hemel en verdween achter de bergkam van de Kammwand. Hij wist dat hij nu iets moest wensen, maar behalve een bed schoot hem niets te binnen.

Het tankstation bij de westelijke inrit was in een groenig nachtlicht gedompeld. Hij had de indruk dat zich tussen de pompen door een gestalte bewoog. Ik zie spoken, dacht hij, ik droom de hele tijd van de trein en ben niet in staat om iets echt verstandigs te wensen.

De portier wendde zijn blik even van zijn televisie af en stak zijn hand op om te groeten. 'De slotenmaker komt ook zo,' zei hij. Waarom moeten portiers altijd alles weten? vroeg Horn zich af, ik had de zijingang moeten nemen, net als altijd. Uit de lift kwamen twee ambulancebroeders met een lege brancard. Hij stapte de lift in en drukte op de knop. Hij was te moe om trappen te lopen en bovendien zouden om deze tijd gelukkig alle verplichte rituelen vanzelf buiten werking zijn.

Voor de deur naar de keuken zat Hrachovec, een lange, magere arts van dienst, en hield de wacht. 'Binnen gebeurt er niets,' zei hij. Soms gebeuren er binnen cruciale dingen als je buiten niets hoort. Horn zei dat niet, want Hrachovec was eigenlijk dik in orde.

De anderen zaten in de gemeenschappelijke ruimte. Lili Brunner rookte, Lydia drukte een zakje ijsklontjes tegen haar rechteroog en Christina, die blijkbaar ook uit voorzorg was opgeroepen, sorteerde de medicijnen voor de dag in de tablettendispenser. Lydia probeerde te lachen toen Horn haar gezicht onderzocht. 'Haar elleboog?' vroeg hij. Ze knikte. Ze was precies op haar jukbeen geraakt. De zwelling kwam tot in haar onderste ooglid en het was al te zien dat het blauw zou worden. Leithner zou bij het patiëntenoverleg zeggen: 'Daarvoor krijgen de mensen die op I23 werken een gevarentoeslag.' Hij kon hem nu al horen en zag nu al zijn simpele grijns voor zich. 'Ga maar naar huis,' zei hij. Lydia schudde haar hoofd. 'Ik wil weten hoe het afloopt.' Horn betrapte zich iedere keer op het idee dat Lydia de oudste van vijf of zes kinderen was en hun moeder uit werken moest gaan en dat ze vanaf haar jeugd op de kleintjes had gepast en dat allemaal in een voorstad van Santiago. Het pathos van dit idee is zo overtuigend, dacht hij, dat ik het vermijd om haar te vragen hoe het echt was.

Lili Brunner legde hem mevrouw Webers medicijnenlijst voor en vertelde dat de hele zaak blijkbaar was begonnen toen 's middags haar echtgenoot op bezoek kwam en het dochtertje bij zich had. Mevrouw Weber had vanaf het begin het kind niet op haar arm willen nemen. De man had het kindje gewiegd, af en toe iets tegen zijn vrouw gezegd en ten slotte alleen maar hulpeloos gejankt. Zelf leek ze zich van minuut tot minuut sterker bedreigd gevoeld te hebben, had in het begin nog telkens tegenover haar man gezeten, maar was tussendoor steeds overeind gesprongen en naar de deur gerend. Ten slotte had ze alleen nog maar in grote cirkels om het tweetal heen gelopen, met wijd open ogen, zonder een woord te zeggen. Toen de man uiteindelijk met het kind was vertrokken, was het blijkbaar te laat geweest om haar te kalmeren.

De deur van de afdeling werd opengeduwd. Lydia kromp heftig ineen. 'Wilt u niet toch liever naar huis gaan?' vroeg Horn. 'Straks,' zei ze. Ze beefde.

De slotenmaker was een gedrongen, kortademige man met een rood gezicht. In de beweging waarmee hij zijn koffer neerzette, leek hij al zijn misnoegen te leggen over het feit dat hij op dit uur van de dag was geroepen. Christina stond langzaam op. 'We worden er allemaal onder andere voor betaald dat er af en toe onvoorziene dingen gebeuren – u ook, denk ik,' zei ze. Ze was in haar communicatie soms even hoekig als in haar fysiognomie. Horn had daar bewondering voor.

'Openbreken,' zei de slotenmaker, toen ze hem de situatie hadden uitgelegd – als de sleutel inderdaad vanbinnen in het slot zat, bleef er geen andere mogelijkheid over. Op dit moment ging dat echter niet, want daar was zwaar materiaal voor nodig, minstens koevoeten, en die had hij niet bij zich. 'U kunt het best meteen de brandweer roepen,' zei hij.

Eén keer, meer dan zes jaar geleden, hadden ze een deur moeten openbreken. Willy Röder, een permanente junk met een persoonlijkheidsstoornis, had van Martha, de vroegere praktijkzuster, de centrale sleutel gestolen en zich in de orthopedische onderzoekskamer opgesloten. Daar had hij een paar keer 'Ik doe mezelf iets aan!' geschreeuwd en zichzelf een shot gegeven dat daarvoor vermoedelijk veruit voldoende was geweest. Horn had er toen al een hekel aan gehad om dingen kapot te maken en hij had toen al een hekel aan het woord 'openbreken'. Uiteindelijk had hij zichzelf in elk geval bezworen nooit meer zelf een koevoet te gebruiken, helemaal toen Röder korte tijd later aan een hepatitis was overleden.

'Wie heeft het laatst geprobeerd met haar te praten?' vroeg hij. Hrachovec stak zijn wijsvinger op. 'Ik,' zei hij.

'En?'

'Ik heb gezegd: dat heeft toch geen zin, mevrouw Weber, enzovoorts, maar ze gaf geen antwoord.'

'Wanneer was dat ongeveer?'

Hrachovec keek op de klok. 'Een halfuurtje geleden misschien.'

Horn leunde tegen de muur, zijn blik dwaalde door de gang. Het achterste deel van de afdeling lag helemaal in het donker. Hij probeerde zijn gedachten op een rijtje te zetten. Een meisje van nog geen twee maanden oud was beslist niet de duivel. Eerder scheidde de moeder haar eigen negatieve trekken af, projecteerde die op haar dochtertje en probeerde ze op die manier af te weren. Het katholieke patroon dat in dit land zo populair was – de eigen slechte eigenschappen in een ander tastbaar maken. Het ergste is dat wat er is afgescheiden, telkens weer door de achterdeur naar binnen komt, dacht Horn. 'Wat komt door de achterdeur naar binnen?' vroeg Christina.

Horn schrok. 'Heb ik hardop iets gezegd?' Ze lachte en pakte hem bij zijn bovenarm. 'Dat doe je de hele tijd,' zei ze.

Ik praat hardop in mezelf zonder het te merken, dacht hij. Ik doe dingen waar ik niets van weet, dat is niet goed.

'De duivel komt door de achterdeur binnen,' zei hij. 'Die bedoelde ik.' Maar eigenlijk kon je dat niet zeggen, want wie wist nu wie de duivel was of hoe hij eruitzag. Een poosje zweeg iedereen. Toen zei Lydia: 'De duivel is op de eerste plaats vals, geloof ik. Hij ziet er aardig uit, maar hij is vals. Zo moet het zijn.' Lili Brunner schudde haar hoofd. 'De duivel is niet aardig,' zei ze. Horn keek door haar heen. Misschien was het zoals Lydia had bedoeld, misschien ging het eigenlijk om verschuiving en de duivel, die Caroline Weber in haar dochtertje had gestopt, was oorspronkelijk uit heel iemand anders gekomen, uit iemand die aardig leek, maar vals was.

Horn stak zijn hand op. 'Een moment,' zei hij. Hij liep naar de keukendeur en klopte tweemaal. 'Mevrouw Weber, ik ben het, dokter Horn,' zei hij luid. 'Ik weet dat het slecht met u gaat en ik weet dat u momenteel zo alleen wilt zijn als u zich voelt. Maar ik ben bang dat uw wens om alleen te zijn op dit moment nogal ver gaat, en daarom kan ik het niet toestaan. Aan de andere kant hou ik er niet van als de brandweer komt en de deur kapotmaakt, en de hele afdeling wakker wordt en er morgen in het hele huis over wordt gepraat. Doet u open alstublieft. Ik weet overigens ook dat de wortel van het verhaal niet uw dochtertje is, maar uw man; dat geloof ik tenminste.'

Lili Brunner keek hem met grote ogen aan. Horn haalde zijn schouders een beetje op en legde zijn vinger op zijn lippen.

Misschien twintig seconden later werd de sleutel in het slot omgedraaid. Caroline Weber stond met hangende armen in de deuropening. Horn probeerde te begrijpen wat er was gebeurd. Vanuit zijn ooghoek zag hij dat de slotenmaker naast hem wit wegtrok als een vaatdoek. De eerste die iets zei, één woord maar, was Christina: 'Traumatologie.'

Anderhalf uur later was alles achter de rug. Caroline Webers snijwonden, die ze zich met de scherven van een dessertbordje op beide onderarmen en aan de linkerkant van haar hals had toegebracht, waren verzorgd en zijzelf lag in een diepe slaap, die naar menselijke maatstaven minstens vierentwintig uur zou duren. Leuweritz, de dienstdoende traumatoloog, was toch al wakker geweest en had daarom niet geprotesteerd, integendeel zelfs, hij had met geduld en toewijding genaaid en geplakt en daarbij gezegd dat het allemaal een soort ontspanning was, want daarvoor had hij een vijfjarig meisje geopereerd van wie een auto beide onderbenen had vermorzeld. De chauffeur had gewoon het gaspedaal ingetrapt en was ervandoor gegaan, had de vader van het meisje verteld. In de opwinding had hij natuurlijk niet op het kenteken van de auto gelet; een donkerblauwe stationcar, dat wist hij nog.

Horn lag op de bank in zijn dienstkamer. Tot aan het patiëntenoverleg had hij nog een uurtje de tijd. Dit jaar eindigt werkelijk niet goed, dacht hij. Mensen rijden kinderen over hun benen en gaan ervandoor, andere mensen rijden oude mannen over het hoofd, jonge moeders snijden zichzelf open en mijn vrouw maakt knallende ruzie met mijn zoon. Zijn blik viel op de poppenkastpoppen, die tegenover hem op de plank zaten. Dat waren nog eens tijden, toen niemand vragen stelde: de landloper was goed, omdat hij de beste vriend van Jan Klaassen was, de rover was slecht, omdat rovers nu eenmaal slecht zijn, en de veldwachter met zijn helm was goed, omdat veldwachters de arm der wet zijn en daarmee uit. Eigenlijk was hij kinderpsychiater geworden om een stuk van deze eenvoud te redden, dat realiseerde hij zich. Dat de mensen daar in het algemeen geen rekening mee hielden, was een andere zaak.

De ochtend verliep relatief rustig. Leithner had het weekend in zijn huis in Kitzbühel doorgebracht en had bij het skiën zijn voorhoofd en neus verbrand. Hij zei niets over het onderwerp gevarentoeslag op I23, maar sprak tijdens het patiëntenoverleg uitsluitend over Melitta Steinböck, de vrouw van de burgemeester, die in de loop van de ochtend met een onverklaarbare benauwdheid naar de opname zou komen. Prinz, de chef-arts, maakte daar een paar gemene opmerkingen over, die uitdrukking gaven aan het slepende conflict tussen hem en Leithner en allang niemand meer interesseerde. Lili Brunner gaapte enkele keren hardop en Inge Broschek was een beetje chagrijnig zoals meestal op maandag.

Op de afdeling was ondanks het begin van de week niet veel aan de hand. Het grootste deel van de wachtenden bestond uit mensen voor Cejpek die naar de stollingscontrole kwamen. Horn zag Marianne Schwarz onder hen, de vrouw van zijn buurman Martin. Ze had onlangs een uitgebreide trombose in haar been gehad en had daardoor een paar longinfarcten gehad en was nu op bloedverdunnende medicijnen overgegaan. Het gewone mechanisme: pil plus sigaretten plus overgewicht. Het stel had ook achteraf niet begrepen hoe slecht het had kunnen aflopen.

Horn zelf had twee patiënten op het spreekuur laten komen: een oudere man, die in het kader van zijn ziekte van Alzheimer vreemde mensen in zijn tuin begon te zien en Elena Weitbrecht, de directrice van een supermarkt, die al een tijdje aan gecompliceerde motorische stoornissen leed. Ze had zich vlak voor Kerstmis voor een behandeling met medicijnen en voorlopig tegen psychotherapie uitgesproken. Met allebei ging het goed; de man vertelde dat op een jonge vrouw met een bril na de mensen in zijn tuin waren verdwenen en Elena Weitbrecht had als enige bijwerking van de tabletten een vermindering van haar eetlust opgemerkt, en dat kwam haar wel goed uit. Bovendien had ze het gevoel dat het knipperen en ophalen van haar schouders al een beetje minder was geworden. Horn had dat gevoel niet.

Linda was op vakantie en Ingeborg, haar vervangster, was een broodmager iemand zonder humor, met een grijs stekeltjeskapsel, van wie werd gezegd dat ze vroeger als huishoudster op een pastorie had gewerkt. Iedereen kon zich dat voorstellen en niemand durfde te vragen of het werkelijk zo was. Toen Horn afscheid nam om zijn ronde over de afdelingen te doen, drukte ze hem een lichtblauwe envelop in de hand. ‘Dat is voor u afgegeven,’ zei ze. Er zat een kaart in met een afbeelding van een schilderij van Mondriaan en achterop een paar regels: *Ik heb geprobeerd voortijdig te vertrekken. Het gaat niet. Ik stel me voor dat ik in Wenen net zo weinig slaap als hier, maar het kan me minder schelen. Ik hoop dat u de muziek mooi vindt. H.* Heidemarie. Hij kon zich het pakje herinneren, donkerblauw met kleurige sterretjes erop. Hij moest het thuis uit zijn jaszak gehaald en het ergens neergelegd hebben. Dvorák, dacht hij of Tsjaikovski, in elk geval iets Slavisch. Muziek die slecht afloopt.

Net als het leven. Het leven loopt altijd slecht af. Als psychiater ben ik eigenlijk met niets anders bezig dan met mensen wijs te maken dat het niet zo is. Ik ben een schurk, dacht hij. Dat het leven slecht afloopt, is reden genoeg om gek te worden of jezelf open te snijden of heroïne in je aderen te spuiten, maar dat mag je niet hardop zeggen. 'Weet je wat wel eens moeilijk is?' vroeg hij Ingeborg. Ze keek hem niet-begrijpend aan. 'De cynicus die je bent niet al te veel naar buiten te laten komen.' Ze haalde haar schouders op. 'Zoals u wilt,' zei ze.

De jonge moeder op de kraamafdeling, die de laatste tijd in de richting van een depressie leek te gaan, zat naast haar bed, gaf haar zoon de borst en beklaagde zich er uitgebreid over dat zijn vader zich sinds de vorige dag niet had laten zien. Horn zei dat jonge vaders zich soms door hun pasgeboren kinderen erg bedreigd voelden, en had een seconde de indruk dat dat niet was wat de vrouw wilde horen. Ze sprak over de chronische onbetrouwbaarheid van haar vriend en over zijn neiging om als de spanning hem te veel werd in de auto te stappen en weg te rijden, en Horn wist bij elke zin zekerder dat het risico van een depressieve ontwikkeling definitief over was. Bij het weggaan vroeg hij zich af welke naam de vrouw haar zoontje zou geven. Hij kon het niet bedenken.

Op I22 hadden ze een man uit het bejaardentehuis in Waiern opgenomen, die vanwege de doorbloedingsproblemen in zijn benen niet meer in staat was ook maar een meter zonder hevige pijn te lopen. De man was vroeger dakdekker geweest en liep sinds hij was gepensioneerd bij voorkeur hard door de bossen in de omgeving. Hij had nooit gerookt, maar integendeel altijd geprobeerd gezond te leven, en zijn vaatklachten waren uiteindelijk op een verwaarloosde suikerziekte terug te voeren. De wanhoop van de man was in elk geval volledig invoelbaar, net als het feit dat hij krachtig afwees een antidepressivum te slikken. Horn sprak met hem over het verdwijnen van de kleine ambachten in de regio en over de vraag of politici in de loop van de jaren van mensen die een idee hadden van het leven van de bevolking, zielloze robotten waren geworden. Tot slot vroeg hij hem of hij Sebastian Wilfert had gekend, en de man antwoordde: nee, direct gekend had hij hem niet. Toen keek de man hem recht aan en zei: 'Bij hem hebben ze zijn hoofd eraf gereden en bij mij gaan ze mijn kuit amputeren, misschien wel allebei. Je weet nooit wat rechtvaardig is en wat niet.' Horn zei dat rechtvaardigheid een problematische categorie was, en de man knikte.

De impuls om de ambtenaar van de provinciale wegendienst in de kamer ernaast een onaangekondigd controlebezoek te brengen, kon Horn met een beetje moeite onderdrukken. Soms viel het niet mee geen sadist te zijn.

Niemand protesteerde toen Horn aankondigde zijn visites vandaag kort te willen houden. Aan de ene kant waren maar vijf van Horns twaalf bedden bezet, aan de andere kant was hij ervan overtuigd dat het team aan het eind van het jaar het recht had om op halve kracht te werken. Bovendien had Herbert, die vroeger kok was geweest, een grote pan kipcurry meegebracht. Daar verheugde iedereen zich op.

Caroline Weber lag volledig ontspannen in een diepe farmacogene slaap. Horn had voorgeschreven haar met een infuus twee liter elektrolytoplossing te geven, en Verena, de voorzichtigste zuster in het team, had erop gestaan met een monitor haar vitale functies te bewaken. Zoals verwacht was alles dik in orde, zesenzeventig per minuut, honderdvijftien om zeventig, zevenennegentig procent zuurstofgehalte. 'Wat bedoelde je trouwens, toen je aan de deur zei dat haar man de wortel van de geschiedenis was?' vroeg Lili Brunner. 'Het was eigenlijk intuïtief,' antwoordde Horn. 'De man stopt het kind in de vrouw en daarmee tevens iets slechts. Misschien wilde ze geen kind, misschien niet van deze man.'

'En je bedoelt dat het moeilijker voor haar is om boos op de man te zijn dan op de dochter?'

'Of gevaarlijker.'

'Maar hij ziet er zo onschuldig uit.'

'Dat doe ik ook,' zei Horn.

Met Benedikt Ley ging het duidelijk beter. Hij lag op zijn bed met zijn mobieltje te spelen. 'Mag ik met oudjaar weg?' vroeg hij. Horn knikte. 'Als je me belooft dat je geen verdovende middelen gebruikt.'

De magere, donkerharige knaap kneep een oog dicht. 'U drukt zich altijd zo gezwollen uit, *dottore*.'

'Ik hecht er een zekere waarde aan niet tot jullie gezelschap te behoren, ook taalkundig niet.'

Ik kan een poging tot inpalmen niet uitstaan, dacht hij. Ik kan Marilyn Manson-T-shirts niet uitstaan en ik heb er een pesthekel aan als hij me *dottore* noemt.

'Oké, ik zal niets gebruiken.'

Horn keek hem twijfelend aan.

'Hoogstens een of twee biertjes. Ik hou toch niet van champagne.'

Horn haalde zijn schouders op. Aangezien hij, Benedikt, inmiddels meerderjarig was, was er geen reden om hem tegen zijn zin vast te houden, dat wilde zeggen, als hij erop stond, kon hij onmiddellijk gaan. Hij moest alleen een doktersverklaring ondertekenen dat hij dat tegen het doktersadvies in deed. De jongeman keek een beetje verward. 'Wat wil dat zeggen?'

'Dat wil zeggen dat uit medisch oogpunt de waarschijnlijkheid van hevige flashbacks overmorgen kleiner is dan morgen en daarom is het verstandiger om nog even te blijven. Maar werkelijk gevaar bestaat er niet meer.'

'En wie draagt dan de verantwoordelijkheid, *dottore*?'

'Jij draagt de verantwoordelijkheid, jij alleen.'

Benedikt Ley sloot beide ogen. Net als kleine kinderen, die denken dat als zij niemand zien, er ook niemand is, dacht Horn.

'Gaat hij weg of blijft hij?' vroeg Herbert buiten de kamer. 'Hij blijft,' zei Verena. 'Hij weet niet wat hij heeft genomen en hij vreest dat het straks weer zo slecht met hem gaat als laatst.' Herbert was er niet zo zeker van, maar gokte erop dat hij weg zou gaan. 'Hij vindt het ongehoord dat hij zelf de verantwoordelijkheid krijgt, want hij heeft er totaal geen begrip van.' 'Daar zit wat in,' zei Horn. Meer zei hij niet, vooral niet dat hij er nogal van overtuigd was dat Benedikt Ley ter plekke zijn moeder zou bellen en erop zou aandringen dat ze hem zo snel mogelijk kwam halen. De vrouw in haar paarse kleren zou even later op het station staan, haar ogen neerslaan en zeggen: 'Maar als hij dat nu wil.' Horn zou vragen of zijn vader hem zou slaan en de vrouw zou nog langer naar beneden kijken en haar hoofd schudden.

Bij de andere drie was niets bijzonders aan de hand. Stefan Reisinger, de vroeg gepensioneerde elektricien met zijn psychoaffectieve psychose, had na verlaging van zijn neurolepticum duidelijk minder last van bewegingsremmingen dan de dagen ervoor. Friedrich Helm, de gerechtsdienaar met de manisch-depressieve aandoening, scheen vanzelf gunstig langzaam een voor hemzelf en zijn omgeving verdraagbaar niveau te bereiken. En Liane Bäuerle, chronisch presuïcidale gymnasiumdocente voor Latijn en geschiedenis, kreeg voortdurend bezoek van haar familie en had daardoor voldoende afleiding. Er was geen nieuwe opname aangekondigd en er stond ook geen overdracht ter discussie. De kwestie met Caroline Weber zou hij zonder openbare arts en gerechtelijke overplaatsing naar de kliniek in Wenen weer recht weten te krijgen, dat wist Horn. Hij kon dus met een gerust geweten de visite sluiten en zich aan de kipcurry wijden.

Toen Horn om tien voor twee op de kinderafdeling kwam, zat het meisje naast haar moeder in de bezoekruimte. Ze had net als de vorige keer haar groene gewatteerde jack en bontlaarzen aan en had haar rechterhand nog steeds in een vuist gebald. De moeder stond op om Horn te begroeten. 'Ze is er niet toe te bewegen haar kleren uit te trekken,' zei ze, terwijl ze hulpeloos haar schouders ophaalde. 'Geen probleem,' antwoordde hij. 'Dat lossen we wel op.' De vrouw wierp een lange, twijfelende blik op haar dochter. Horn zei: 'Zullen we gaan?' en maakte een uitnodigend gebaar. Het meisje legde haar hand om de gebalde rechterhand, stond op en volgde hem. Er is iets wat haar interesseert, dacht Horn, dat is tenminste een begin. Hij dacht aan de ongelooflijke verstarring van de vorige keer en aan het feit dat zijn professionele rationalisatie maar tot op zekere hoogte had geholpen: remming is een verschijnsel dat ontstaat door onverwerkte spanning of angst. Neem de remming volledig in je op en pas dan kun je de oorzaak voelen. Angst bij kinderen uit zich in vele vormen, maar bijna nooit in wijd open ogen. Enzovoorts, enzovoorts. Het meest had het idee hem ontlast zelf voor een oude man te staan over wiens hoofd iemand met een tractor heen was gereden en te voelen dat het hem ogenblikkelijk de adem benam. Ik ben achtenveertig en nog steeds te ongeduldig, dacht hij. Ik heb twee zoons, van wie er een het huis al uit is en ik denk nog steeds 'koppig' en 'eigenwijs' als een kind niets wil zeggen.

Toen Horn de deur achter hen had dichtgedaan, bleef het meisje in de deuropening staan als op een foto. Ze liet daarbij langzaam haar blik door de kamer glijden. 'Ik heb je vorige keer gevraagd of je misschien al kunt zwemmen, Katharina,' zei hij. 'En later bedacht ik dat het immers winter is en de mensen zich om deze tijd met skiën of schaatsen bezighouden en wij tweeën misschien wel de enigen zijn die over zwemmen praten.' Er vloog iets over het gezicht van het meisje, een zweem van een minimale verandering, maar meer niet, net als de laatste keer.

'Als we over zwemmen willen praten, is het misschien verstandig om eerst die dikke jas en de bontlaarzen uit te doen.'

Het meisje reageerde niet.

'Moet ik je helpen met uittrekken?'

Dat moest Raffael Horn kennelijk niet, want Katharina Maywald sloeg haar armen om haar eigen lichaam, alsof ze zich moest beschermen, en verstijfde. Ze ontspande pas weer toen Horn zich terugtrok en op zijn bureaustoel plaatsnam. Haar armen zakten naar beneden en ze begon opnieuw langs de muur te bewegen, langs de speelgoedkast, tot aan de kleerkast. Met haar rug tegen de kastdeur gedrukt, liet ze zich langzaam op de grond glijden. De hele tijd verloor ze Horn geen seconde uit het oog. Ze krijgt geen hoogte van me, dacht Horn, ze weet niet wie ik werkelijk ben. Ze weet dat ik hier in de kliniek werk en ze weet dat in de kliniek de mensen doodgaan. Misschien ben ik degene die haar grootvader heeft laten sterven en zij is als volgende aan de beurt. Horn keek naar de plank met de poppenkastpoppen en dacht erover na wie hij het beste kon laten doodgaan. De agent? De rover? Jan Klaassen of de landloper? De tovenaar? Meer mannelijke figuren had hij niet in zijn verzameling. Eigenlijk een schande, dacht hij, dat de grootmoeder in de poppenkast iets vanzelfsprekends is en de grootvader de absolute uitzondering. Moeders kwamen niet voor, vaders evenmin en grootvaders al helemaal niet. De rover paste wat leeftijd betreft het beste, maar was een voor honderd procent onsympathieke figuur. Iets dergelijks gold voor de tovenaar. Jan Klaassen of de landloper laten sterven, kwam niet in aanmerking en de agenten waren door de gebeurtenissen van de afgelopen dagen een duidelijk bezette bevolkingsgroep. Ik ben ook geremd, dacht Horn. Ik ben absoluut niet in staat om te kiezen. Hij pakte de vijf poppen van de plank en legde ze naast elkaar op de grond. Ik zal het aan haar overlaten, dacht hij. Ik zal haar vragen: 'Welke van deze vijf zullen we laten sterven?' en dan zal zij er wel een aanwijzen.

In werkelijkheid hoefde Horn het volgende ogenblik helemaal niets meer en werd gemakkelijk van zijn dilemma ontslagen, want Katharina was zojuist begonnen op haar achterwerk dwars door de kamer te glijden, recht op de boekenkast af. Boeken, dacht hij, en hij raapte de poppen van de grond op, eerste klas lagere school – een beetje zal ze wel kunnen lezen, en hij dacht eraan hoe moeilijk hij het zich maakte met het onderwerp school en leren lezen, sinds Michaels desastreuze schoolverhaal.

Michael leed aan een ernstige leerstoornis, die hem aanvankelijk het correcte aan elkaar rijgen van letters volkomen onmogelijk had gemaakt, en zoals het toeval wilde, werd de stoornis gecombineerd met een schooljuffrouw, wier zoetige gedoe op de eerste plaats met pedagogisch onbenul en verborgen agressie werd gevoed. Irene was van de ene uitzonderingstoestand in de andere gewankeld, en toen de lerares niet ophield Michaels oefenschriften met dikke rode inkt te corrigeren, had ze al haar woede eerst in het kantoor van de directeur en daarna, toen deze een nerveus kuchende flapdrol bleek te zijn, in dat van de regionale schoolinspecteur ontladen. Dat had er uiteindelijk toe geleid dat de onderwijzeres voor iedere beoordeling Irene opbelde en had gezegd dat die haar een voorstel moest doen, en dat ze dan exact het genoemde cijfer onder het betreffende werk zette. Bij de overgang naar de derde klas hadden ze Michael in elk geval naar een andere school gestuurd, wat aan de ene kant tot heftige tranen had geleid, omdat hij een aantal vriendjes kwijtraakte, maar er aan de andere kant voor had gezorgd dat hij aan het einde van de vierde ten slotte een beetje kon lezen. Schrijven was echter een ramp gebleven en in Michaels relatie met zijn moeder had zich vermoedelijk toen al een onlijmbare barst gevormd. Hem, Horn, was de zaak pas duidelijk geworden toen de knaap zelf het een paar jaar later tegenover zijn moeder formuleerde: je was nooit tevreden over hoe ik ben! En tegelijk had hij geweten dat hijzelf niets, maar dan ook helemaal niets, tegen het ontstaan van die kloof had gedaan. Michael had uiteindelijk met veel zittenblijven de basisschool afgemaakt en was in de loop der jaren een verlegen, niet erg evenwichtige knaap geworden. Pas na school, en als ze eerlijk waren, moesten ze zeggen, pas toen hij ervoer dat het mogelijk was voor een groot deel aan de eisen van de familie te ontsnappen, was de kwestie ten goede gekeerd. Michaels leermeester, de eigenaar van een klein timmerbedrijfje in Mooshaim, had hem vanaf het begin gemogen en gestimuleerd en het had hem niets kunnen schelen of hij 'sparren' met twee r'en schreef of niet. Michael was inmiddels voorman, tevreden, behoorlijk betaald, en hij had Gabriele. Zij betekende naast zijn baan het tweede geluk in Michaels leven, ook al leek Irene dat nog steeds anders te zien. Ze neemt het haar kwalijk dat hij thuis is weggegaan, dacht Horn. Het is het oeroude verhaal. Zij zelf heeft een uiterst dubieuze verhouding met haar lastige zoon en neemt het de rivale kwalijk dat hij zich bij haar anders gedraagt. Daar kwam nog bij dat een in Wenen geboren bijna-lid van het symfonieorkest met een boerendochter uit een klein dorpje in het Ennstal vermoedelijk van huis uit niet veel kon beginnen. Het feit dat de boerendochter aan de agrarische hogeschool van de stad lesgaf en ongetwijfeld een academische opleiding had, leek de kwestie eerder te verscherpen. Koeienuiers, ook als ze academisch worden bekeken, en bladmuziek voor de cello zijn allesbehalve compatibel, dacht hij. Bovendien was Gabriele zeven jaar ouder dan Michael en dat zinde Irene ook niet.

Katharina zat voor de boekenkast op de grond en keek afwisselend naar haar gebalde rechterhand en de boekenruggen. Als ze zou pakken wat ze wilde en op de manier waarop ze het wilde, dan zou ze iets prijsgeven wat waardevol voor haar is, dacht Horn. Anders gezegd: ze doet alles met rechts en de inhoud van haar linkervuist in de andere komt blijkbaar niet in aanmerking. Een gele en een blauwe pion uit een mens-erger-je-nietspel, had haar moeder gezegd. Hij stond op, zakte naast het meisje op zijn hurken, nam een stapeltje boeken van de plank en legde die naast elkaar op de grond. *In de Nachtkeuken* van Maurice Sendak was erbij, *Rasmus en de landloper* van Astrid Lindgren, een Winnie-de-Poeh-omnibus en twee delen van de *Verhalen over Frans*-serie van Christine Nöstlinger. Na enige aarzeling pakte Katharina met haar linkerhand de boeken, legde netjes het ene op het andere, met *Mijn kleine dierenencyclopedie* bovenop en schoof de stapel aan de kant. Vervolgens pakte ze *Kom, zegt de kat* van Mira Lobe uit de kast, bestudeerde de omslag en legde het boven op de stapel, evenals *Het spookje* van Ottfried Preußler, de Donald-Duckboeken 29, 30 en 41, een deel *IJslandse sprookjes* met een afschuwelijke trol op de voorkant, en *De kinderen van Bolderburen* van Lindgren. Daarna kwam er een deel *Duitse heldenverhalen*, een ruim veertig jaar oude uitgave van de 'Boekenclub Donauland' waarmee Horn zelf door zijn moeder met Kerstmis was verblijd, omdat een jongen van negen zich volgens haar voor ridders moest interesseren. Horn had zichzelf altijd meer tot het indianenkamp gerekend en tomahawk en bowiemes verkozen boven lans en zwaard, en daarom had hij het boek nooit echt in zijn hart gesloten. Weggegooid had hij het alleen maar niet omdat het een cadeau van zijn moeder was. Toen hij uiteindelijk als kinderpsychiater aan de slag ging, was hij blij geweest dat hij het boek een zinvolle bestemming kon geven en het tegelijk zijn huis uit kon krijgen. Jongens die hielden van ridders en hun wapens, bestonden ook in het echte leven en niet alleen in de psychoanalytische theorie. Van de voorkant van het boek slingerde door een doorzichtige beschermkaft een ridder in zilveren uitrusting zijn machtige zwaard naar je toe, weggedoken achter een schild met een nachtblauwe draak voorop en zijn hoofd beschermd door een helm met een bos veren en een neergeklapt vizier. Katharina streek met de wijs- en middelvinger van haar linkerhand over het plaatje, alsof ze wilde onderzoeken hoe echt het was, en trok toen het boek stevig tegen zich aan. De andere boeken zette ze allemaal weer in de kast, een voor een, consequent met haar linkerhand. Straks zal ze het boek openslaan, dacht Horn, en dan zal ze zien dat er veel tekst in staat en dan zal ik haar vragen of ze zulke kleine lettertjes al kan lezen. Dan zou ze haar hoofd schudden en hij zou aanbieden haar voor te lezen. Ze zou in dubio staan, verstarren, en hij zou gewoon beginnen haar voor te lezen. Het idee dit meisje voor te lezen had iets blij makends en het kon Raffael Horn niks schelen dat hij het uit een boek zou doen waar hij eigenlijk niet van hield.

Het was niet afgesproken dat tijdens een behandeluur de telefoon ging. Daardoor schrok Horn hevig. Katharina keek even op, meer niet. Dressler, de blinde telefonist, die Horns afsprakenlijst normaal gesproken in zijn hoofd had, verontschuldigde zich omstandig en zei dat hij dit gesprek met de beste wil van de wereld niet kon afwimpelen. Horn dacht eerst aan Irene en Michael, daarna aan Heidemarie, en merkte dat zijn keel werd dichtgesnoerd. Er was iets gebeurd.

Toen het Ludwig Kovacs bleek te zijn, de leider van de afdeling Moordzaken van de stedelijke recherche, ontspande dat hem ook niet. Hij greep naar zijn hals. Nadat hij een paar keer had gekucht, vroeg Kovacs: ‘Hoe gaat het met het meisje?’ Misschien was er toch niets gebeurd. Horn haalde weer rustiger adem.

‘Ik zit midden in een spreekuur.’

‘Ik heb maar een seconde nodig en eigenlijk zou ik het nog niet mogen zeggen, maar ik denk dat het misschien belangrijk is: de oude Wilfert is met voorbedachten rade vermoord.’

Je vergist je, was het eerste wat Horn dacht. Niemand vermoordt een ander door met opzet over zijn hoofd te rijden. Mensen schieten of slaan elkaar dood of duwen elkaar net zolang onder water tot de zwakste dood is, maar zo? Nee.

Katharina was begonnen het boek door te bladeren en was bij het eerste plaatje gekomen. Sigmund met het grijze paard. Het leek niet bijzonder veel indruk op haar te maken.

'Weten jullie het zeker?' vroeg Horn.

'Absoluut.'

'Ik kan nu geen vragen stellen, ik hoop dat je dat begrijpt.'

'Natuurlijk. Je belt me gewoon als je iets wilt weten en je belt me ook als het kind iets zegt.'

'Betekent dat dat jullie nog niets weten? Wie het was, bedoel ik.'

'Nee, we weten nog niets,' zei Kovacs. Toen hing hij op.

Katharina was bij een plaatje gekomen waarop Siegfried tegenover Kriemhilde stond. Hij had zijn helm afgezet, droeg die op zijn arm en maakte een buiging. Katharina legde haar linkerwijsvinger eerst op het hoofd van de vrouw en daarna op dat van de held. Ze leek uiterst geconcentreerd. Het gaat om de hoofden, dacht Horn. Door eraan te voelen verzekert ze zichzelf ervan dat ze nog heel zijn – als een klein kind. Ze is bang dat met haar hoofd hetzelfde zal gebeuren als met dat van haar grootvader; die angst slaat haar met stomheid. Vermoedelijk zou er geen reden zijn om Kovacs te bellen en dat was ook prima zo. Psychotherapie deed je liever zonder bemoeienis van de politie.

Horn zag dat het meisje voorbij het plaatje van Siegfrieds gevecht met de draak bladerde. Op het volgende plaatje boorde Hagen de speer tussen Siegfrieds schouders. Ook dat veroorzaakte niets bijzonders. Horn wist hoe consequent getraumatiseerde mensen hun probleem konden ontkennen en was daarom niet echt verbaasd. Hagen is een moordenaar, dacht hij, en Sebastian Wilfert is vermoord, dat is een puur rationeel verband, meer niet. Tijdens een blik op het meisje schoot er een gedachte door zijn hoofd en hij schreef 'ongeluk' op het gele notitieblaadje dat op zijn bureau lag. Plotseling werd hij flauw in zijn maagstreek.

De ridder die Katharina nauwkeurig bekeek, leek op die op de omslag: een reusachtig zwaard, een schild met een wapen erop, een gesloten vizier, en boven op de helm een bos veren. Hij hoorde bij het verhaal 'Het toernooi in koning Laurins rozentuin'. Wie de ridder precies was wist Horn niet. Dietrich von Bern misschien of Ilsan, de strijdbare monnik. Het enige wat hij nog wist, was dat de prijs voor de winnaar een kus van de prinses was geweest.

'Onze tijd is om,' zei Horn ten slotte. Katharina sloeg het boek dicht en zette het terug op de plank. De hoofden laat ze bij mij, dacht Horn. Dat is goed zo.

De moeder had hetzelfde sceptische gezicht getrokken als vijftig minuten eerder. Weer stond ze op. 'Zegt ze al iets?' vroeg ze. 'Natuurlijk zegt ze al iets,' antwoordde Horn. 'Door wat ze doet, zegt ze iets.' Toen hij afscheid nam, zag hij dat het meisje blijkbaar op een onbewaakt moment de rits van haar eekhoorntjesjack had geopend. Hij had er niets van gemerkt.

We hebben een moordenaar in de stad, dacht Horn een minuut later. Hij verfrommelde het gele notitieblaadje en pakte de telefoon. 'Ongeluk.' Op U14 nam Mike, de afdelingsbroeder, op. 'Leuweritz heeft gezegd dat hij vannacht een meisje van vijf heeft geopereerd, beide onderbenen verbrijzeld, geloof ik. Kun je haar naam voor me opzoeken?'

'Die hoef ik niet op te zoeken.'

'Nou?'

'Birgit Schmidinger.'

Horn voelde zijn adem stokken. Toen schoot een golf van woede naar zijn borst.

'Ben je daar nog?' vroeg Mike.

'Ja, ik ben er nog. Ik denk dat ik even naar je toe kom.'

'Er is nog een heleboel haringsalade,' zei Mike. 'In zekere zin vieren we vast oudejaarsavond.'

Ik wil hier voor het raam blijven staan en kijken hoe het meer dichtvriest, dacht Horn. Ik wil me niet hoeven afvragen van wie ik durf aan te nemen dat hij een oude man vermoordt. En ik wil hoe dan ook de geschiedenis Schmidinger van tafel hebben. Hij zou Kovacs toch opbellen. Dat was het eerste wat hij besloot. En hij zou het nu meteen doen.

Elf

Aldebaran, de rossige ster in het oog van de Stier, stond diep in de V-vormige inkeping die de omtrek van de bergen boven het westelijke uiteinde van het meer beschreef. Iets meer naar het zuiden raakte Sirius de horizon en ook Betelgeuze, de schouderster van Orion, had die bijna genaderd.

Ludwig Kovacs liep het dakterras van zijn appartement op en had het koud. Zijn verrekijker was op Gamma Leonis scherp gesteld, de dubbele ster die de nek van de leeuw vormde. Hij had er nog maar één keer door gekeken en daarna in gedachten naar een dunne flard mist getuurd, die langzaam over het meer op de oever van Furth toekroop. Het was even voor halfzes en in de kou van de vroege morgen verstreek de tijd nog langzamer dan daarvoor. Kovacs had in de loop van de hele nacht misschien twee uur in zijn bed doorgebracht. Hij had het gevoel dat hij niet één minuut had geslapen. Ik zie niets, dacht hij, geen patroon, geen motief, geen draad. Ik kan de zaak niet verklaren.

Na het telefoontje van Patrizia Fleurin van zaterdagavond was hij in de auto gestapt en naar het ziekenhuis gereden. Toen er bij het afslaan naar de parkeerplaats een ambulance een paar keer had geknip perd, had hij begrepen dat hij zelf alleen met parkeerlicht reed. Meneer de commissaris rijdt onderbelicht door de stad – er was dan wel geen collega in de buurt, maar hij voelde zich toch slecht.

Viktor Groh, de reusachtige pathologieassistent, had de deur voor hem geopend. Hij had met zijn varkensogen van boven af op hem neergekeken, een beetje minachtend, en 'Vandaag goede vrienden, *commissario*,' gezegd. Kovacs had Groh een paar jaar geleden een keer gearresteerd, nadat hij bij een knokpartij in een café een Nederlandse toerist de afgebroken hals van een tequilafles in zijn schouder had geramd. Groh was er met alleen een voorwaardelijke gevangenisstraf van afgekomen omdat er voor de provocaties van het slachtoffer heel wat getuigen waren geweest. 'Ja, vandaag goede vrienden,' had Kovacs geantwoord en hij was Groh, die er in zijn vlekkerige zandkleurige werkpak uitzag als een afgetakelde sumoworstelaar, door de gangen gevolgd.

Patrizia Fleurin droeg een witte doktersjas, daaroverheen een transparant plastic schort tot op haar kuiten en wegwerphandschoenen. Ze was bezig met het beschrijven van proefflesjes van verschillende afmetingen. Het grovere werk had ze blijkbaar al gedaan. Ze had haar rode haar in een knot samengebonden en zag er met haar zomersproeten en de lachrimpeltjes bij haar ooghoeken verpletterend uit. Ik heb een bevredigende seksuele relatie op contractuele basis, dacht Kovacs, en toch moet ik me voorstellen hoe het zou zijn om deze vrouw bij haar heupen te grijpen. 'Straalt u niet zo tegen me, commissaris,' zei ze. 'Ten eerste zal ik oudejaarsavond gegarandeerd niet met u doorbrengen en ten tweede ligt er werk op u te wachten, denk ik.' Ze wees naar de snijtafel. Daar lag onder verwassen groene doeken het lijk van Sebastian Wilfert.

Kovacs boog zijn hoofd, schoot in het schort dat Fleurin voor hem ophield en trok blauwe plastic sloffen over zijn laarzen. Voor de handschoenen bedankte hij. 'Raak niets aan als je ergens niet hoort! Dat zei mijn moeder al.'

'Dat zegt u iedere keer dat u hier bent.'

Hij zweeg. Ze is onverbiddelijk precies in haar waarnemingen en heeft een geheugen als een olifant, dacht hij.

'Laten we meteen ter zake komen,' zei ze. Kovacs keek naar haar linkersleutelbeen en knikte.

Patrizia Fleurin tilde een van de doeken op. Ze had de massa die vroeger Sebastian Wilferts kin en onderkaak was geweest, met behulp van een stuk plakband naar boven geklapt en op die manier de halspartij blootgelegd. Omlaag tot aan het strottenhoofd was alles compleet kapot, zijn tongbeen een paar keer gebroken en naar achteren gedrukt. Een kleine centimeter onder de schildklier evenwel, die zelf, afgezien van een weefselbeschadiging aan de onderkant, helemaal heel was, gaapte een brede spleet overlangs. De beschadigde kin had er overheen gelegen, vertelde Fleurin, op een manier dat men dat niet meteen had gezien.

'En?' vroeg Kovacs.

'Een zeer scherp stuk gereedschap en een vastbesloten snee.'

Ludwig Kovacs sloot een ogenblik zijn ogen. De duizeling die hij even had gevreesd kwam gelukkig niet.

Fleurin nam twee lange pincetten van het instrumentenbord en trok de randen van de wond uit elkaar. De snee liep ongeveer horizontaal, vertelde ze, misschien een beetje van linksboven naar rechtsonder, en had met uitzondering van de rechterbloedvaten alle halsorganen doorgesneden, inclusief het spijsverteringskanaal en de linker musculus sternocleidomastoideus, wat, als je ervan uitgaat dat de snee van achteren was toegebracht, op een rechtshandige dader wees. Ze liet hem in de diepte van de snee de snijwond zien, die als een kerf dwars over de voorkant van de vierde halswervel liep. Daaruit was alleen af te leiden dat de dader een zeer goed geslepen klingachtig gereedschap had gebruikt.

'Dus om zo te zeggen de keel doorgesneden,' zei Kovacs. Hij wist niet waar hij zijn handen moest laten.

'Om zo te zeggen, ja.'

'En daarna over zijn hoofd gereden.'

'Nee,' zei de patholoog-anatoom, 'Dat in geen geval.' Kovacs keek haar enkele seconden in de ogen. Ze zag er volkomen zeker uit. Ze vergist zich, dacht Kovacs. Ze vergist zich voor honderd procent. De tractorband die over het hoofd van de oude man rijdt, was het enige wat ik tot nu toe voor waar heb aangenomen. Ze had in het hele gebied van de verbrijzelde schedel geen noemenswaardige aarde- of kiezelsporen gevonden, zei Fleurin, integendeel zelfs – het wondgebied was zelfs verbazingwekkend schoon, wat volkomen ondenkbaar was als hij was overreden. Mauritz was overigens tot dezelfde slotsom gekomen; ze had een uur geleden met hem gebeld. Ik wilde Mauritz bellen, zij heeft het gedaan, dacht Kovacs. Ik ben te langzaam. 'Hoe dan wel?' vroeg hij en hij stak zijn onderarmen van opzij achter het borststuk van het schort. 'Dat weet ik niet,' zei ze. 'Het schedeldak is vooraan ruw ingedrukt en bij de pijl- en achterhoofdnaad door de druk van binnenuit gebarsten. Misschien een grote voorhamer. Mauritz zegt dat als hij de weinige bruikbare bloed- en hersenspetters serieus neemt, het eruitziet alsof de arme man een meteoriet midden in zijn gezicht heeft gekregen.' Kovacs sloot opnieuw zijn ogen. Mauritz had nog nooit grappen gemaakt over zijn voorliefde voor sterren. Ik moet mijn hoofd helder zien te houden, dacht hij, en ik mag niet paranoïde worden.

'Een meteoriet?' vroeg hij. 'En Mauritz heeft hem niet eens mee naar huis genomen?'

Fleurin haalde haar schouders op. 'Mauritz beweert dat meteorieten verdampen zodra ze op de grond terechtkomen.' Soms slaan ze een krater, dacht Kovacs, en soms blijven er kleine ijsklontjes achter.

'Wie doet zoiets?' vroeg hij. 'Welke duivel doet er nou zoiets?' En op hetzelfde moment schoot hem te binnen dat Sabine Wieck ooit op de vroege morgen over het gele afzetlint had gekotst. Hij zou een aanvraag voor haar indienen. Demski was nog op vakantie en met Eleonore Bitterle alleen zou het niet gaan. Hij zou ook om de jonge Lipp vragen. Lipp was onverschrokken en liet zich wel het een en ander zeggen.

'Waarom vraagt u dat aan mij?'

'Ze zeggen toch: pathologen weten altijd alles.'

'...maar alles te laat. Heel origineel!'

Kovacs zou zich bijna verontschuldigen, hoewel hij deze afgezaagde zin niet echt in zijn hoofd had gehad. Hij voelde zich bij deze vrouw op zijn gemak, dat verontrustte hem. Hij wilde tegen haar zomersproeten liggen en tegen haar rode haar, maar vermoedelijk nog meer tegen dat wat ze uitstraalde: dat men haar achter een elektronenmicroscoop kon zetten of achter het stuur van een graafmachine of haar een hark of een Glock 17 in de hand drukken en ze zou er altijd iets verstandigs mee doen. 'Ik weet het, eigenlijk moet ik zelf het antwoord geven,' zei hij, 'maar soms zijn er nu eenmaal situaties...' Patrizia Fleurin maakte een bezwerende beweging met haar hand en trok daarna met een zwierig gebaar de lap weg die de resten van Sebastian Wilferts hoofd bedekte. 'Het is al goed,' zei ze. 'Ik denk dat wie zoiets doet een enorme haat in zich moet dragen, of...'

'Of?'

Ze twijfelde. 'Of helemaal niets. Eigenlijk is er geen *of.* Ik weet het, dat zegt nu ook helemaal niets, maar iets anders schiet me niet te binnen.'

De schedel van de oude man was nogal veranderd, alsof hij kleiner was geworden; niet alleen de vrij liggende oogbol, die elke glans had verloren en leek op een lichtgrijze mispel. De haren staken amper tegen de omgeving af en het opgedroogde bloed was zwartbruin verkleurd. Het stuk kunstgebit, de enige compacte punten in de weefselbrei, was blijkbaar verwijderd. 'Hoeveel kracht heb je nodig om zoiets aan te richten?' vroeg Kovacs. Patrizia Fleurin keek hem onderzoekend aan. 'U hebt toch wel eens een voorhamer in uw handen gehad?' Kovacs knikte. 'De vraag was meer retorisch bedoeld,' zei hij. Ze dekte hoofd en hals weer toe. 'Als ze zijn keel doorsnijden, hebben ze daarna minder kracht nodig.'

Hoe komt een aantrekkelijke vrouw erbij om patholoog-anatoom te worden? vroeg hij zich af, en toen herinnerde hij zich hoe hij daar bij de helling van de loods de haringen in de bevroren grond had geslagen, een voor een, met de achterkant van een bijl weliswaar, niet met een voorhamer. Zijn blik viel op Viktor Groh, die tegen de muur van de zaal op een geel plastic stoeltje in een motortijdschrift zat te bladeren. Groh merkte dat Kovacs naar hem keek. Hij grijnsde. 'Eén achtennegentig en honderdnegentien kilo,' zei hij. 'Ik zou een uitstekende moordenaar zijn.'

Al op de terugweg was hij begonnen met telefoneren. Mauritz had meteen opgenomen alsof hij op het telefoontje had zitten wachten. 'Daar sta je van te kijken, hè?' had hij gevraagd en Kovacs had geantwoord dat dat de domste opmerking was die hij de laatste tijd had gehoord. Mauritz had zijn excuses gemaakt en hem vervolgens zijn voorlopige bevindingen meegedeeld: een heleboel bloeddoordrenkte sneeuwdrab, vanwege de doorgesneden halsaders links van de schedel en de schouders, duidelijker dan rechts, en een weefselspetterpatroon dat er inderdaad uitzag alsof Wilfert één enkele klap had gekregen. En genoeg over het onderwerp meteoriet, had Kovacs gezegd en Mauritz was over de opmerking heen gestapt alsof hij niet was gemaakt. Alles bij elkaar bleek de kwestie minder eenduidig dan werd gedacht en zelfs de bandensporen, die in ruime mate voorhanden waren, hadden iets eigenaardigs. Het grove profiel, waarvan hij na een eerste blik zou hebben gezworen dat het van het achterwiel van een tractor was, was namelijk het enige wat op de plaats delict was gevonden, wat onvermijdelijk tot de conclusie leidde dat het om een voertuig met vier even grote wielen moest gaan en niet om een tractor van het locale type. En anders? had Kovacs gevraagd en Mauritz had geantwoord dat het meer een soort vrachtwagen was. De vindplaats van het lijk was overigens met behoorlijk grote zekerheid de plaats delict en de bevroren bodem was een ideale tegenstander geweest voor de druk die op Sebastian Wilferts schedel was neergekomen, een voorhamer of wat dan ook. 'Je weet wat je te wachten staat?' had Kovacs gevraagd en Mauritz had diep gezucht. 'Zondagsdienst, schepje plus zeef, alles op mijn knieën, de archeologenmethode.' Kovacs had hem beloofd dat hij ervoor zou zorgen dat niemand hem zou storen en Mauritz had geantwoord: 'Echt super!'

Philipp Eyltz, de hoogste politieman van de stad, zat in de theesalon van hotel Bauriedl om met een voormalige klasgenoot op diens pasgeboren kleindochter te drinken. Kovacs had *code red* op zijn voicemail ingesproken en hij was dan ook snel teruggebeld. Dat werkte, ook al zag Kovacs Eyltz aan voor een bedrieger en liet Eyltz anderzijds geen gelegenheid voorbijgaan om Kovacs als 'eerstegraads misantropisch onderzoeksorgaan' te betitelen.

Ze hadden de zaak uiteindelijk in een zithoekje van de entreehal van Bauriedl afgewikkeld; Eyltz met een armagnac en Kovacs zonder iets. Mauritz zou een agent in uniform als hulp krijgen en 's nachts zou er iemand neergezet worden om de plaats delict te bewaken, voor alle zekerheid. Met het informeren van de media zou men tot maandag wachten en zo vlak voor de jaarwisseling kwam rust op de eerste plaats. Hij, Kovacs, kon natuurlijk onderzoeken wat en hoe hij voor nodig hield, en het was geen probleem om Lipp en Sabine Wieck voor de duur van het onderzoek vrij te maken. Eyltz had onder een donkerblauwe blazer met gouden knopen een wit-geel gestreept overhemd aan, handgemaakte zwarte veterlaarzen en die constructieve grijns op zijn gezicht, waarvan Kovacs binnen de kortste keren steeds het gevoel kreeg dat hij die met een hogedrukreiniger moest wegspuiten. Ik word steeds gevoeliger, had hij gedacht. Ik kan steeds minder hebben. Eyltz probeert mee te werken en maakt me desondanks razend.

Het Openbaar Ministerie had gevraagd: 'Bent u zeker van uw zaak?' en Kovacs had op het punt gestaan om deze avond voor de tweede keer te zeggen dat dit de stomste opmerking was die hij de afgelopen tijd had gehoord. Hij slikte het in en blafte alleen terug dat hij het inderdaad zeker wist en voor de rest gebeurde alles per fax, rapport van de patholoog-anatoom, rechercherapporten enzovoorts.

's Avonds laat had hij Eleonore Bitterle opgebeld. Ze had slaperig geklonken en zei toen hij zich verontschuldigde dat ze in haar stoomcabine was ingedommeld. 'Denk er gewoon eens over na,' had hij gezegd. 'Je hebt nog de hele zondag de tijd.' Dat hij haar daarmee van vakantie terugriep, was hem pas later opgevallen. Ze was er gewoon altijd, vakantie of niet.

Eleonore Bitterle was een magere vrouw met grijs haar, tweeënveertig als je het personeelsdossier mocht geloven, en sinds de dood van haar man alleenstaand. Intern noemden ze haar 'Mrs. Brain' en inderdaad leek het soms alsof ze alles wist. Er werd gezegd dat ze meerdere opleidingen achter de rug had, geschiedenis, filosofie en nog iets, en allemaal vlak voor het eind afgebroken, wat psychologisch met haar vader te maken had, die professor bestuursrecht aan de universiteit van Salzburg en zoals bekend een autoritaire klootzak was geweest. Ze was, vermoedelijk door zijn bemiddeling, bij de federale recherche terechtgekomen en had eerst in Wenen gewerkt, aanvankelijk bij de criminele statistiek en daarna bij slachtofferhulp. Toen had ze haar man leren kennen, een civiel ingenieur uit Oberösterreich, en was met hem naar Furth gekomen. Hij was de liefde van haar leven geweest, dat kon iedereen zien. Het stel had zich ingekocht in een ecologisch rijtjeshuisproject in het noordoostelijk deel van de stad en zou juist een beukenheg langs het hek planten, toen een zwelling aan de voorkant van zijn rechteronderbeen werd geconstateerd. Eerst werd er aan een blessure gedacht, aan een hematoom tussen zijn spieren, daarna aan een beenmergontsteking, en toen uiteindelijk de diagnose osteosarcoom werd gesteld, zat zijn lichaam al vol metastasen. Ze had de heg alsnog geplant, en het huis met het weduwepensioen dat ze boven op haar in komen kreeg, kunnen behouden. Toch was ze opeens een ander mens geworden. Haar aarzelend intellectuele benadering van de dingen was nog verscherpt en soms leek het alsof ze in de onschuldigste relaties alleen nog uit angst en onzekerheid bestond. Kovacs probeerde haar behoedzaam te behandelen, omdat hij wist dat één briljante associatie soms belangrijker was dan vierentwintig uur sterke zenuwen. Als hij, zoals nu, tegen haar kon zeggen: 'Denk er gewoon eens over na,' was dat het beste.

De zondag had Kovacs grotendeels bij Marlene doorgebracht. Ze had voor 's middags citroenkip met rozemarijnaardappelen klaargemaakt en voor toe hazelnootsoufflé met een sinaasappelkorstje. Ondanks een dubbele pernod na afloop waren ze beiden zo voldaan geweest, dat de coïtus pas helemaal aan het eind kon plaatsvinden, na het slaapje en na de wandeling. De zaak was comfortabel en enigszins geroutineerd in zijn werk gegaan en halverwege had hij gedacht: dat zijn de prachtigste borsten van de wereld; dat kon hij zich nog goed herinneren. Hij had Marlene op hetzelfde moment in het gezicht gekeken, maar ze had haar ogen gesloten.

Een tijdje eerder hadden ze langs de Ache gewandeld, langs het raftingkamp, tot aan het punt waar de groenstrook smal werd en het hellende deel begon. Marlene had verteld dat de omzet in de winkel sinds een paar maanden weer steeg, niet dramatisch, maar gelijkmatig, en dat de handelskamer, die haar steun had beloofd bij het huren van extra opslagruimte, opeens deed alsof ze nergens meer van wist. Hij had gezegd: 'Het is heel gemakkelijk: de mensen worden weer armer, daarom kopen ze tweedehands spullen,' en ze had geknikt. Over de handelskamer was hem niets te binnen geschoten. Toen ze waren omgekeerd, had hij de bergen in het zuidoosten gezien. Boven de bergkam was de hemel stralend geel geweest, dat kon hij zich ook nog herinneren.

De spanning had hem pas overvallen toen hij weer alleen in zijn flat was geweest. Hij was achter een vel papier gaan zitten, had er zinloze kringetjes op getekend en de hele tijd de gapende wond in de keel van Sebastian Wilfert voor zich gezien. Ten slotte had hij er één zin onder geschreven: een rechtshandige snijdt een oude man de keel door. Hij had de zin een paar keer hardop gelezen en uiteindelijk het gevoel gehad dat het een oefenzin tijdens een les Duits was. Ten slotte was hij opgestaan, had de pen neergegooid en zijn jas aangeschoten.

Lefti was op zondag gesloten, daarom was hij naar de Piccola Cucina gegaan, een kleine trattoria op de Rathausplatz. Hij had een karafje rode huiswijn besteld, een weerbarstige Apulische Primitivo, waarvan hij wist dat hij er niet slaperig van zou worden. Daarbij had hij, hoewel hij nog geen honger had, een bord witte ansjovis in olijfolie laten brengen. Aan een van de zwartbruine tafeltjes tegen de muur had in een donkerrode trui met gouden sterren een jonge vrouw gezeten. Ze had er depressief uitgezien en de ene limoncello na de andere achterovergeslagen. Daniela, de ronde serveerster met de zwarte krullen, had haar getutoyeerd en af en toe zacht enkele zinnen met haar gewisseld. Kovacs had zitten piekeren, maar er was hem niet te binnen geschoten waar hij de vrouw van kende.

Hij had een stukje brood afgebroken en depte er olie mee op. Als hij ergens echt ontevreden over was, bedacht hij meestal nog duizend andere dingen die hem niet zinden: Yvonne, die zijn leven een eigenaardige kant op had gestuurd; Charlotte, die er eeuwig als groente zou uitzien, zelfs in een rode angoratrui; de stad die hem in haar klauwen hield; de klamme winter in de Further Kom; Marlene met haar huisvrouwachtige ideeën voor oudjaar; de Roemenen, die alleen hierheen kwamen om auto's open te breken; de gouden knopen aan de blazer van Philipp Eyltz; de middenstandspartij, die het land schaamteloos uitbuitte; de miljoenen mensen die dat niet wilden zien; zijn eigen lethargie, die iedere winter aan kwam deinen als een enorme, trage mistbank. Hij had zich ten slotte door Daniela een kelnerblocnote laten geven, zijn pen uit zijn zak gehaald en op de smalle blaadjes zinnen geschreven, zoals: 'Mauritz is lui!' Of: 'Eleonore laten denken!' Of: 'In eerste instantie vermoordt men iemand van de eigen familie.' Uiteindelijk had hij geprobeerd uit zijn herinnering Sebastian Wilferts lijk te tekenen, zoals het daar met gespreide armen ondersteboven op de oprit naar de loods had gelegen. Daniela had even over zijn schouder gekeken en gezegd: 'Dat ziet eruit als iemand die gekruisigd is,' maar hij had alleen maar het gevoel gehouden dat hij geen centimeter verder was gekomen.

Kovacs liep heen en weer en sloeg zijn handen tegen elkaar. Een soortgelijke onrust had hij ruim zes jaar geleden voor het laatst gevoeld, toen een gepensioneerde belastingambtenaar uit Wels een spoor van seksuele delicten door Salzkammergut en Ober-Steiermark had getrokken. Uiteindelijk was de tienjarige Michaela Moor uit Waiern verkracht en daarna gewurgd, en ze hadden wel het sperma gehad en dus het DNA, maar meer niet. Ten slotte had Strack op een van zijn zeldzame heldere momenten het doorslaggevende idee met de campers gehad. Ze hadden de dader even later in een donkerblauwe camper te pakken gekregen, toen hij op het punt stond om een envelop met foto's van zijn laatste slachtoffer in het vak met de brandblusser en de verbandspullen te verstoppen. Desondanks had hij de brutaliteit gehad alles te ontkennen, en Kurt Niemeyer was binnen een seconde volledig door het lint gegaan. Het neusbeen van de man was tot pulp geslagen, voordat de anderen ook maar hun hand hadden kunnen opsteken, en pas toen had Demski Niemeyer met beide armen van achteren stevig vastgegrepen. Niemeyers beide dochters waren toen nog in de leeftijd dat ze naar de lagere school gingen, en daarom hadden ze zijn overspannen reactie begrepen en ook dat hij vervolgens zijn rechtenstudie snel afmaakte en van de afdeling Zware Misdrijven verdween. Inmiddels was Niemeyer jeugdrechter in Innsbruck. Af en toe telefoneerde hij met Kovacs en een à twee keer per jaar kwam hij langs op zijn vroegere werkplek.

Kovacs liep naar de balustrade van het dakterras en keek over de daken van Walzwerk naar het oosten. Over de toppen van de Ennstaler Bergen zou over twee uur de zon opkomen. Uit een stalen schoorsteen van de houtfabriek kwam kaarsrecht een witte rookzuil. Van de invalswegen waren de geluiden van de eerste vrachtwagens te horen. Ik kom niet los van deze stad, dacht Kovacs, ik zal nog langer met Marlene slapen, vermoedelijk steeds minder vaak, ik zal naar de hemel blijven kijken en ik zal de enige zijn die hier met pensioen gaat.

Hij veranderde niets aan de instelling van de verrekijker. Het oculair was ijskoud. Hij stelde zich voor dat zijn oogbol eraan vastvroor en bij het terugtrekken van zijn hoofd aan de zwarte metalen cilinder bleef plakken. Regulus in Leeuw. De bleke vlek van de spiraalnevel M35. Castor en Pollux. Ik heb een broer, dacht Kovacs, hij traint voetbalteams van de tweede divisie en drinkt. Elke keer als ik hem zie, scheldt hij op me. Ik wil niets meer met hem te maken hebben. Kovacs hield van Castor, een van de twee hoofdsterren van het sterrenbeeld

Tweelingen. Wat met het blote oog leek op een middelgrote witte doorsneester, ontpopte zich al bij minimale vergroting als een groepje van zes aparte sterren. De dingen zijn meestal veelzijdiger dan ze lijken, dacht hij. Hij stak zijn hand in zijn zak en voelde het kelnerblaadje waarop hij had geschreven. Hij zag opeens de donkerrode trui met de gouden sterren voor zich, die de jonge vrouw met de treurige blik en de vele limoncello's aan had gehad. Sterren, dacht hij, overal sterren, afleiding die je niet verder brengt.

Hij stampte de sneeuw van zijn laarzen, voor hij de trap naar zijn appartement af liep. Een seconde bleef hij voor de spiegel in de voorkamer staan. Onder zijn linkeroog zat een ouderdomsvlek, die langzaam groter werd. Hij zou zijn jas niet meer uitdoen, maar rechtdoor naar kantoor gaan; hij zou in de meeste kamers licht maken en het espressoapparaat aanzetten; dan zou hij bij de tafel gaan staan en beginnen te tekenen.

Eleonore Bitterle was de eerste die verscheen, zoals altijd. Deze keer echter op het nippertje, want ze had zich amper uit haar kunstbontjas gepeld of de jonge Lipp stond in de deuropening. Hij droeg een dik gewatteerde houthakkersjas en daaronder een lichtgrijze wollen trui. 'Het voelt een beetje raar aan,' zei hij. 'Een beetje zoals in de vakantie.' Eyltz had hem gemaild, vertelde hij, op een commanderende toon, zoals altijd. Hij moest zich per direct en voor de duur van het onderzoek van de zaak Sebastian Wilfert beschouwen als toegevoegd aan de recherche, afdeling Zware Misdrijven, en zich maandag 30 december om acht uur melden bij het kantoor van de commissaris die het onderzoek leidde, aan wie hij tijdelijk ondergeschikt was. 'Dan weet je tenminste waar je aan toe bent,' zei Kovacs. Lipp grijnsde een beetje zuur.

Sabine Wieck kwam in uniform, met dienstwinterjas en al, en liep prompt vuurrood aan, toen ze Lipp in zijn gewone kleren zag zitten. Ze had niet geweten wat ze moest dragen, stotterde ze, en iemand alleen bellen om te vragen wat ze aan moest, had haar een beetje stom geleken. 'Dat maakt niets uit,' zei Eleonore Bitterle. Zelf droeg ze een olijfgroene wollen broek met een zwarte coltrui. Ze lijkt op een gymnasiumdocente, dacht Kovacs, Latijn en Grieks misschien. Tegelijk merkte hij tot zijn opluchting dat ze kennelijk geen problemen had met de aanwezigheid van een tweede vrouw. Mijn zekerheid dat twee vrouwen bij elkaar noodzakelijk het begin van een ramp betekent, heeft waarschijnlijk vooral met mij te maken, dacht hij. 'Mauritz ontbreekt nog,' zei hij, omdat hij niets anders kon bedenken. 'Die dikke van de technische recherche?' vroeg Lipp.

'Precies, die dikke.'

'Anders is hij altijd op tijd.' Eleonore Bitterle keek op de klok.

'Misschien heeft hij een koutje,' zei Kovacs. 'Hij heeft gisteren gewerkt, hoop ik.'

'Super,' zei Lipp stralend. Lipp heette Florian van zijn voornaam, was driekwart jaar geleden uit zijn ouderlijk huis getrokken en woonde alleen. Hij had een metaalopleiding gedaan en was daarna niet, zoals eigenlijk het plan was geweest van zijn vader, die zelf procuratiehouder bij een grote prothesefabrikant was, een technische studie gaan doen, maar bij de politie gegaan. In het sollicitatiegesprek had hij gezegd dat hij niet tot de miljoenen wilde behoren die zich hun kinderdromen af laten pakken. Hij wilde al op zijn vijfde politieman worden en daar bleef hij bij. Onder aan het indiensttredingsdossier stond een handgeschreven opmerking van Rahberger, de leider van de personeelsafdeling: 'Infantiel?' Hij was toch aangenomen. Het enige waarover niets te vinden was, was Lipps seksuele geaardheid. Er werd gezegd dat hij in het eerste jaar van zijn politieopleiding een relatie met een gymnasiaste uit Steyr had gehad, maar dat waren ook niet meer dan geruchten. Kovacs was verontrust omdat hij niets wist en omdat hij verontrust was. Vroeger rook ik een smoes tien kilometer tegen de wind in, dacht hij, maar nu is dat niet meer zo. Of zij zijn veranderd, of ik.

Kovacs trok het vierkante witte kunststofbord, dat aan de korte kant van de kamer stond, dicht bij de vergadertafel, pakte een spons en wiste de kerstboom uit die hij ruim een uur geleden had getekend. Toen verdeelde hij het bord met een dikke donkerblauwe viltstift in vier vlakken, door een verticale en een horizontale lijn te trekken. 'Wat wordt dat?' vroeg Lipp. 'Een zelfstructurerend systeem,' antwoordde Kovacs. 'Zo eenvoudig als mijn provinciale politiehersentjes kunnen begrijpen.' Hij schreef: 'Wat hebben we?', 'Wat hebben we nodig?', 'Wie doet wat?', en 'Opmerkingen', telkens boven aan de velden. Lipp schreef alles over op zijn notitieblok. Eleonore Bitterle keek omlaag en bestudeerde haar handpalmen. Kovacs ergerde zich erover dat hij zichzelf weer eens voor gek had gezet. 'Geweld is op de eerste plaats simpel,' zei hij.

Mauritz stond in de deuropening toen Kovacs 'rechtshandig' in de rubriek 'Wat hebben we?' schreef. Hij hield een witte papieren zak op en zei: 'Ontbijt!' De anderen keken in Kovacs' richting. Die zuchtte diep en liet zijn viltstift zakken. 'Ga naar de overkant en zet koffie voor ons allemaal,' zei hij.

Dat zowel Lipp als ook Bitterle thee wilde en geen koffie, ontging Kovacs al, omdat op dat moment Christine Strobl, de afdelingssecretaresse, binnenstormde en hem de telefoonhoorn voorhield. 'Vierde keer,' zei ze. 'Geen naam en erg lastig.' Hij liep de gang op.

De vrouw had een schelle stem en de eerste zin die ze zei, was: 'Volgende keer is haar hoofd aan de beurt!' Kovacs sloot zijn ogen. De dingen sijpelen door, dacht hij. Hoofdzakelijk in het weekend. Hij zweeg. Na een tijdje leek de vrouw te merken dat hij naar haar luisterde, en ze begon haar woordenstroom te ordenen. Ze wilde anoniem blijven en belde ook vanuit een telefooncel, omdat ze vermoedde dat er toch weer niets zou gebeuren en ze had gehoord van mensen die al eerder hadden geprobeerd iets te doen en alleen maar zelf in de grootste moeilijkheden terecht waren gekomen. Het was drie dagen geleden gebeurd, op vrijdagmiddag, om een uur of vier, in elk geval toen het nog licht was. Ze was met haar hond gaan wandelen, zomaar, zou je kunnen zeggen, en toevallig door de Bergheimstraße gekomen, twee minuten op de Grazer Bundesstraße en dan naar het oosten. Iemand van de politie hoefde ze dat niet te vertellen. Het hele terrein liep schuin af in de richting van de stad en in de tuin van het huis op nummer vier lag een heuveltje, twee of hoogstens drie meter hoog; misschien uitgegraven aarde uit de kelder die niet was opgeruimd. Een klein meisje was dat heuveltje op gelopen met een blauwe slee achter zich aan, een kort, plat eenpersoonsmodel. Bovenaan was het meisje erop gaan zitten en de heuvel af gegleden, tot aan het einde van de tuin, wat door het aflopende terrein mogelijk was. Toen was ze omgekeerd, was de tuin en de heuvel weer op gelopen en had geprobeerd weer naar beneden te glijden, maar ze kwam deze keer maar tot onder aan de heuvel, want daar stond die man opeens. Hij had het meisje met een knalrood hoofd tegengehouden en geschreeuwd: 'Ik heb je gezegd dat je op je kamer moest blijven!' en hij had met kracht de slee onder haar lichaam vandaan getrokken, zodat ze achterover in de sneeuw viel. Hij had de blauwe slee met beide handen gepakt, naar opzij door de lucht gezwaaid en kapotgeslagen tegen een van de twee T-vormige ijzeren palen die daar in de grond stonden om was op te hangen. De overblijfselen had hij ter plaatse uit zijn handen laten vallen, hij had zich op het huilende meisje gestort, haar opgetild en met haar hetzelfde gedaan. Hij had zijn armen om het kind geslagen, onder de oksels, haar door de lucht gezwaaid, en haar benen tegen die ijzeren buis laten smakken, zomaar, de voorkant van de onderbenen om precies te zijn. Het kind hield onmiddellijk op met huilen. Het had een grijs jack met ijsbeertjes erop aan; dat was op dat moment goed te zien. Zelf had ze achter een berberisstruik gebukt boven aan de straat gestaan en met haar hand de bek van haar hond, een bastaardteckel, dichtgehouden. Ze was zo bang geweest als nog nooit in haar leven en ze had zich pas weer verroerd toen de man met het kind op zijn arm in het huis was verdwenen. Ze dacht dat hij straks weer terugkwam, met een wapen in zijn hand, om naar getuigen te zoeken, en was ervandoor gegaan. Ongeveer een uur later was ze vervolgens teruggekomen, deze keer zonder hond, omdat ze werd geplaagd door schuldgevoel. Er stonden politieauto's en ambulances voor het huis. Daarom was ze teruggegaan, vanbinnen vervuld van de zekerheid dat ook iemand anders had gezien wat er gebeurde. Gisteren had ze van een vriendin, een keukenhulp in het ziekenhuis, gehoord dat het meisje op de afdeling traumatologie lag, maar met de vermelding 'auto-ongeluk', en daarom wilde ze nu aangifte doen tegen de man. Zijn naam was Norbert Schmidinger.

Kovacs ging wijdbeens staan. Hij voelde dat hij te kort had geslapen. Uit het keukentje klonk gerammel van servies en bestek. Hij had intussen een paar aantekeningen gemaakt, loog hij in de hoorn, maar voor een bruikbare aangifte was het nodig dat ze het verhaal nogmaals aan een collega vertelde, of zelf een schriftelijke samenvatting langsbracht. Als ze zich zorgen maakte over de anonimiteit, dan moest ze maar iemand anders sturen. De vrouw slaakte een zucht van verlichting. Ze had al iets opgeschreven, zei ze, het was zo goed als onderweg.

Het leven verliep als een veter die in de knoop is geraakt: een hele tijd gebeurde er niets en dan weer alles tegelijk. Kovacs had even de behoefte om de telefoon tegen de muur te gooien. 'Het is de buurvrouw, honderd procent zeker,' zei hij hardop en Mauritz, die juist met de volle koffiepot langskwam, vroeg: 'Welke buurvrouw?'

'Straks,' antwoordde Kovacs.

Een man die de botten van zijn kind breekt, dacht hij – iedereen weet het en niemand durft in te grijpen. Al jaren waren ze steeds weer met hem bezig en al jaren was niemand tot een bruikbare verklaring tegen hem te bewegen. Psychopaten roepen angst op, dacht hij, of het nou huisvaders zijn of leraren of politici. Psychopaten dreigen, vernederen en slaan toe. Voor die dingen zijn de mensen bang: om bedreigd te worden, om vernederd te worden en om geslagen te worden. Angst is in feite altijd rationeel.

Terwijl hij in drie happen een brioche wegwerkte, vertelde Mauritz dat hij de vorige dag eerst afdrukken van de bandensporen had gemaakt en daarna rond de vindplaats van het lijk door de sneeuw had geploeterd. Vierkante meter na vierkante meter. Hij had in totaal vier spijkers gevonden, twee drieduimers, een vijfduimer zonder kop en een verzinkte dakspijker, het restant van een kunstmestzak, verroest deurbeslag, een groene Lego-steen, en wel een 'viernoppertje', zoals hij van zijn eigen kinderen wist, en ten slotte, wat vanuit zijn optiek misschien wel het interessantst was, een bruine leren knoop, zoals van een loden jas of een klassiek herencolbert. Hoelang die daar had gelegen, kon hij echter niet zeggen. Aan Sebastian Wilferts jas ontbrak in elk geval geen knoop, daar had hij zich nog een keer van overtuigd. Regelmatig was overigens Georg, de zoon van de familie Maywald, verschenen, had langs het lint gelopen en vragen gesteld. 'Kun je in de sneeuw wel iets vinden?' bijvoorbeeld, of: 'Hoe kan bloed zo rondspetteren?' of: 'Stel dat jullie er niet achter komen hoe het is gebeurd?' Hij, Mauritz, was tamelijk zwijgzaam gebleven, hoewel een dermate weetgierig kind het verleidelijk maakt om er zelf ook op los te praten. Speciaal het feit van de moord op Wilfert had hij, geheel volgens afspraak, met geen woord genoemd, zelfs niet aangeduid, ook niet tegen Georgs moeder, die hem voor het middageten binnen had gevraagd. Ze hadden een heel acceptabele chili con carne gegeten, met zelfgebakken brood en appelmoes. Ernst Maywald was niet thuisgekomen, maar was naar verluidde bij zijn broer, om die te helpen met het in stukken zagen van lariksstammen. De kleinste van de twee dochters had de hele tijd naar de muur gekeken en geen woord gezegd.

Vervolgens spraken ze erover dat ook warm bloed bij een temperatuur van min tien graden snel bevriest, over de absoluut onkarakteristieke voetafdrukfragmenten – Vibramzool, maat tweeënveertig – die hier en daar waren te vinden, en over het feit dat het voertuig, wat het ook was geweest, blijkbaar voor de oprit naar de loods was gestopt en die niet was opgereden. Maar wat Sebastian Wilferts schedel had vermorzeld, bleef onduidelijk. Kovacs had het niet over de meteoriet en Mauritz zweeg eveneens. Eleonore Bitterle vertelde dat uit haar onderzoek was gebleken dat het afscheiden van hoofden of het verminken van gezichten in eerste instantie door geesteszieke of zwaar persoonlijkheidsgestoorde mensen gebeurt en dat men in de betreffende literatuur verbazend vaak zoons als dader aantrof, die meenden dat ze hun moeder moesten vernietigen, een combinatie die in het onderhavige geval misschien niet opging. Waarvan men echter moest uitgaan, was een aanzienlijke energie achter de gewelddaad, die niet op de laatste plaats in de absurde esthetiek zijn uitdrukking vindt. 'Esthetiek?' vroeg Sabine Wieck en Bitterle antwoordde: 'Ja, esthetiek. Als een bloederig schilderij.' Kovacs schreef 'esthetiek' op het bord, en Lipp stak plotseling zijn hand op als op school. 'Er schiet me iets te binnen,' zei hij. 'Er was een aflevering van *Father Brown* op de tv, waarin iemand werd vermoord door een hamer die van een kerktoren op zijn hoofd werd gegooid.' Geen van de anderen kon zich de aflevering herinneren. 'Bovendien was ik gisteren de hele dag op de plaats van het misdrijf en ik heb geen kerktoren gezien,' zei Mauritz. 'Hoewel het zondag was.' Lipp keek een beetje beledigd. 'Ik wilde maar zeggen,' zei hij.

Lipp kreeg uiteindelijk in elk geval de opdracht bij de jachtvereniging en de seniorenbond zijn oor te luisteren te leggen, de beide plaatsen waar Sebastian Wilfert regelmatig buitenfamiliaire betrekkingen onderhield. Eleonore moest Wilferts financiële en vermogenssituatie controleren en een persbericht opstellen dat laat in de middag de deur uit zou gaan. Mauritz ten slotte kondigde aan alle bandenprofielcatalogi door te nemen. Daarna was hij van plan in de auto te stappen en naar Salzburg te rijden. Daar had een tante van hem een fourniturenwinkel. Als iemand vragen over een knoop had, dan was zij de juiste persoon.

Twaalf

Het sneeuwt. Als ik omhoogkijk, zie ik honderdduizend miljoen vlokken. Soms valt er een op mijn oog. Dan moet ik knipperen.

Achter de storm en de dikke grijze wolken en de blauwe dunne wolken en de stratosfeer ligt het heelal. Geonosis en Coruscant en Naboo en de vier zonnen, die eeuwen en nog eens eeuwen schijnen.

Dit was de opdracht: ga op een boomstam zitten die naast het biologische waarnemingsstation ligt, daar waar in de late herfst vanuit de boot het riet wordt gemaaid. Lees het krantenartikel nog een keer en kijk uit over het meer. Voel hoe het bezit van je neemt. Je bent een werktuig. Dat zei hij: je bent een werktuig en toen knielde hij op mijn borstkas om alle vreemde lucht uit mijn longen te persen, en het werd zwart voor mijn ogen.

Je kunt hier niet naar het meer lopen. Het ijs is dun en een stuk verderop in de richting van de stad, na het donkere gebouw van het waarnemingsstation, is het helemaal verdwenen. Daar waar de Ache uit het meer stroomt, verzamelen de eenden en ganzen zich. Af en toe komen er ook twee zwanen bij.

Een kilometer verder naar het westen is het ijs blijkbaar twintig centimeter dik. Ze hebben geboord en gemeten, voor ze daar met oudjaar het vuurwerk hebben afgeschoten. We waren er allemaal. Mijn vader was heel goed gehumeurd en mijn moeder heeft een fout gemaakt. Zijn klanten zijn zijn klanten en hij kan met hen punch drinken zoveel hij wil en ze moet zich er niet mee bemoeien, zegt Daniel. Ze heeft zich er wel mee bemoeid en ze gaf de jonge Grosser gelijk en zei: ja, een zilverkleurige Z3 is voor een vrouw een veel leukere auto dan een donkergroene MG-cabrio. Ze had met de jonge Grosser geflirt, wat er uiteindelijk toe heeft geleid dat haar gezicht de volgende dag wel bosbessentaart leek. Dat zei mijn vader de volgende dag bij het ontbijt: 'Je gezicht lijkt wel bosbessentaart.' Daniel zei later tegen me: 'LV in plaats van GV.' Toen kreeg ik een dreun, omdat ik niet wist dat GV geslachtsverkeer betekent. Dus was het oké, vind ik.

Ik heb het krantenknipsel in een doorzichtig hoesje gestopt, zodat het niet nat wordt. Het hoesje komt uit het kantoor van mijn vader, maar dat kan hij beter niet weten. Hij heeft periodes waarin hoesjes die je uit zijn kantoor pakt hem niets kunnen schelen, en dan heeft hij weer periodes waarin dat niet zo is. Je weet van tevoren nooit in welke periode hij zit. Ik denk dat hij dat bedoelt als hij over zijn karakter praat. Hij zegt: het karakter van een succesvolle autohandelaar zit hem in het zo doen alsof je geheel berekenbaar bent, en in werkelijkheid is het tegendeel waar.

De titel is niet leuk: 'Stad in angst'. Dat stompt je recht in je gezicht. Daaronder een enorme foto van een schuine sneeuwvlakte, op de achtergrond een schuur – blijkbaar de vindplaats van het lijk. In het artikel staat dat de zaak niet alleen duidelijk een moord is, maar meer nog, een beestachtige misdaad, zodat iedereen nu bang moet zijn. 'Met een volgens de patholoog-anatoom messcherp geslepen instrument werd het slachtoffer de luchtpijp en de halsslagader doorgesneden.' Dik onderstreept met een rode viltstift. De dochter is helemaal kapot, staat er. Ze begrijpt totaal niet waarom men dit haar vader, die zijn leven lang een vredelievend mens was, zoiets heeft aangedaan, en de hele familie heeft zich onder psychologische behandeling gesteld. 'De wereld is onrechtvaardig,' zegt Daniel. 'Het kan de wereld niks schelen of je een vredelievend mens bent of niet. Binnen bijvoorbeeld laten ze je stront eten of ze neuken je in je kont en niemand vraagt wat voor iemand je daarvoor was.' Dan pakt hij een huidplooi boven mijn borst en draait net zo lang tot ik schreeuw. Aan het einde van het artikel staat een heleboel over het ontbrekende motief, over dat er bij de man geen geld te halen was, niet uit zijn portemonnee en niet van zijn bankrekening, en dat hij zijn erfenis al jaren geleden waterdicht had geregeld en over dat hij bij de jachtvereniging en overal waar hij meedeed gerespecteerd en geliefd was en dat men daarom van een haatdragende en zieke dader moest uitgaan.

Ik zit en kijk uit over het meer. De sneeuwval wordt heviger en ik stel me voor dat er straks een dikke, donzige laag op het ijs zal liggen en de sneeuwkristallen zullen onderop in het ijs zinken en ermee versmelten.

Links van me, waar het zwarte water begint, gaan de eenden tekeer. Sommige ervan verdwijnen in het botenhuis en komen na een tijdje weer naar buiten. Er zit daar onder de planken een gaatje in het hek. Ik heb geen idee of de mensen van het waarnemingsstation dat weten. De kleurloze kippen bijvoorbeeld passen met gemak door de opening, de ganzen al niet meer en de zwanen zijn helemaal veel te groot.

Het stanleymes heb ik van Daniel gekregen. Het is het middelste uit een set van drie, heeft een uitschuifbare kling die je kunt vastzetten en een rood plastic handvat. Speciale aanbieding, heeft hij gezegd, vier negentig. Toch is het zo scherp als een duurdere. Daarbinnen wemelt het van de wapens, heeft hij verteld. Wat je je voorstelt, namelijk dat het daar een veilige plaats is, klopt helemaal niet. 'Als ze de punt van een mes tussen je ribben duwen, laat je onmiddellijk je broek zakken of doet je mond wijd open of wat dan ook,' zegt hij. Dan laat hij me zien hoe dat gaat en hij heeft gelijk.

Het maakt niet uit of het vakantie is of niet. Als er school is, zit ik in de klas en snap bepaalde dingen niet. In de vakantie gaat mijn vader 's morgens vijfmaal door het huis en Daniel leert me dingen.

Het lijnschip vaart alleen van maart tot oktober. Ik stel me voor dat ze besluiten een ijsbreker te gebruiken, zodat je ook in de winter naar Mooshaim en Sankt Christoph kunt varen, en ik stel me voor hoe met oudejaar iedereen op het meer met een champagneglas in de hand op het vuurwerk staat te wachten, en plotseling komt dat reusachtige schip op hen toe, met zijn stalen pantser en zijn vele duizenden pk's.

En dan gooi ik mijn cape om en zet mijn masker op en dan ben ik zo donker dat ik niet afsteek tegen de achtergrond. Ik zal in de beschutting van de bomen naar het botenhuis lopen. Aan de achterkant zal ik de kruiskopschoevendraaier met het lichte houten handvat uit mijn rugzak halen en het hangslotbeslag van de deur afschroeven. Omdat het botenhuis vier ramen heeft, twee op het zuiden en een op het oosten en een op het westen, zal het binnen nog volop licht zijn, heeft Daniel gezegd. Binnen zullen twee of drie polyesterboten liggen. De eenden zullen eerst opschrikken en proberen door het gat in het hekwerk naar buiten te vluchten, maar zodra ik ze met het witbrood ga voeren, zullen ze omkeren en terugkomen. Ik zal het stanleymes en de vuisthamer op de steiger klaarleggen, vlak bij de waterkant. Eenden houden van witbrood, heeft Daniel gezegd. Bovendien heeft hij gezegd: de linkerkant van de hals een beetje meer. Als er iets gebeurt, maakt het niet uit; op de zwarte cape zie je geen vlekken.

Dertien

De vlokken vallen dicht en loodrecht uit de lucht en de hemel begint een paar armlengten boven zijn hoofd. Het is volkomen windstil. Het geruis van de waterval klinkt gedempt van linksonder en de rotswand, die aan de overkant van de weg verticaal oprijst, verdwijnt grijs in het niets. Af en toe werpt een tak zijn sneeuwlast af.

Nummer negen. De langste van allemaal.

They're selling postcards of the hanging / They're painting the passports brown.

Iedere morgen rijdt hier een gemeenteambtenaar met de Snowcat en trekt in de ene helft van de weg een skispoor voor langlaufers. De rest wordt vlak gemaakt voor al diegenen die te voet op pad zijn. Nu ligt er vijf centimeter verse sneeuw op de vastgedrukte onderlaag. Dat maakt het een beetje moeilijk om vooruit te komen. Desondanks neemt hij de langwerpige verhoging zonder zijn tempo te verlagen. De elzen en wilgen staan hier dichter op elkaar. Tussen deze door kun je bij helder weer de glimmende schoorstenen van de houtfabriek en een stuk westelijker de toren van de kloosterkerk zien. Dan merkt hij een zwerm pimpelmezen op, die uit het hazelnootbosje schuin voor hem opvliegen.

De sporen die hij op de heenweg heeft achtergelaten, zijn met moeite nog te onderscheiden, verder niets. Sinds hij van de weg af is, heeft hij niemand meer gezien. Andere mensen zouden bang zijn, alleen in een winters bos, aan de rand van een stad waar de mensen de keel wordt doorgesneden. Bij hem komt de angst steeds van binnenuit, uit de kloof, waar hij hem vervolgens uiteensplijt. Als je dat wilt uitleggen, begrijpt niemand het. De mensen zijn er te zeer aan gewend zich één met zichzelf te voelen.

Het jongetje zal op de slee gaan zitten en de berg opgetrokken willen worden. De vrouw zal het eerst weigeren en het vervolgens toch doen. Onder haar hoofdband zullen haar zwarte krulletjes tevoorschijn komen. Daarop en op haar schouders zal een dun laagje sneeuw liggen. Ze zal het jongetje met sneeuwballen bekogelen. Hij zal hard lachen en achterover van de slee kieperen.

Soms heeft hij het gevoel dat alles aan hem kunstmatig is: zijn gewrichten, zijn botten, zijn tanden, zijn huid, zijn ogen. Zijn luchtpijp wordt dan een lichtgevende, blauwe, opvouwbare slang en zijn longen twee half doorschijnende zakken, die in piepkleine vierkante kamertjes zijn verdeeld. Van zijn hersenen heeft hij geen voorstelling. Die zitten in elk geval op de plaats waar de gedachten worden gemaakt.

Een vers spoor kruist zijn pad. Een hert, waarschijnlijk een jonge hinde. Ze is vermoedelijk nog nooit zwanger geweest en ze is alleen. Dat komt voor.

Links schuin onder hem, op de andere oever, het raftingcentrum. De beide aanlegsteigers zijn dik besneeuwd. Daarvoor golft traag de rivier. Geen ongeluk in al die acht jaren van raftingactiviteiten – dat schreeuwen ze uit. Een van de veiligste outdoorondernemingen van Europa. Robert is afgelopen zomer een keer meegegaan; de vier kilometer onder de stroomversnellingen, de standaardvariant voor beginners. Hij was daarna natuurlijk enthousiast en sprak in superlatieven: een ervaring die je horizon verbreedt, enzovoorts.

Linksaf op de voetgangersbrug. Onder de verse sneeuw zijn de planken glad, hij glijdt uit en vloekt. De Imhofstraße uit. De zonnestudio. Een man met een minutieus geschoren snor loopt de straat op. De exploitante van de studio is een lichtblonde Slowaakse, van wie wordt gezegd dat ze vroeger een bekend fotomodel was. Toen viel een opdringerige fan haar met een ijsbijl aan en ze was van de ene dag op de andere van het toneel verdwenen.

Boven op de muur van het kerkhof vechten twee kraaien om iets wat eruitziet als een stuk bont. Ze bewegen in karakteristieke symmetrie naar elkaar toe, dan bij elkaar vandaan, dan weer naar elkaar toe. Ze maken daarbij geen enkel geluid. Af en toe dwarrelt er sneeuw op.

Zijn lievelingspassage: *Across the street they've nailed the curtains / They're getting ready for the feast / The Phantom of the Opera / A perfect image of a priest.* Casanova wordt met woorden vergiftigd, T.S. Eliot en Ezra Pound vechten op de commandobrug van de *Titanic* en dan is het uit. Meer dan elf minuten. Hij grijpt naar zijn broekriem en zet zijn iPod uit.

De oude Wilfert is vrijgegeven. Nu de zaak grote beroering heeft veroorzaakt, zullen er veel mensen naar zijn begrafenis komen; misschien ook de televisie. Clemens zal het zich niet laten ontnemen de plechtigheid te leiden. Hij zal woorden van troost vinden en Augustinus citeren, zoals altijd, en de volgende dag zal alles in de krant staan.

Naar het westen, de Weyrer Straße in. Het licht van de koplampen van de auto's tast over de grond door de sneeuwval. Kurt Neulinger, de chef informatica van het regionale hoofdteam, maakt met een sneeuwblazer de oprit naar zijn garage vrij. Sinds er wordt gezegd dat zijn vrouw af en toe thuis een student ontvangt, komt hij eerder naar huis en is alles nog netter dan anders. Hoewel hij eruitziet of hij het koud heeft, draagt hij geen handschoenen bij het duwen van de sneeuwblazer. Het apparaat maakt een rotherrie. In de nacht waarin Sebastian Wilfert stierf, was er ook iets met een geluid; dat schiet hem te binnen.

Hij slaat links af de Orangerie-Straße in, loopt een meter of tweehonderd langs de muur van het kloosterpark en gaat dan door de oostelijk hoofdpoort naar binnen. De thujabollen links en rechts van het pad, de stenen reuzen met de knuppels, de nymfen midden in de schelpvormige vijver. De glasplaten van de broeikas zijn onder de ijsbloemen bedekt. Zelfs bovenop, waar het dak plat is, blijft de sneeuw niet eens liggen. Dat heeft vermoedelijk te maken met de warme lucht die binnen opstijgt. Het idee dat Clemens met Sterck, de tuinman, door de tuin paradeert, in verborgen hoekjes tuurt en zich de palmen en orchideeën laat uitleggen. Je pakt een steen en nog een, gooit met alle kracht en raakt hen beiden op de slaap, vlak voor het oor. Ze vallen om en de gaten in de ruit zijn zo klein dat ze niemand opvallen. Hij gaat harder lopen tot aan het einde van de kas. De kou brandt in zijn luchtpijp. De mensen gaan om verschillende redenen in het klooster, denkt hij. Sommigen omdat ze zekerheid zoeken, sommigen omdat het idee van veel mannen op een plek hen geil maakt en sommigen omdat ze anders vroeg of laat hun moeder of zus zouden doodslaan.

Wilhelm, die aan de poort een motortijdschrift zit te lezen, vertelt hem dat de poetsbrigade in de school de vloeren doet en de sleutel daarom niet op het bord hangt. Hij neemt de gang naar rechts, rent naar het hoofdtrappenhuis, door naar de eerste verdieping en door de matglazen deur, die inderdaad openstaat. Zijn klas is de eerste na de bocht van de gang. De scherpe geur van de boenwas hangt in de lucht.

Hij trekt de deur achter zich dicht. Links aan de muur de drieëntwintig portretfoto's van de kinderen, achterin een bord op wieltjes met de wetten van de hoofdbewerkingen van de rekenkunst en een ander waarop een schoolproject in Ethiopië wordt getoond. Hij loopt naar het raam. Bij het schijnsel van de koplampen dat het schoolplein verlicht, ziet de sneeuw er absoluut kunstmatig uit.

Hij gaat op zijn tafeltje zitten, zodat zijn benen vooraan omlaagbungelen. Op die manier heeft hij ze allemaal in het vizier. Vlak voor hem Lisa, die voor heel veel dingen bang is, zoals voor eekhoorntjes en voor de gymles. Naast haar Veronika, de enige echte streber van de klas. Een paar kinderen mogen haar desondanks graag. Michael Streiter en naast hem Konstantin, die in de vijfde klas waarschijnlijk drie meter lang zal zijn, Hans-Peter, Leo en Markus, die nooit iets zegt. Ewald, de cellist, Rudolf, die steeds weer vraagt of hij zijn rat mee naar de les mag nemen, Katharina Jordak, die de borsten van een achttienjarige heeft, de kleine dunne Jacqueline, Jennifer, die voortdurend haar onderarmen openkrabt, Günseli en Leyla, de beide Turkse meisjes, Norah, de roodharige Johanna met haar doorzichtige huid, Benedikt, Michael Wantok, die door zijn roze maangezicht door iedereen 'varkentje' wordt genoemd, Katharina Scheffberger, de hyperactieve Annabelle, Björn, de kleine Anatolij uit Georgië, die uit zijn hoofd ingewikkelde vermenigvuldigingen kan maken, en Dominik, die nog maar één arm heeft sinds hij als kleuter in een strohakselaar heeft gegrepen. Voor de vakantie waren twee leerlingen absent, Jennifer vanwege een blindedarmontsteking en Leo, die zijn vaardigheden bij het snowboarden zodanig heeft overschat dat hij een gekneusde rib had opgelopen. In de laatste les hebben ze geen wiskunde gedaan, maar kerstliedjes gezongen. Ewald heeft op zijn cello gespeeld en Jacqueline op haar altblokfluit. Björn heeft de hele tijd naar de grond zitten staren. De verandering viel onmiddellijk op. Hij heeft hem toen apart genomen en gevraagd hoe Kerstmis bij hem thuis zou zijn. Hij zei: 'Daniel is er weer,' verder niets.

Hij denkt aan de twee jaar dat hij Björns broer godsdienstles heeft gegeven, aan de harde, kleine vuistjes, aan het smalle litteken links op zijn bovenlip en aan de lege ogen die alleen flikkerden als iemand anders in de klas huilde. Hij denkt aan de verscheurde boeken van zijn buurman, aan de ingetrapte kastdeur en de opluchting van de andere leraren, toen het de directeur was gelukt de ouders van de jongen ertoe te bewegen hun zoon van het gymnasium te halen en naar een lager niveau te sturen. Hij denkt ten slotte aan die ochtend, toen de twaalfjarige jongen vlak voor hem ging staan, hem van onderaf aankeek en halfluid zei: 'Papen horen aan het kruis genageld te worden; dat zegt mijn vader en ik zeg het ook.' Hij kan de rest van de les de draad niet meer oppakken, hoort een aan- en afzwellend gepiep in zijn rechteroor en de kinderen maken er een chaos van.

Buiten op de gang wordt er hard gelachen. De mensen van de poetsbrigade. Hij glijdt van zijn tafel, glipt uit zijn schoenen en loopt op zijn sokken naar de deur. Hij opent die niet. Vlak ernaast drukt hij zich plat tegen de muur. Hij blijft daar heel lang staan.

Veertien

Madeleine Peyroux. Hij had die naam nog nooit gehoord. Op de coverfoto een jonge vrouw in een wijde jurk, die een beetje zat te lummelen en hautain in de camera keek. Een ongeslepen, iets rokerige soulstem, die hem aan Billie Holiday deed denken. Nummer vier was zonder meer zijn favoriet. 'You're gonna make me lonesome when you go'. Hij luisterde nu voor de tweede keer naar de cd.

Irene beweerde soms dat de stal een lichte echo bezat, vooral in de middelste frequenties. Horn vond dat niet, maar hij hoorde veel dingen niet die Irene hoorde. Hij zat in de oude, wijnrode fluwelen fauteuil, staarde naar het plafond en vroeg zich af met wat voor soort mensen Heidemarie omging. Hij stelde zich voor dat ze een paar medestudenten op haar flatje in Wenen uitnodigde, pasta kookte, en dat ze allemaal vrolijk en uitgelaten waren.

De kat kwam miauwend dichterbij, duwde haar kopje tegen zijn kuit. Hij gaf met de palm van zijn hand een paar uitnodigende klopjes op zijn dij. Ze nam een sprong, rolde zich op zijn schoot op en begon te spinnen als een motortje. Hij dacht eraan dat hij in zijn jeugd nooit een huisdier had gehad en dat waarschijnlijk zijn moeder daarvoor verantwoordelijk was geweest, die op een grote boerderij was opgegroeid waar alles om het vee draaide. Roland, zijn jeugdvriend, had een teckel gehad, die ze hadden laten opzitten en waar ze konijnenjacht mee speelden. Op een keer hadden ze met een touwtje de oren van de hond bij elkaar gebonden. Margit, Rolands grote zus, had ze daarbij betrapt en haar broer zonder een woord te zeggen een draai om zijn oren gegeven. Zelf was hij er met een boze blik van afgekomen.

'Wat romantisch!' Irene stond met haar armen over elkaar in de deuropening. Hij had haar weer eens niet horen aankomen. 'Wat is dat voor muziek?' vroeg ze.

'Madeleine Peyroux.'

'Sinds wanneer hou jij daarvan?'

Hij stak bezwerend zijn armen in de lucht. 'Gekregen,' zei hij.

'Aha. Hoe heet ze?'

'Madeleine Peyroux, zei ik toch.'

'Nee, ik bedoel degene die jou zoiets geeft.'

Hij ging rechtop zitten. De kat ging tweemaal zo hard spinnen.

'Doe niet zo raar,' zei hij.

Irene pakte het hoesje. 'Careless love,' las ze. 'Zozo.'

'Een patiënte!'

'Mooie jurk.'

'Een nogal depressieve patiënte.'

'Uitgesproken mooi!'

'O god!' Hij zette de kat op de grond en stond op.

'Arme Mimi,' zei Irene. Hij liep naar haar toe en probeerde haar in zijn armen te sluiten. Ze deed alsof ze zich wilde verzetten. 'Word je daarvoor psychiater?' vroeg ze.

'Waarvoor?'

'Om liefdesverklaringen van depressieve patiëntes in ontvangst te nemen.'

'Jij gekke meid,' zei hij en greep naar haar billen. Ze lachte en maakte zich van hem los.

'Waarom ben je eigenlijk hier?' vroeg ze.

'Ik had er gewoon genoeg van,' antwoordde hij. 'Kom, we gaan koken.'

Ze ging de kamer in en nam de kat op haar arm. 'We nemen Mimi mee,' zei ze. Hij was verbaasd. Dat deed ze anders nooit.

Ze besloten een omelet te maken. Marianne Schwarz had twee dagen geleden veertig verse eieren langsgebracht en daarom lag dat voor de hand. Irene maakte lente-uitjes schoon, Raffael Horn sneed het velletje van een paar tomaten kruislings in en wachtte tot het water in de pan begon te koken. Daarnaast begon hij over zijn ochtend te vertellen: het was begonnen met een driftbui van Leithner omdat Melitta Steinböck, de vrouw van de burgemeester, zich zowel over het tijdstip en de kwaliteit van het avondeten als over de wachttijd voor de computertomografie had beklaagd, met zo'n echte Leithner-driftbui, die zo bijzonder onaangenaam is omdat het niet om driftbuien in het algemeen gaat, maar om een eindeloze, uitermate redundante woordenstroom, voorgedragen op een zenuwslopend huilerige toon. Prinz had volgens verwachting geantwoord dat zelfs voor de burgemeestersvrouw de hemel niet overgeschilderd kon worden en dat bovendien het hele team al naar haar pijpen danste. Dat had de zaak geen goed gedaan, integendeel, Leithner was naar alle kanten uitgevallen en had uiteindelijk een algemene opschorting van vrije dagen afgekondigd. 'Dat doet hij toch altijd,' zei Irene. Ja, zei Horn, dat deed hij altijd omdat hij zich op geen andere manier wist te redden en eigenlijk nam in dit opzicht niemand hem nog serieus, maar het feit dat hij het zelf merkte, maakte de kwestie er ook niet luchtiger op.

Horn liet de tomaten in het kokende water glijden, wachtte twintig seconden en schepte ze er met een soeplepel weer uit. 'Te kort,' zei Irene. 'Nee, zeker niet te kort,' antwoordde hij. Het was een van de rituelen die uitsluitend tot doel hadden aan te tonen dat met zijn tweeën koken eigenlijk niet mogelijk is. Irene schilde nooit tomaten en kon ook niet meer zeggen waar haar idee van de juiste kooktijd vandaan kwam. Toch noemde ze hem in dit soort situaties het liefst een koppige amateur. Horn spietste de tomaten op een vleesnaald en trok er met een klein puntig mesje het vel van af. 'Zie je wel,' zei hij. 'En toch is het fout,' zei ze en ze hakte op haar lente-uitjes in. Hij lachte en legde de geschilde tomaten naast elkaar voor zich neer. 'Vijf blote indianen,' zei hij. Irene was duidelijk nog niet ontspannen. 'Jullie psychoanalytici met jullie zelfgenoegzame metaforiek.'

'Alleen daarom doen we wat we doen,' antwoordde hij, terwijl hij de tomaten in grote dobbelstenen begon te snijden. Het enige positieve van die ochtend was Caroline Webers toestand geweest, vervolgde hij.

Óf het neurolepticum was aangeslagen óf haar paranoia was vanzelf verminderd; in elk geval had ze volgens het verslag van de dienstdoende zusters gisteravond haar dochtertje een kwartier op de arm gehouden, zonder op de een of andere manier terug te vallen. Op haar man werd sinds het laatste incident extra gelet en inderdaad werd vaker een onaangenaam subtiele agressie waargenomen. 'Ik zie mijn kind ook wel eens voor de duivel aan en jij bent altijd subtiel agressief,' zei Irene. Hij reageerde niet, maar hield de pan schuin en keek toe terwijl de olijfolie zich langzaam verspreidde. Stefan Reisinger, de gepensioneerde elektricien, had op commando van de stemmen, die hij weer vaker hoorde, geprobeerd een geconcentreerd schoonmaakmiddel te drinken, en daarbij ernstige verbrandingen in zijn keel en spijsverteringskanaal opgelopen, en Liu Pjong, de Koreaanse levensgezel van expediteur Jurowetz, had in een manische bui op het laatst twintig klachtenbrieven per dag geschreven, wat niet zo prettig was, omdat ze die ook daadwerkelijk had verstuurd en sinds een paar dagen voortdurend het kantoor van de patiëntenadvocaat op de afdeling belde. Bovendien had ze het in de vier dagen van haar opname klaargespeeld zelfs de vredelievendste vertegenwoordigers van het verplegend personeel tegen zich in het harnas te jagen. 'Loopt op Herbert af, trekt haar trui omhoog en zegt: Ik heb onlangs uw vrouw gezien, Herbert, in een café, geheel toevallig, en nu begrijp ik dat u haar niet meer wilt neuken. Neemt u mij toch.' En Herbert staat daar naar het eerste paar Koreaanse borsten te kijken dat hij in zijn leven te zien kreeg, en iedereen snapt dat er veel ergere dingen zijn dan naar die borsten staren, en tegelijk is hij door zijn geremde agressie dermate verlamd dat men hem bij zijn arm moest pakken en hem de kamer uit moest leiden.

'En buiten was ik de sigaar en heeft hij tegen me geschreeuwd, dat als ik haar niet onmiddellijk platspoot, hij eerst ontslag nam en dan haar nek om zou draaien.'

'En wat heb je gedaan?'

Horn trok de snijplank bij haar weg en schoof de gesnipperde uien met de achterkant van het mes in de pan. 'Wat zou jij in mijn plaats doen?' vroeg hij.

'Ik had Herbert platgespoten,' zei Irene, terwijl ze een halfopen lade met haar heup een zet gaf.

'De vrouwelijke variant.'

'En de jouwe? De mannelijke?'

'De pragmatische,' zei Horn en hij haalde zijn schouders op. 'Wat moest ik anders?'

Borsten plus agressiviteit versus hulpeloosheid en verantwoordelijkheid, op de een of andere manier een klassiek dilemma, zei Irene, en nu begreep ze ook waarom hij door ijs en sneeuw naar huis was gegaan. Ze brak met kracht eieren in een halfhoge kunststof kom en mixte die met een garde. Daarna deed ze de tomatenblokjes op de glazig gebakken uien en roerde het mengsel door elkaar. Horn ging aan tafel zitten en keek naar haar. Haar bewegingen waren gehaaster dan anders, dat viel hem op. In de kwestie met het klassieke dilemma had ze natuurlijk gelijk. Neigingen tegenover cultuur, het oude liedje. Als psychiater ben je niets anders dan een politieman die doet alsof hij dat niet is.

'Precies,' zei Irene.

'Wat bedoel je: precies?'

'Je bent een politieman die doet alsof hij dat niet is.'

Horn merkte dat hij rood aanliep. 'Praatte ik in mezelf?'

Irene lachte. 'Dat doe je toch voortdurend,' zei ze.

Ik doe dingen die ik niet in de hand heb, dacht hij, en de anderen lachen daarover.

Hij keek naar het raam. De sneeuw viel steeds dikker. Tobias was de vorige dag naar Obertauern op schoolskicursus gegaan. 'Niemand heeft skicursussen nodig,' had hij bij het afscheid gezegd en hij had de koffer in het bagageruim van de autobus geschopt. Tobias had een hekel aan zijn gymleraar, hij had een hekel aan een paar van zijn klasgenoten en hij had grote moeite met skiën in de diepe sneeuw.

Klotecontrole, dacht hij, en hij herinnerde zich de maanden van zijn stage, toen hij op de bank regelmatig een erectie had gekregen. Hij lag nog niet horizontaal, of hop, daar was de stijve alweer. In het begin zakte hij bijna door de grond van schaamte, daarna had het hem agressief gemaakt en ten slotte had hij geprobeerd het te negeren. Zijn analytica was er nogal laconiek mee omgegaan en toen hij haar op een dag had gevraagd: 'Vindt u het eigenlijk leuk?', had ze gezegd: 'Wat denkt u dan – natuurlijk vindt een vrouw van mijn leeftijd dat leuk.' Ze was toen iets tussen de zeventig en vijfenzeventig geweest, lang, slank en ze zag er een beetje breekbaar uit en op haar hoofd droeg ze altijd een fraaie knot. Daarna was hem in elk geval van alles over intimiteit en aanraking en masturbatie te binnen geschoten, dat herinnerde hij zich, en de automatische erecties waren vanzelf weer verdwenen.

Irene legde haar bestek neer en keek hem aan. 'De laatste tijd ben ik voortdurend bang,' zei ze. Horn doopte een stuk baguette in de donzige ei-tomatenmassa.

'Vanwege Michael?' vroeg hij. Hij stopte het brood in zijn mond en kauwde er genietend op. Ze schudde haar hoofd.

'Vanwege Gabriele?'

'Nee, ik maak me geen zorgen, maar ik ben bang.'

'Je bent anders nooit bang,' zei Horn. 'Je pakt zee-egels met blote handen aan. Je gaat in je eentje op een podium zitten en speelt Bach of Saint-Saëns. Je verhuist vanuit Wenen naar de provincie. Bang past niet bij je. In onze relatie ben ik degene die bang is.' Ze schudde haar hoofd weer en slikte. Horn zette de pepermolen die hij zojuist had gepakt weer neer. 'Je meent het echt, hè?'

Ze knikte. 'Het komt door de kwestie met die dieren,' zei ze.

'Welke kwestie met die dieren?'

'Die in de krant staat.'

Onwillekeurig keek hij om zich heen. De kat lag bij de verwarming te slapen.

'Natuurlijk is het ook vanwege Mimi,' zei Irene. 'Maar niet alleen.' Ze had iedere nacht nachtmerries en het eerste waaraan ze 's morgens denkt zijn die dode dieren: kippen, eenden, hamsters, cavia's, katten. Vier katten zijn er tot nog toe geteld, stond in de krant. 'Wie doet zoiets?' Horn haalde zijn schouders op. Het rare is dat het doden van de dieren haar banger maakte dan de kwestie met Wilfert.

'Een psychopaat doet zoiets,' zei Horn ten slotte. 'Een echte psychopaat.' Irene zei dat ze geen psychopaat kende en Horn antwoordde: hij wel.

Horn stond op, pakte een bordje uit de kast, schepte er wat omelet op en zette het bij de kat neer. Ze opende een oog en snuffelde. Psychopaten gaat het om intimidatie en vernietiging, zei Horn. Om anderen te intimideren en dan kapot te maken. Omgekeerd zijn ze meestal zelf niet in staat om angst te voelen. 'Zet hun een mes op de keel en ze zullen je uitlachen,' zei hij. 'En als je het mes weghaalt, maken ze je af.'

De kat boog door haar rug, likte hier en daar keurend over de eiermassa en begon te eten. We zullen haar binnen houden, dacht Horn, we zullen haar niet meer naar buiten laten. In huizen is die kerel nog nooit geweest, dacht hij, in open stalhokken en botenhuizen ja, in dichte gebouwen nee. Hij dacht aan de beschrijving van de half afgesneden en vermorzelde eendenkoppen in het laatste artikel van de *Kurier* en hij bedacht dat er iemand was die hij tot zulke dingen in staat achtte, maar die kwam niet echt in aanmerking, want hij zat in de gevangenis.

'Houden psychopaten van muziek?' vroeg Irene. Horn keek verbaasd op.

'Dat is een pathetische vraag,' zei hij.

'Dat is helemaal geen pathetische vraag.'

'Jawel, dat doet me denken aan die spreuk die je in mijn jeugd op een houten bordje kon kopen: *waar men zingt, ga daar rustig zitten...*'

'*...slechte mensen hebben geen liederen.* Precies, dat hing bij mijn tante in de voorkamer, met een mezenpaartje.'

'Zie je wel. Als dat niet pathetisch is!'

'Het zou ook gewoon waar kunnen zijn,' zei ze. Het volgende schooljaar wilde het psychopatische ministerie van Onderwijs van dit psychopatische land in de onderbouw van de algemeen vormende middelbare scholen een derde van de muzieklessen schrappen, wat op het gymnasium onvermijdelijk tot het verlies van een hele baan zou leiden, en omdat zij van de drie muziekleraren de enige was die niet het leermaar slechts het concertvak heeft gehad, was duidelijk wie dan getroffen zou worden. 'Je hebt helemaal gelijk,' zei ze. 'Eerst maken ze me bang en dan maken ze me kapot.'

Horn legde zijn vork neer en stak zijn hand naar haar uit. 'Praat geen onzin,' zei hij. 'Jij gaat meer privéleerlingen nemen en dan heb je meer vrijetijd en ik ga meer werken.' Irene trok een wenkbrauw op en zei niets. Ze is gedeprimeerd, dacht hij, ze is voor verschillende dingen bang en ik weet niet wat ik moet doen.

Hij had een sjaal voor zijn gezicht en de capuchon van zijn jack over zijn oren getrokken en zette zich schrap tegen de horizontaal waaiende sneeuw. Irene had hem nog gevraagd of ze hem niet met de auto naar de stad moest brengen, maar dat had hij afgewimpeld. Er bestond niets verheveners dan een sneeuwstorm en bijna niets wat hem tegelijk psychisch zo na stond. Als kind had hij al van slecht weer gehouden en toen al had niemand dat begrepen. Steeds weer was hij net zo lang door de regen gelopen tot hij geen droge draad meer aan zijn lijf had, en in een winter toen hij nog op de lagere school zat, was hij diverse keren buiten gaan staan en had hij 'ik bevries' gespeeld. Hij had goed gevoeld dat de warmte langzamerhand uit zijn vingers en tenen verdween en het geschreeuw van zijn ouders had hem niets kunnen schelen.

Hij trok de capuchon verder over zijn hoofd. Toch bleven de vlokken aan zijn wimpers hangen zodra hij zijn hoofd ook maar een beetje optilde. Tegen het dak van het transformatorhuisje brak zingend de wind en van de jonge dennen langs de weg stoven wolken verse sneeuw op. Verder weg zag je helemaal niets, de stad niet, het meer niet, zelfs het pijnbomenbosje ten zuidwesten van het huis niet.

Op het laatst was hij erin geslaagd Irene een beetje gerust te stellen. Samen hadden ze besloten de zaak van het baanverlies pas te geloven als het echt zover was, en voor Mimi hadden ze een oppas- en verzorgingsrooster opgesteld, dat zelfs in de tijd tot Tobias terug zou komen geen noemenswaardige hiaten vertoonde. Dat er tot nu toe uitsluitend dieren binnen het stadsgebied waren gedood, had Irene niet willen weten en ze had gezegd dat ze geografisch nog niet zo gedesoriënteerd was en het biologische waarnemingsstation lag weliswaar vlak bij de buitenste rand van de stad, maar wél buiten de stad, en zijn bewering dat sneeuw en lage temperaturen de kat er vast en zeker van afhielden naar buiten te gaan, had ze beantwoord met de zin: 'Jij kent blijkbaar je huisdier niet.' Hij merkte in elk geval dat hij in gedachten het pand van boven tot onder doorzocht op vluchtgaten waar de kat doorheen kon ontsnappen en hoe gerustgesteld hij was toen hij er geen vond.

Terwijl hij zich op de weg vooruit worstelde, moest hij aan Daniel Gasselik denken, hoe hij zich daar vanbinnen ook tegen verzette. Zijn spaarzame bewegingen schoten hem te binnen, de eigenaardig gekunstelde taal en de manier waarop hij tussendoor telkens zijn rechtermiddelvinger liet knakken. Horn had twee keer met hem te maken gehad. De eerste keer een kleine drie jaar geleden, toen de op dat moment dertienjarige jongen in de klas regelmatig het plan had geuit uit de zaak van zijn vader de groene Grand Cherokee met de verchroomde bullbar te halen en daarmee de ouders en broertjes en zusjes van enkele klasgenoten dood te rijden. Jeugdzorg had gevonden dat er stante pede een intensieve psychotherapeutische behandeling moest komen en had een overeenkomstige instructie afgegeven. Maar toen stond het joch voor hem en zei dat hij maar een pompoen moest neuken, liefst een zachte, gele, die was ook voor slapjanussen geschikt, en hij kon de psychotherapie in zijn reet stoppen, heel diep naar binnen, tot zijn blindedarm aan toe, want dat had hij onlangs bij biologie geleerd, dat de blindedarm aan het begin van de dikke darm ligt.

De tweede ontmoeting had ongeveer acht maanden geleden plaatsgevonden, in het kader van het strafproces dat Daniel Gasselik uiteindelijk in de gevangenis bracht. De tiener was met een Vespa, die hij van een monteur van het bedrijf van zijn vader had meegenomen, door de stad gereden, eerst langs het meer, toen de Fürstenaustraße op naar Walzwerk. Daar had hij voor een tienjarige Turkse jongen die de straat overstak, moeten remmen, was plotseling blijven staan, had de Vespa geparkeerd, was de jongen achternagegaan en had hem vlak naast een langwerpig fonteinbassin met één schop tegen zijn borstkas gevloerd. Toen de knaap de bassinrand had gepakt om zich op te trekken, had Gasselik gezegd dat als hij die hand niet ogenblikkelijk naast zich op de grond legde alsof hij dood was, hij hem een arm zou breken. De jongen had niet gereageerd, maar was huilend blijven proberen zich op te richten en daarop was Gasselik met beide benen op zijn onderarm gesprongen. Daarbij had hij iets geroepen dat klonk als een Aziatische strijdkreet, hadden getuigen achteraf verteld.

Het proces was heel snel afgewikkeld. Gasseliks vader had nog bij de openbare rechtszitting gezegd dat als een of andere knakker hem in de weg zou staan, hij dat ook zou merken, werd er verteld, en Daniel Gasselik zelf had alleen gezwegen en gegrijnsd. Het idee van een psychiatrisch onderzoek kwam van Gasseliks advocaat, die had gezegd dat er misschien een fout in het cerebrale netwerk van zijn cliënt of een kleine beschadiging zou worden gevonden waarop hij het zou kunnen gooien om hem verminderd toerekeningsvatbaar te laten verklaren. Bij Horn terechtkomen was toen niet moeilijk meer geweest, want afgezien van het feit dat hij Gasselik al kende, was hij de enige gekwalificeerde kinderpsychiater in de verre omtrek; daardoor had hij ook geen kans gehad om zich aan de opdracht te onttrekken. Uiteindelijk had hij in elk geval een nadrukkelijk neutraal rapport geschreven, waarin hij enerzijds de geheel ontbrekende emotionele hechting aan zijn ouders als psychodynamisch basiselement van Daniel Gasseliks persoonlijkheidsstoornis accentueerde, en anderzijds benadrukte dat dat niet in de zin van een verminderd inzichts- en beoordelingsvermogen opgevat mocht worden. Gasselik was, niet in het minst op basis van twee eerdere straffen wegens diefstal en poging tot beroving, tot drie jaar gevangenisstraf veroordeeld, waarvan negen maanden onvoorwaardelijk, wegens opzettelijke zware lichamelijke verminking, zoals het heette, en iedereen was het er tamelijk mee eens geweest. Zelfs Konrad Seihs, de secretaris van de middenstandspartij, had in een kranteninterview gezegd: 'In onze stad wordt van niemand de armen gebroken, ook van Turken niet.'

Vlak naast de pijl naar het ziekenhuis stond een lichtgrijze stationcar die de bocht blijkbaar te snel had genomen met zijn achterkant in een sneeuwhoop. De auto versmolt optisch volledig met de omgeving en omdat de wind de gevarendriehoek steeds omvergooide, stond de bestuurder daar te gebaren om de andere voertuigen op de hindernis attent te maken. Horn liep voorbij zonder te vragen of hij kon helpen. De man had vast en zeker de sleepdienst al gebeld en het enige wat Horn werkelijk interesseerde, was of de auto zomerbanden had of niet. Ik ben net zo'n psychopaat als ieder ander, dacht hij.

Bij de ingang van de kinderafdeling was Magdalena, de roodharige zuster met de piercing in haar bovenlip, een hevig huilend meisje van een jaar of zes aan het vertellen dat de bezoektijd nog niet was begonnen en haar ouders vast en zeker gauw zouden komen. Het kind leek dat niet van haar te willen aannemen en toen Horn zich in het voorbijgaan naar haar overboog en zei 'Hartelijke groeten van mijn kat', veranderde dat ook niets. Magdalena haalde haar schouders op en glimlachte een beetje afstandelijk en wees naar het andere einde van de afdeling. 'Uw beide dames zijn er al,' zei ze.

Luise Maywald had gisteren opgebeld en om een extra afspraak voor Katharina gevraagd. Anders dan anders had ze nogal verward en opgewonden geklonken en Horn had een tijdje nodig gehad om te beseffen dat de aanstaande begrafenis van haar vader de reden daarvoor was. Met de twee grotere kinderen zou het wel gaan, had ze gezegd; die begrepen wat er was gebeurd. Een slecht mens, hadden ze hun verteld, zulke mensen bestaan, die komen langs en doden iemand en over de hele kwestie met blaasmuziek en de kist laten zakken en er bloemen op gooien had ze uitvoerig met hen gesproken. Bij Katharina daarentegen wist ze het niet zeker, want die zei nog steeds niets, geen enkel woord. Mogelijk begint ze bij het graf te brullen of zich op een andere manier aan te stellen of ze loopt gewoon weg. Voor die dingen is ze bang, want het is tenslotte haar vader en al heeft ze innerlijk ook al afscheid genomen en is ze op het moment dat de doodgravers aan de zwengel gaan draaien voorbereid, ze weet toch dat haar dat zal aangrijpen en ze niet in staat zal zijn om zich om een buiten zichzelf rakende dochter te bekommeren. 'Zegt u het haar,' had ze steeds weer gezegd, 'zegt u het haar alstublieft!' en hij had zich stilletjes afgevraagd: wat?

De vrouw was in het zwart, voor het eerst sinds hij haar had ontmoet: een lange wollen rok en een zeer los gebreide coltrui. De dag voor de begrafenis, dacht hij – men brengt zichzelf vast in de stemming. Vervolgens dacht hij aan 'Careless Love' en het vierde nummer en aan het feit dat Heidemarie op grond van haar onbewuste moordverlangen tegenover haar ouders depressief werd en er niemand was die ook maar in de verste verte eraan dacht haar vader de keel door te snijden. De wereld kende geen rechtvaardigheid, vooral niet wat betreft de vraag wie vermoord werd en wie niet, maar als arts mocht je zoiets niet eens denken.

Katharina had de gele speelgoedkist naast zich staan, waarvan de inhoud de kinderen het wachten moest verkorten. Op het lage tafeltje voor haar lag op de rug een prinsessenpop in een jurkje van rose tule. Ze was begonnen aan het hoofdeinde van de pop een boogvormige muur te bouwen van blokken, van Playmobil-boompjes en van poppenserviesgoed. Het gaat nog steeds om de hoofden, dacht Horn. Tegelijk viel hem iets op, helemaal aan de rand van zijn bewustzijn en het was meteen weer weg. Hij kreeg het niet te pakken; dat irriteerde hem.

'Dank u wel dat u de tijd neemt,' zei Luise Maywald. 'Het klonk alsof u het nodig had,' antwoordde Horn. Hij was blij dat ze niet meer vroeg of hij het meisje iets wilde zeggen. Ze knikte. 'Het is allemaal een beetje veel voor ons.' Dat speelt misschien ook een rol, dacht hij – ze is niets minder geremd dan haar dochter. Haar vader wordt op een gruwelijke manier vermoord en zij zegt: het is allemaal een beetje veel voor ons. Ze maakt een sterke indruk maar ze is eigenlijk in eerste instantie gepantserd.

Katharina pakte de prinsessenpop bij de benen en nam haar mee Horns spreekkamer in. Ze trok onmiddellijk achter de deur haar laarzen uit. De dingen veranderen, dacht Horn tevreden. Ze trekt haar laarzen uit en ze laat haar groene jas met de eekhoorns bij haar moeder. Ze ging voor de boekenkast op haar knieën zitten, op de plaats waar ze de vorige therapie-uren het grootste deel van de tijd had gezeten, zakte op haar hurken en legde de pop voor zich op de grond. Ze keek haar aan, draaide haar toen langzaam om haar as en voelde met een vinger uitvoerig aan haar kroontje en het tule jurkje. Op dat moment drong het tot Horn door wat er eerder aan zijn bewustzijn was ontsnapt: de vuist was weg. Het meisje gebruikte beide handen. Ergens had ze de twee speelfiguren neergelegd. Nog maar een paar stappen voor ze weer praat, dacht hij. Misschien had het werkelijk met de begrafenis die voor de deur stond te maken.

Horn haalde twee dozen Lego uit de kast en bovendien een grote Lego-vloerplaat waarop schematisch een vijver, een rivier en een weg waren geschilderd. 'Buiten was je begonnen iets om de pop heen te bouwen. Ik dacht misschien wil je dat nog afmaken,' zei hij. Ze knikte de pop bij de heupen om, zette haar tegen de kast en trok haar jurkje recht. Sommige kinderen, met wie het zo slecht ging dat ze niet meer konden spelen, begonnen op een bepaald punt tijdens de behandeling te spelen dat ze speelden, bedacht hij. 'Wil je een kam voor je pop?' vroeg hij. Ze reageerde niet.

Toen hij zelf een kind was, had je de gewone Lego-stenen in de nog steeds gebruikelijke afmetingen, en bovendien ramen, deuren, dakpannen, wieltjes en hekjes, en alleen kleine vloerplaten, maximaal dertig bij dertig. Daardoor hadden ze in eerste instantie huizen of auto's gebouwd, eventueel treinen, als je veel wieltjes had, maar in geen geval ruimteschepen, onderzeeboten, of hele voetbalstadions, zoals nu mogelijk was. 'Ik heb als kind ook met Lego gespeeld,' zei hij. Ze keek hem aan. 'Zullen we samen spelen?' Ze schudde haar hoofd.

Vanwege zulke momenten doe je psychotherapie, dacht hij: omdat er een klein meisje is dat de hele tijd niets zegt en door de dag gaat als onder een glazen stolp, en op een gegeven moment vraag je: Zullen we samen spelen? en opeens schudt ze haar hoofd. Hij ging tegenover Katharina op de grond zitten, pakte een van de twee Lego-dozen en gooide die leeg. 'Zullen we iets bouwen?' vroeg hij. Ze trok haar benen tegen haar borst. 'Ik ga iets bouwen,' zei hij. Neem de geremdheid in je op, dacht hij, doe wat het kind nog niet kan.

Michael had van het begin af aan een hekel aan Lego gehad. Hij had een tijdje geduurd voordat hij, Horn, begreep dat dat zo was en eigenlijk was het hem, die altijd van Lego had gehouden, volkomen onbegrijpelijk geweest. Hij had het met Michaels legasthenie in verband gebracht en gedacht dat hij de bouwbeschrijvingen niet begreep of dat hij een slecht ruimtelijk inzicht had; beide ideeën bleken verkeerd. Michael hield gewoon niet van Lego, basta, en hij leek er in de verste verte niet aan te denken om dezelfde voorliefdes aan de dag te leggen als zijn vader.

Horn begon een muur te bouwen, recht en zonder tierelantijnen. Hij gebruikte alleen de gele en groene stenen, om en om – een gele, een groene. Daarnaast vertelde hij over begrafenissen. Hij vertelde over crematie en over teraardebestelling, en dat het laatste hier in het land veel meer voorkwam, omdat het voor de mensen blijkbaar een verontrustend idee was dat hun eigen lichaam verbrand zou worden, terwijl in een graf liggen net zoiets leek als in bed liggen. Daarom bestond er op kerkhoven ook het rustgebod – aan de ene kant wist men natuurlijk wel dat de mensen in de graven dood waren, maar tegelijkertijd leek men het idee van de grote slaap gemeenschappelijk in stand te willen houden. 'Het gat graaft de doodgraver met een kleine graafmachine,' zei hij. Katharina keek langs hem heen. De prinsessenpop lag rechts naast haar. Ze had haar hand om het lichaam gesloten. Luistert ze wel? vroeg hij zich af. Hij stelde zich voor dat ze in het verminkte gezicht van haar grootvader keek en dat ze aan het graf stond met de pop in haar hand, en bang was dat ze erin zou kunnen vallen. Hij zette de laatste stenen erop; uiteindelijk waren er alleen nog groene. De muur was zeven rijen hoog. Van de achtste stond er een beginnetje, verder niets. 'Klaar,' zei hij, en toen vroeg hij haar, zonder op een reactie te wachten: 'Waar zijn eigenlijk je twee pionnen gebleven?'

Katharina keek een tijdje om zich heen, alsof de speelfiguren ergens in de kamer verstopt waren; toen schoof ze zittend naar de boekenkast en trok er de *Heldenverhalen* uit. Niet weer! dacht hij. Hij wist wat er zou volgen: eindeloos geblader van het ene plaatje naar het andere en op ieder ridderhoofd met een helm zou ze een halve minuut haar vinger leggen. Ik ben haar kwijt, dacht hij, een fractie van een seconde hadden we contact en nu is ze weer weg. Hij vertelde dat bij de begrafenis iedereen verdrietig zou zijn, en sommige mensen zouden huilen, haar moeder, haar vader, haar zusje, haar broer. De kist zou er tamelijk groot uitzien, als een huis bijna, met een bloemenkrans bovenop en er zouden veel kransen omheen liggen. Er zouden toespraken worden gehouden, er zouden liederen worden gezongen en op een gegeven moment zou iemand een teken geven en een ander zou naar de zwengel lopen en beginnen te draaien en de kist zou langzaam in het gat verdwijnen dat de graafmachine had gegraven.

Terwijl Raffael Horn voor zich uit praatte, was Katharina bij het twintigste plaatje aangekomen. Tegen zijn verwachting in was ze steeds sneller gaan bladeren. Ze sloeg de platen op, tikte met haar vinger tegen de ridderhoofden, wierp telkens een snelle blik op de pop, alsof ze zich ergens van wilde verzekeren, en bladerde door. Tot slot laat iedereen een bloem in het graf vallen, recht op het deksel van de kist, zei Horn, als een laatste groet. En dan gaan ze allemaal naar de kroeg, dacht hij, en op hetzelfde moment vroeg hij zich af of hij dat nu hardop had gezegd of niet. Katharina keek in elk geval niet op. Ze was in een razend tempo bij de laatste bladzijden aangekomen en sloeg het boek toen met een klap dicht. Vervolgens legde ze de pop boven op de omslag en bekeek haar een tijdje. Horn zei nog dat in de winter een ijzige wind tussen de graven speelde en dat ze daarom haar das, muts en wollen wanten niet moest vergeten. Bovendien zal de doodgraver daar staan, dacht hij, en de mensen zijn fooienmandje voorhouden en de mensen zullen driftig in hun portemonnee grabbelen en de helft zal geen gepast kleingeld bij zich hebben.

Katharina keek hem plotseling aan en hij dacht even: nu is het zover. Nu gaat ze praten. Maar ze pakte de pop, legde de armen links en rechts vlak tegen het lichaam aan en trok de twee buitenste lagen van het tule jurkje omhoog, zodat die de armen, het bovenlichaam en ten slotte ook het gezicht van de prinses bedekten. Natuurlijk gaat het nog steeds om de hoofden, dacht Horn, hoofden moeten worden bedekt, de herinnering aan het kapotte hoofd moet verdwijnen. Katharina legde de bedekte pop terug op het boek, tilde het met beide handen op en schoof het voorzichtig in een gat op de boekenplank. Daarbij glimlachte ze tevreden. Een soort begrafenis, dacht Horn, ze baart de pop op en stopt die in een vak.

'Het zal wel gaan,' zei Horn buiten tegen Katharina's moeder. 'U hoeft zich geen zorgen te maken.' Luise Maywald bedankte hem. 'Weet u waar ik blij om ben?' zei ze bij het weggaan. 'Dat we hem niet meer hoeven te zien.' Horn knikte en zei niets. Hij had zojuist opgemerkt dat Katharina de ritssluiting van haar rechterjaszak opende, haar hand erin stopte en in een vuist er weer uittrok. De speelfiguren, dacht hij – alles is in evenwicht.

Horn stond voor het raam. Het sneeuwde nog steeds. Zelfs op het dunne riet rondom de afwatering van de Ache leek de sneeuw te blijven liggen. De rotsblokken aan de zuidelijke oever van het meer waren niet te onderscheiden. Hij dacht aan Irene en Tobias. Ze zat vermoedelijk in de stal Tsjaikovski's rococo-variaties te oefenen die ze bij het carnavalsconcert van het stedelijke symfonieorkest moest spelen, en hij stond waarschijnlijk op het punt verliefd te worden. Op skiles werd je verliefd, dat herinnerde hij zich nog. In de sneeuw werd gestoeid en 's avonds registreerde je dat de meisjes met pas gewassen haar naar het eten kwamen. Irene had een hekel aan Tsjaikovski, maar Rauter, de muzikaal leider van het orkest, had gezegd dat het publiek daarop af kwam en dat ze geen nee mocht zeggen. Horn was ervan overtuigd dat ze het uitstekend zou doen en het stuk met een agressieve hartstocht zou spelen. Ze zit, speelt en daartussendoor is ze bang, dacht hij, en hij dacht aan Daniel Gasselik, van wie hij zich goed kon voorstellen dat hij dieren de keel afsneed en vervolgens hun schedel tot moes sloeg. De zaak met Wilfert is hem nog een maatje te groot, dacht hij, daarvoor is hij te jong. Hij keek even de kamer rond en was blij dat er niemand was. Ik heb alweer de hele tijd in mezelf gepraat, dacht hij, gegarandeerd.

Het ouderpaar dat even later naar het consult kwam, verveelde hem onnoemelijk. Het was vanaf het begin al zo geweest. De man werkte als biochemicus bij Veropharm, een farmaceutische fabriek in de stad, en hield zich vooral bezig met de ontwikkeling van fytotherapeutica; de vrouw was directeur bij een kleine firma voor orthopedische hulpmiddelen. Het stel had twee kinderen, een dochter van veertien en een zoon van elf, die al jaren zonder succes probeerden zich door middel van verschillende symptomen tegen de dwang en de pedagogische ambitie van hun ouders te verweren. Momenteel had de jongen een kuchtic en het meisje ging hoogstens om de dag naar school. Deze mensen zijn zo burgerlijk dat het pijn doet, dacht hij. Ze hadden hun zoon geadviseerd het kuchen te onderdrukken zodra hij het voelde opkomen, zei de vrouw toen Horn vroeg welke strategieën de ouders zelf hadden ontwikkeld. Met hun dochter wisten ze zich geen raad, totaal niet, die deed toch wat ze wilde, een punkkapsel en piercings en pentagramhangers en zo. Hopelijk doet ze wat ze wil, dacht Horn en op hetzelfde moment stelde hij zich voor dat deze jongen 's nachts in zijn bed lag, het fantasiebeeld van zijn naakte zus voor zich en uit alle macht probeerde de drang om te masturberen weg te kuchen. Als het niet lukte en hij het dan toch deed, moest hij honderd kniebuigingen doen of zeven maal zeven gebeden opzeggen; uiteindelijk zou hij net zo dwangneurotisch worden als zijn vader. 'Hebt u in uw jeugd gemasturbeerd?' vroeg Horn. De vrouw werd bleek en scheen door de grond te willen zakken. De man liep knalrood aan en kuchte diverse keren. Het is allemaal zonneklaar, dacht Horn, en het is allemaal zo burgerlijk dat je direct een migraineaanval zou willen krijgen. 'Hoe bedoelt u?' vroeg de man. Horn leunde naar achteren. 'Masturberen, afrukken, zelfbevrediging,' zei hij. Het stel zweeg gegeneerd. Ik ben een klootzak en voel me daar goed bij, dacht Horn. Ten slotte keek de vrouw hem aan. 'Ik geloof dat we nog niet zo ver zijn,' zei ze. Ze vermeed het haar man aan te kijken. 'Waarover praat u thuis?' vroeg Horn.

'Over het werk, over de kinderen, over de dingen die in de krant staan.'

Dingen die in de krant staan, herhaalde Horn in zichzelf. De stropdas van de man was grijsbruin met schuine roze strepen. Hij had allang niet meer zoiets lelijks gezien.

'Hebt u eigenlijk huisdieren?' wilde Horn aan het einde weten. Ja, een paartje parkieten, antwoordden ze allebei. Een blauw mannetje en een geel vrouwtje, en ja, de vogels maakten het uitstekend. Een blauwe en een gele parkiet, dacht hij, een blauwe en een gele pion. Er is geen verband. Het toeval schept het verband.

Toen ze weg waren, opende hij het raam. Hij leunde met zijn bovenlichaam in de sneeuwbui, stak zijn tong uit en was blij toen de eerste vlokken bleven hangen. Als iemand me ziet, denkt hij dat ik gek ben, dacht hij.

Vijftien

Hij was met Marlene in zijn arm wakker geworden, een pluk van haar haar tussen zijn lippen, haar duim in zijn navel. Hij had heel rustig gelegen en voelde de koele lucht in de kamer. Een minuut lang was hij bijna gelukkig geweest. Bij het ontbijt hadden ze gepocheerde eieren en gegrild spek gegeten en geen woord meer aan oudejaarsavond verspild. Ten slotte waren ze nog op het dak geweest en hadden met de armen om elkaar heen langzaam in een kringetje gedraaid. 's Nachts was de sneeuwbui opgehouden en de stad en het meer lagen in het licht van de ochtendzon, alsof ze rechtstreeks van een kitscherige ansichtkaart kwamen. Ik heb een goede bui, dacht hij, dat is verbazingwekkend.

Het was vooral het vooruitzicht dat hij het bureau pas een paar uur later weer hoefde te betreden, dat ervoor zorgde dat Kovacs de zaak zelf ter hand wilde nemen. Bovendien reed hij graag in de Puch G, dat machtige gevaarte met zijn ruige charme. Ten derde was Demski sinds twee dagen terug van vakantie en alles wat er eventueel nog zou komen, was daarmee in de beste handen.

Ze reden op de Grazer Straße naar het zuiden, de stad uit, en namen na ongeveer vier kilometer, vlak voorbij het oude tolhuis, de bocht naar het westen. De rijbaan was goed geruimd, en daarom zou hij ook op de helling naar de Kammwandtunnel niet hoeven blitsen met zijn vierwielaandrijving, wat Kovacs stiekem had gehoopt. Alleen een melkauto en een BMW uit de 7-serie, die wegsloop alsof hij op rauwe eieren reed, haalde hij in, maar dat was dan ook alles.

De oude man op de passagiersplaats had een vaal gezicht en leek bij elke bocht meer in zijn grove grijze mantel te verzinken. 'Waarom hebt u eigenlijk gisteren niet al gebeld?' vroeg Sabine Wieck van de achterbank. De man tilde langzaam zijn hoofd op. 'Het was al donker,' zei hij. 'We zouden niets meer gezien hebben.' Buiten schoten de gele balken van de tunnelverlichting voorbij. Om de paar honderd meter draaide een enorme ventilator aan het plafond. 'Bovendien ben je op zoiets niet voorbereid,' zei de man. 'Je weet niet wat je moet doen.' Zijn vrouw had gezegd dat wie grote dieren de kop inslaat, misschien ook wel tot zoiets in staat is en dat hij in elk geval de politie op de hoogte moest stellen. 'Was uw vrouw erbij toen u het ontdekte?' vroeg Sabine Wieck. De man schudde zijn hoofd. 'Nee, ik ga meestal alleen weg. Bovendien heeft iemand anders de zaak ontdekt.'

Kovacs keek de oude man van opzij aan. Hij takelt af, dacht hij, het is net als toen. Hij vroeg hem hoe hij de nacht was doorgekomen en de man zei dat het wel ging en dat zijn vrouw een hele steun was geweest en dat hij in geval van nood verschillende kalmeringsmiddelen in het medicijnkastje had.

Vanaf kilometer twee komma zes van de tunnel begon de weg te dalen en vlak daarna zagen ze op enige afstand als een wit punt de uitrit. 'Op sommige momenten in het leven komen er dingen over je heen waar je niet op bent voorbereid,' zei de man. En op sommige momenten in het leven komt er helemaal niets op je af en daar ben je ook niet op voorbereid, dacht Kovacs. Hij nam de scherpe bochten omlaag naar Sankt Christoph met een relatief hoge snelheid en genoot van het gevoel dat hij de volgende ogenblikken over de daken van pensions en hotels zou vliegen. Beneden mompelde hij een excuus, maar hij kreeg van de twee anderen geen antwoord.

Ze namen een sluiproute onderlangs het centrum van Sankt Christoph en voorkwamen zo dat ze in het pendelverkeer dat om deze tijd regelmatig de smalle wegen verstopte, bleven hangen. Een paardenkoets met dik ingepakte toeristen hield hen desondanks op. Kovacs vloekte zacht. Nadat hij had ingehaald, keek hij achterom. 'Paarden?' vroeg hij. Sabine Wieck dacht even na. 'Nee, geen paarden,' zei ze ten slotte. Ze weet het niet honderd procent zeker, dacht hij.

Ze volgden de Uferstraße in de richting van Mooshaim tot aan een plateau dat van links afliep. Bij het bordje VAKANTIEWONINGEN bogen ze af naar een bospad. Dat leidde in een langgerekte lus terug naar een heuvel vlak boven Sankt Christoph. Ongeveer vijfhonderd meter voor een boerderij zei Joachim Fux dat hij de auto hier maar vlak naast een vierkante stapel beukenhout moest parkeren. 'Hier begint het pad,' zei hij. Toen ze uitstapten, zag Ludwig Kovacs dat de man beefde. 'Weet u zeker dat u het aankunt?' vroeg hij. Fux knikte. Sabine Wieck sloot zich van achteren bij hem aan en pakte hem bij zijn onderarm. Ze glimlachte. 'Ik vang u wel op als u omvalt,' zei ze.

Het was bar koud. Ludwig Kovacs trok zijn handschoenen aan en zette de gewatteerde kraag van zijn jack op. Sabine Wieck stopte haar ribbroek boven in haar laarzen. Joachim Fux had een nieuwe zwarte wollen muts met oorkleppen opgezet. Zijn jas zag er echter oud uit, de knopen waren afgesleten en in zijn linkermouw had hij een scheur. Kovacs registreerde dat nadat hij de schoudertas met camera, afzetlint en dicteerapparaat uit de auto had gehaald. Haringen, dacht hij, we hebben geen haringen bij ons en ook niets om ze de grond in te slaan; het is zoals altijd. Hij zei niets.

Zover de weg over vrije velden voerde, was hij compleet dichtgewaaid. Fux zei dat hij hier altijd te voet ging. Verder dan tot de houtstapel durfde hij niet met zijn Astra, ook niet met kettingen, en voor een auto met vierwielaandrijving zou hij niet lang genoeg meer leven. Ze liepen achter elkaar, Fux voorop, tot ze aan de rand van het bos bij een dichte heg van sleedoorn en hazelnootstruiken kwamen. Uit de wind stopten ze. Christoph Moser, aan wie het bos om hen heen behoorde, had bij het afvoeren van een paar lariksstammen de zaak ontdekt en hem op de hoogte gebracht. 'Hij was met zijn grote SAME-tractor en een vierwielige aanhangwagen onderweg,' zei Fux, wijzend op de diepe bandafdrukken aan zijn voeten. Hout hak je in de winter, dacht Kovacs. De mensen houden zich nog steeds aan oude regels.

'Wanneer heeft Moser gebeld?' vroeg Sabine Wieck.

'Om tien over twee,' zei Fux. 'Uit de tractorcabine. Hij heeft altijd een mobiele telefoon bij zich als hij het bos in gaat.'

'En wanneer was u daar?'

'Om halfvier.' Fux haalde zijn schouders op. 'Eerst wilde ik er niet eens heen.'

Ze liepen door het donkere lariksbos een stukje omhoog, staken een stenige greppel over en gingen na een wildvoederplaats naar het oosten. De ochtendzon verblindde een beetje toen ze op de open plek kwamen. Fux bleef staan en streek met beide handen over zijn wangen. 'Is het daar vooraan?' vroeg Sabine Wieck. Fux knikte. 'Kunt u het aan?' Hij staarde zwijgend over de sneeuwvlakte. Kovacs schoof ten slotte langs hem heen. 'Ik ga wel even kijken.' Fux pakte hem bij zijn arm en schudde zijn hoofd. 'Het zal wel gaan,' zei hij.

De deur van het huisje was uit zijn scharnieren getrokken en het kleine vierkante raam ingeslagen. Aan een van de twee lange zijden was de betimmering op twee smalle planken na losgetrokken. Fux wees naar de achterkant. 'Eigenlijk is het daar,' zei hij.

In de seconde waarop ze om de hoek waren gelopen, keek Kovacs naar Sabine Wieck. Soms gedragen mensen zich zoals in de film, dacht hij. Ze stond met wijd open ogen en had een hand voor haar mond geslagen. De sneeuwvlakte voor hen was zwart van de dode bijen. Middenin strekte zich ter breedte van een kleine meter een strook versplinterd hout uit, waarvan de kleurige lak hier en daar nog herkenbaar was. 'Bij deze temperaturen bevriezen ze meteen,' zei Joachim Fux. Ludwig Kovacs trok zijn handschoenen uit, bukte, raapte een van de bijen op en legde die op zijn vlakke hand. Hij hield hem voor zijn gezicht, kreeg hem op een afstand van een dikke halve meter scherp en bekeek de facetogen, de angel en de fijne adering van de vleugels. 'Hoeveel waren het er?' vroeg hij uiteindelijk. Fux keek hem aan. 'Honderdduizenden,' antwoordde hij.

Kovacs legde de bij terug in de sneeuw, zo voorzichtig alsof hij nog leefde. Sabine Wieck boog zich naar hem toe. 'Zestien,' fluisterde ze. 'Zestien kasten, als ik me niet heb verteld.'

De dader moest met een ongelooflijke grondigheid te werk zijn gegaan. Hij had de bijenkasten op een rij gezet en vervolgens kapotgeslagen, een voor een. Met de grond gelijkgemaakt, dacht Kovacs, zo zeggen ze dat toch, en hij dacht aan een enorme voorhamer die op de houten kasten neersuisde. 'Wie doet zoiets?' vroeg Sabine Wieck. 'Wie brengt bijen om het leven?' Wie katten en wilde eenden de keel doorsnijdt, heeft er vast en zeker geen problemen mee, dacht Kovacs en hij had geen idee waarom ze steeds maar vroeg: wie doet zoiets?, en waarom de manier waarop ze dat vroeg hem zo blij maakte. 'Iemand die een probleem met de zoete waanzin van het leven heeft, doet zoiets,' zei hij, en verbaasde zich daar op hetzelfde moment over, omdat hij anders met zulke pathetische metaforiek niets op had. Fux wierp hem een blik toe en het leek alsof hij tranen in zijn ogen had; maar misschien was het wel alleen de kou.

Kovacs haalde de camera uit de schoudertas en begon te fotograferen: de kapotgeslagen bijenkasten, het huisje, de omgeving. Toen hij de lens op de grond richtte, zei Fux: 'Hij moet met een tractor zijn gekomen, of met een vrachtwagen.' Kovacs zette de camera neer. 'Waarom?' vroeg hij. Het volgende moment wist hij het, zag dat loodsplatform voor zich met de oude man, wiens nek precies op de knik lag, en Lipp die zei: 'Net een gekruisigde,' en tegelijk zakte Sabine Wieck door haar knieën en streek met haar vingers voorzichtig over het grove bandprofiel, waarvan de afdruk voor haar voeten in de sneeuw zichbaar was. 'We moeten Mauritz roepen,' zei ze, Fux zei: 'Dit spoor heeft niets met Mosers tractor te maken,' en Ludwig Kovacs merkte dat er een fundament onder zijn voeten verdween. Mens en dier, bedacht hij, deze staande uitdrukking, waarover niemand nadenkt, en: je kunt niet miljoenen bijen de kop indrukken.

Sabine Wieck belde met Mauritz. Ze legde hem de situatie uit, beschreef hem de weg en verzocht hem op Kovacs' aandringen dat hij haringen mee moest brengen en een stuk gereedschap om die in de grond te slaan. Aan het einde tilde ze keurend haar hoofd op en zei: 'Ja, het is erg koud.' 'Heeft hij het weer eens bij voorbaat koud?' vroeg Kovacs. Ze lachte.

De bandensporen waren hier en daar volledig bedekt door de bijen. Op de plekken waar ze vrijlagen, leken de zijkanten gebroken en de oppervlakten een beetje opgeruwd. Of er 's nachts een laagje sneeuw op gevallen was of dat de veranderingen door de vrieskou waren ontstaan, viel niet meer uit te maken. Van het bandenprofiel was in elk geval een perfecte afdruk te maken, dat was de hoofdzaak. 'Het is hetzelfde,' zei Kovacs, zo zachtjes dat de anderen het niet hoorden.

Ze vermeden het centrum van de verwoesting te betreden en liepen langs de rand heen en weer. Sabine Wieck blies telkens lucht in haar handschoenen en maakte kniebuigingen om warm te blijven. Ze praatte met Fux over bijen houden, over verschillende honingsoorten en de hausse van de gelee royale. Ze liet zich het zwermen uitleggen, de nervositeit van de bijen daarvoor, de splijting van het volk en het feit dat het de oude koninginnen waren die het volk ontrouw werden en niet de jongen. 'En hoe krijg je de zwerm van een tak?' vroeg ze op het laatst en Joachim Fux antwoordde: 'Met een plantenspuit en een ganzenveer. Je maakt de zwermklont voorzichtig nat en veegt die met de veer in een emmer of rechtstreeks in de kast.' Ze doet alsof ze morgen wil beginnen met bijen houden, dacht Kovacs, maar eigenlijk praat ze met hem omdat ze bang is dat hij omvalt. Hij zag de oude man met zijn armen wijd op zijn rug in de sneeuw liggen en uit de vormeloze oppervlakte van zijn gezicht staarde hem één oogbol aan. *Madeye*, dacht hij, en hij kon er niet opkomen waarvan hij die naam kende. 'Had Sebastian Wilfert eigenlijk iets met bijen te maken?' vroeg hij. Fux keek hem met grote ogen aan en schudde toen zijn hoofd. 'Met bijen?' vroeg hij. 'Beslist niet. Honderd procent niet.'

Mauritz stootte enorme witte ademwolken uit toen hij bij hen aankwam. Een imposante man in een imposant donsjack op een stralende winterdag, dacht Kovacs. Eigenlijk een verheffend gezicht maar hij heeft geen haringen bij zich. 'Waar zijn de haringen?' vroeg hij. 'In het depot waren geen haringen meer,' zei Mauritz. 'Dus ik had aan de rand van de weg sneeuwpalen uit de grond moeten trekken, lossnijden en er een punt aan moeten slijpen, wat ten eerste verboden is en er ten tweede toe geleid zou hebben dat jullie nog een uur langer hadden moeten wachten. Bovendien lijkt me de zaak hier helder te zijn.' Hij wees naar de bandensporen. 'Wat bedoel je met "helder"?' vroeg Kovacs.

'Een stokoude vrachtwagenband van Vredestein, meer dan vijfendertig jaar geleden geproduceerd. Werd bijvoorbeeld voor kleine militaire manschappenvoertuigen of sleepvoertuigen van het merk Bedford gebruikt.'

'Waar heb je dat vandaan?'

'Persoonlijke contacten met Deense rechercheurs,' zei Mauritz. 'Die zijn vreemd genoeg het beste als je iets over banden wilt weten.' Misschien is er in Kopenhagen of in Växjö een collega bandenexpert met blonde vlechten en heupen waar collega Mauritz iets tegenover heeft te stellen, dacht Kovacs. Hij ontmoet haar een keer per jaar op een internationale conferentie voor de technische recherche en daarna praten ze over rubbermengsels en slijtagevormen op zoab. Hij dacht aan Marlenes heupen, die ook nogal breed uitgevallen waren, en aan de tengere gestalte van Elisabeth, Mauritz' echtgenote. 'Hij behandelt haar alsof ze de brozebottenziekte heeft,' had mevrouw Strobl, de secretaresse, ooit tegen hem gefluisterd en daar zat zonder meer iets in.

Mauritz wimpelde Kovacs' voorstel af dat hij Lipp moest vragen als hij iemand nodig had. Hij kon het alleen wel af; en bovendien had Demski zich Lipp blijkbaar toegeëigend en daarom was het niet aan te bevelen te concurreren.

Op de terugweg praatte Sabine Wieck met Joachim Fux over de desensibilisatie voor bijengif en dat dat bij sommige imkers goed werkte en bij andere niet. Bovendien praatten ze over de universele toepassing van honing en Fux vertelde over de schoolkinderen die hem met de hele klas tegelijk bezochten en over het ontzag dat ze allemaal voor bijen hadden en over de eerbied waarmee ze de imkerhoed over hun gezicht trokken. Kovacs liep de hele tijd achter hen. Ze gedragen zich als vader en dochter, dacht hij. Een knappe, stralende dochter en een vader in een afgedragen, gescheurde jas. Een fractie van een seconde bleven zijn ogen aan een piepklein detail hangen en tegelijk schoot de herinnering aan een onbeantwoorde vraag door zijn hoofd. Het een had met het ander te maken: een vluchtige, schimmige dubbele omtrek die hij niet te pakken kreeg.

Toen ze het bos uit kwamen, werden ze verblind door de witte vlakte die voor hen lag. Een prachtige dag, dacht hij, een dag om op Lefti's terras te gaan zitten en een flinke portie lamstajine te eten en daarna een van zijn tandbedervende desserts. In geen geval een dag om je af te vragen wie ze naar Wilferts begrafenis zouden afvaardigen, wie zich met de inbraken op oudjaarsavond moest bezighouden, wie met gebroken kinderbotten en hoe er orde in de chaos van de wereld gebracht moest worden.

'Hij staat er nog,' zei Kovacs, toen achter een heuvel in het terrein het dak van een Puch G verscheen. Sabine Wieck keek hem geïrriteerd aan en hij kon merken dat ze bijna wilde vragen: 'Wat moet hij anders?' maar dat gezien de dingen die waren gebeurd achterwege liet. Wie bijenvolken vernietigde, had waarschijnlijk ook geen probleem met het stelen van een politieauto. 'De houtstapel had erop kunnen vallen,' zei Kovacs en ze lachte. Toen hij voor Joachim Fux het portier opende, bedacht hij dat de kleur van de wagen waarschijnlijk *nachtblauw* zou heten, maar dat de nacht in werkelijkheid nooit blauw was, maar altijd koolzwart, en dat ook bij een blik door de telescoop op de allerheerlijkste sterren achter hen een enorme muil gaapte, de bodemloze diepte, die geen kleur heeft.

Demski en Bitterle zaten gebogen over de geschiedenis van een Apulische olijfboer, die vorig jaar zowel de schapen als ook het hele gezin van de buurman had onthoofd. De man was uiteindelijk met de diagnose 'paranoïde schizofrenie' in een zwaar bewaakte psychiatrische inrichting terechtgekomen. 'Die was het niet,' zei Demski. 'Waarom niet?' vroeg Kovacs.

'Omdat een Apulische koppensneller niet eens tot Rome rijdt – zelfs als hij uit de gesloten psychiatrische inrichting ontsnapt.'

'Ken je zo veel Apulische koppensnellers?'

'Ken je één Apuliër die het tot hier heeft gebracht?'

Kovacs dacht na. 'De rode huiswijn in de Piccola Cucina,' zei hij ten slotte. Demski nam zijn zwartgerande bril af en greep naar zijn voorhoofd. Lipp kwam met een dienblad waarop een pot thee en kopjes balanceerden de vergaderkamer in. 'Waar ligt Apulië eigenlijk?' vroeg hij. 'O god,' kreunde Demski. Kovacs dacht aan de jonge vrouw in de donkerrode trui met de gouden sterren en aan haar vele limoncello's. Hij vroeg zich af hoe zij oudjaarsavond had doorgebracht. 'De stiletto,' zei Eleonore Bitterle. Lipp keek sullig. 'De wat?' Bitterle scheurde een vel papier van haar kladblok, trok snel een omtrek en tekende er ergens een sterretje in. 'De hoge hak van het Italiaanse schiereiland – dat is Apulië,' zei ze. Lipp werd rood en mompelde iets van 'al op school niet zo erg van gehouden'.

Kovacs keek naar Bitterle. Ze droeg een coltrui en een broek, zoals altijd in deze tijd van het jaar. Kleding die je niet onthield. Het wil niets zeggen dat ze het over hoge hakken heeft, dacht hij. Het heeft met aardrijkskunde te maken, verder niets. 'Mrs. Brain' zou nooit een donkerrode trui met gouden sterren dragen. Van de limoncello weet ik het niet zo zeker, dacht hij – met Demski zou ze misschien zelfs wel een limoncello drinken. Van begin af aan had ze met hem het meeste contact gehad, ook in de tijd dat haar man nog leefde. In Demski's buurt kon ze zelfs emotioneel worden, ook al ging daarbij het intellectuele waas nooit verloren. Liefst staken ze elkaar de loef af over de pedanterie waarmee zelfverklaarde criminalisten hoog van de toren bliezen dat ze *profilers* waren en boeken schreven met titels als *Monster mens* of *Wat ik van Geoffrey Dahmer heb geleerd*. 'Die troep wordt vervolgens verkocht aan mensen met een geremde agressie en een laag IQ,' zei Demski dan en Bitterle knikte met gloeiende wangen. Hij is slim en arrogant en zij is slim en bescheiden, dacht Kovacs – waar het om gaat, is dat ze elkaar verstandig vinden, dat roept kennelijk vertrouwelijkheid op.

Als iemand George Demski naar zijn beroep vroeg, antwoordde hij meestal: 'student', en dat was in zoverre juist dat hij al jaren volkomen onregelmatig een schriftelijke studie aan een Belgische universiteit volgde – sociologie, etnologie en groepsdynamiek. Of hij daarmee opschoot, kon niemand echt beoordelen. Af en toe had hij het over werkstukken die hij moest maken, onlangs een meta-analyse over de bevrediging in het werk van Turkse academica's in bepaalde EU-staten. Op de een of andere manier klonk zoiets geloofwaardig, hoewel geen van zijn collega's ooit ook maar één regel onder ogen had gekregen. Dat is een teer punt, dacht Kovacs soms, een zere plek, een donkere plaats, iets wat hem ertoe aanzet een bepaald deel van zichzelf af te sluiten. Misschien had het met zijn voornaam te maken, die hij op zijn Frans uitsprak – wat op zijn moeder terug te voeren was, een uit een klein gehucht bij Grenoble afkomstige Bequerel, maar misschien was het ook allemaal wel verbeelding. Demski leefde in elk geval met Monika Spangler, een uitgesproken magere fysiotherapeute, en hun gezamenlijke zoon van zes, in een van de huurwoningen die het klooster in het grootste van de stilgelegde bedrijfsgebouwen had gebouwd. Hij was ondanks de gruwelijk hoge contributie lid van de vliegvisvereniging, bezat een jol die in de gemeentelijke jachtclub werd onderhouden en ging regelmatig naar Wenen voor de opera of een concert. Hij zat graag op de Rathausplatz in Café Peinhaupt en dronk daar een latte of een pernod. 's Zomers zag je hem met zijn gezin min of meer regelmatig in het openbare strandbad en om de winter gingen ze met zijn drieën op vakantie naar een of andere tropische zee. Die dingen wist iedereen, evenals iedereen wist dat George Demski cigarillo's rookte, nooit een wapen droeg en de betrouwbaarheid in eigen persoon was.

'Hebben jullie verder nog iets gevonden?' vroeg Kovacs. 'Een perverse Beierse paardenverzorger verminkte eerst de geslachtsdelen van haflingermerries en toen hij daar niets meer aan vond, ging hij over op kleine meisjes,' zei Demski.

'Heeft niet echt met hoofden te maken.'

'Nee. Maar wel met dieren.'

'Klopt. Wat is er met hem gebeurd?'

'Psychiatrische inrichting, net als de Italiaan.'

Alles bij elkaar had het speurwerk in de internationaal toegankelijke databanken bevestigd wat al uit de oudere literatuur bekend was en waarmee ze zichzelf nu helaas weer herhaalde, vertelde Bitterle, namelijk dat de hoofdsnijders en gezichtsverminkers op de eerste plaats onder de psychopaten vielen, vooral schizofrenen, soms mensen met iets wat 'psychotische persoonlijkheidsstoornissen' heette. 'Dat zijn dan die fletse zoontjes die op een gegeven moment als ze inzien dat ze in dit leven niet meer van hun moeder zullen loskomen, het bijltje pakken of het vleesmes en haar hoofd van haar schouders scheiden,' zei Demski. 'Dat klinkt super,' vond Sabine Wieck. 'Maar dat is het niet,' antwoordde Demski.

'Ik bedoel: het hoofd van de schouders scheiden.'

'Zogezegd puur taalkundig?'

'Precies. Puur taalkundig.'

Ik heb me niet in haar vergist, dacht Kovacs, ze let op nerveuze bijenkwekers en op details die verder niemand opvallen. Hij keek haar van opzij aan. Ze heeft een mooie neus, dacht hij, groot, de punt een beetje omlaag gebogen. Daar droeg ze een wijnrood fleecejack bij, waarvan de mouwen een centimeter of tien te lang waren. Dat stoort gek genoeg helemaal niet, dacht Kovacs.

Lipp zette voor elk van hen een kop en schotel neer en schonk thee in. 'Wie heeft het leesbaarste handschrift?' vroeg Kovacs. Demski stond kreunend op. 'Wat moet waar?' vroeg hij.

'In het veld *wat hebben we*: "dode bijen" en in hetzelfde veld daaronder: "een verband: bandensporen".'

Demski liep naar het bord, schoof dat dichter naar de tafel en zocht in het bakje naar een viltstift. Kovacs zag dat er intussen van alles was opgeschreven, in de rubriek *wat hebben we nodig* bijvoorbeeld: 'een motief' en 'een moordenaar' of in de rubriek *wie doet wat*: Demski neemt vakantie. Hoe meer mensen aan een zaak werken, hoe kinderachtiger ze worden, dacht hij. Maar hij zei niets.

Terwijl hij de eerste slok thee nam en prompt het puntje van zijn tong verbrandde, zag hij dat er nog iets op het bord stond – een naam met een vraagteken erachter, klein, paars, in dit accurate drukletterschrift. Hij las en voelde een beetje triomf opborrelen. Ook meester George vergiste zich wel eens.

'Daniel Gasselik zit in de gevangenis,' zei hij, terwijl hij voorzichtig in zijn kopje blies en over de bovenkant heen naar het bord keek. 'Dat zit hij niet.' Kovacs zette zijn kop neer. 'Wat bedoel je met "dat zit hij niet"?' 'Meneer de Bondspresident...' zei Demski. Kovacs sloot zijn ogen. Hij zag zichzelf daar tegen de achterwand van de rechtszaal leunen en hoorde Nortegg, die imposante witharige man, die bovendien als bijzonder jongerenvriendelijk te boek stond, zonder enkele ondertoon van spijt zeggen: 'Op grond van de buitengewone wreedheid van de daad en het gebrek aan spijt van de beklaagde vonnist de rechtbank een onvoorwaardelijke vrijheidsstraf ter hoogte van negen maanden. Het uitgezeten voorarrest wordt van de totale gevangenschap afgetrokken.' Hij kon zijn opluchting van toen nog voelen en hij voelde tegelijk hoe die opluchting hem had geholpen om het bestaan van de jaarlijkse kerstamnestie compleet te vergeten. Wat ben ik toch een sukkel! dacht hij.

'Waarom vertelt niemand me dat?!' schreeuwde hij en hij sloeg met zijn vuist op tafel. De kopjes dansten en stonden van het ene op het andere moment in een voetbad. Niemand verroerde zich. Kovacs stond zwijgend op, haalde een doekje uit de keuken en ruimde de rommel op. Zulke dingen overkwamen hem iedere paar jaar.

'Ik heb het u verteld.' Dat was Lipp. Kovacs trok twijfelend een rimpel in zijn voorhoofd. 'Wanneer?'

'Toen op het platform bij de loods. Ik had alles gefotografeerd en u kwam met de kinderen Maywald en hun vader uit het huis. Mauritz was er ook bij.'

Niets, dacht Kovacs, alles weg, uitgewist. En Lipp is nog zo aardig om niets te zeggen over de camera die ik toen was vergeten. 'In de drukte heb ik dat blijkbaar niet gehoord,' zei hij. Een hele week, dacht hij, we hebben een hele week verzuimd ons met Daniel Gasselik bezig te houden, alleen omdat ik dacht dat hij in de gevangenis zat. Hij staarde naar het bord. 'Denk je dat hij daartoe in staat is?' vroeg hij ten slotte. Demski trok langzaam zijn schouders op. 'Natuurlijk denk ik dat hij daartoe in staat is,' zei hij. 'Eigenlijk denk ik dat hij tot alles in staat is.'

'Wat betekent dat: eigenlijk?'

'Ik denk dat voor de kwestie met Wilfert hem nog de middelen ontbreken.'

'De middelen?'

'Spierkracht en rijbewijs, bijvoorbeeld.'

Kovacs zag Demski voor zich, hoe hij achter de tengere knaap uit de verhoorkamer kwam, bleek in zijn gezicht en in elk van zijn bewegingen een nauwelijks onderdrukte woede. 'Als het nog langer had geduurd, had ik hem een dreun gegeven,' had Demski gezegd en ze hadden het allemaal geloofd. Gasselik had eerst anderhalf uur ontkend, hoewel er een heleboel getuigen aanwezig waren geweest, vervolgens was hij honderdtachtig graden gedraaid en had geheel onbewogen verteld dat hij op de arm van deze jongen was gesprongen, ten eerste omdat hij dat op grond van zijn gedrag had verdiend, en ten tweede en hoofdzakelijk omdat het de enige adequate manier was om met zo'n vuile allochtoon om te gaan. Het moeilijkst om uit te houden was die grijns, vertelde Demski. Gasselik had de hele tijd gegrijnsd en tussendoor had hij dromerig zijn ogen gesloten, exact op dezelfde manier als sommige vogels het met hun nepbont deden. 'Dromerig' had Demski gezegd, en ook verder was de sfeer rond dit verhaal uitermate uitzonderlijk geweest. Eleonore Bitterle had haar gesprek met zijn moeder na twintig minuten beëindigd en gezegd dat ze zo'n vorm van zielloosheid niet kon uithouden. Onder andere had de vrouw niet eens geweten of haar zoon aan zijn leerplicht had voldaan of niet, en natuurlijk was hij af en toe lijfelijk gestraft, maar sinds een tijdje nam uitsluitend haar man dat op zich, want die was immers een stuk sterker dan zij. Konrad Gasselik, Daniels vader, had in het verhoor tegen Strack gezegd dat hij er voor honderd procent van uitging dat zijn zoon gelijk had en de kleine Turk hem niet alleen had gehinderd, maar ook had uitgedaagd, zoals Turken nu eenmaal doen. Toen vroeg Gasselik hem in wat voor auto hij reed, had Strack verteld, en hem uitgenodigd eens een middag de tijd te nemen voor een uitgebreide proefrit. Hij had bijvoorbeeld een eersteklas gerenoveerde Jaguar E-type in de showroom staan, die prima bij een heer met grijzende slapen paste. Strack had erom gelachen en geen van hen had ooit te horen gekregen of hij erheen was gegaan of niet. Op Demski's bureau was in elk geval even later die blikken eend opgedoken, die zijn halve rechteroog miste. Demski beweerde dat hij de eend thuis wel eens opwond en dat hij dan in een tempo en met een doelgerichtheid door de woning rende dat je zou kunnen denken dat hij het volgende moment opsteeg en wegvloog. Het weekend nam hij hem meestal mee naar huis en Kovacs stelde zich dan voor dat hij naast zijn bed op het nachtkastje stond en de wacht hield terwijl hij sliep.

'Wat stel je voor?' vroeg Kovacs.

Demski dacht even na en schudde toen zijn hoofd. 'Hij was het niet.'

'Maar autorijden kan hij als zoon van een autohandelaar gegarandeerd.'

'Voor de kwestie met Wilfert heeft hij nog niet het formaat.'

Voetballers hebben soms nog niet het formaat, dacht Kovacs – voor het nationale elftal bijvoorbeeld of voor de Champions League. 'Wat stel je voor?' vroeg hij nogmaals.

'Ik bel de reclassering,' zei Demski.

'Waarvoor?'

'Hij heeft gegarandeerd een reclasseringsmedewerker toegewezen gekregen. Misschien dat die iets is opgevallen.'

'Walter Grimm,' zei Bitterle.

'Hoezo Walter Grimm?' vroeg Kovacs.

'Omdat er in onze regio welgeteld drie reclasseringsmedewerkers zijn voor jeugdige misdadigers: Jolanthe Beyer, Irmgard Schneeweiß und Walter Grimm, en omdat voor een potentiële bottenbreker gegarandeerd geen vrouwen worden genomen.'

Ludwig Kovacs voelde een licht onbehagen. Grimm was een kleine, gedrongen man die zoals bekend nooit zonder elektroshockapparaat de deur uit ging. Iemand die in zijn schooltijd voortdurend werd afgerammeld en later driehonderd uur psychotherapie nodig had gehad, gokte hij. Kovacs had voor het laatst met Grimm te maken gehad, toen een van zijn cliënten een tankstation had overvallen en de caissière in haar bovenarm had geschoten. Grimm had na de arrestatie van de man één zin gezegd: 'Laat hem nooit meer vrij' en Kovacs wist nog precies dat hij toen het gevoel had gehad dat deze man op hetzelfde moment eigenlijk was gestorven, uit, morsdood.

'In orde. Jij belt Grimm op om te zien of hij iets weet.' Demski knikte tevreden en schreef 'Contact met reclasseringsmedewerker' op het bord. 'En Gasselik zelf?' vroeg Lipp. 'Die laten we voorlopig met rust,' zei Kovacs. 'Hij moet niet nerveus worden.'

'Hij was het niet,' zei Bitterle.

'Waarom niet?' vroeg Kovacs.

'Hij is pas zestien.'

Demski lachte hard. 'Dat waren wij ook ooit,' zei hij.

In werkelijkheid verdraagt niemand het idee dat een zestienjarige een oude man de keel doorsnijdt en dan het gezicht vermorzelt, dacht Kovacs. Hij verdroeg het ook niet.

Tot de begrafenis zou beginnen, was het nog dik anderhalf uur. Kovacs had naast Sabine Wieck ook Lipp meegenomen en Demski had alleen iets van 'altijd alles alleen doen' gemompeld, maar zich er verder niet tegen verzet. De twee keken verbaasd toen Kovacs bij de poort de richting naar het meer insloeg, maar zeiden niets. Ze liepen langs het regionale commandocentrum en de belastingdienst en sloegen, vlak voor de weg naar het vrijetijdscentrum afliep, de hoek om van de Eschenbachring. Kovacs nam naast zich Sabine Wiecks soepele gang waar en bedacht dat hij zich in haar aanwezigheid vanaf het begin behaaglijk had gevoeld. Het is anders dan bij Patrizia Fleurin, dacht hij, en heel anders dan bij Marlene, maar het is goed. Wat leeftijd betreft had ze zijn dochter kunnen zijn, misschien lag het eraan, misschien óók eraan, dat zijn eigen dochter zo heel anders was. Ze zou nooit zo soepel bewegen en nooit ook maar half zo alert tegenover haar omgeving zijn als Sabine Wieck.

'Dat meent u niet,' zei Lipp, toen Kovacs in de 'Tin' de weg naar het terras insloeg. Hij verzocht Lipp een van de tafeltjes sneeuwvrij te maken. Zelf ging hij naar binnen en begroette Lefti, die in de gastenruimte sudoku's zat op te lossen. 'Blijf zitten,' zei hij. 'Ik weet de weg.' Hij haalde drie stapelstoelen met zitkussens uit het depot, droeg ze naar buiten en zette ze bij de tafel. Hij ging zitten en maakte een uitnodigend handgebaar: 'Ideale omstandigheden; maak het je gemakkelijk.' 'Min vier graden,' antwoordde Lipp en hij trok een zuur gezicht. Sabine Wieck trok haar jas recht, schoof de das tot haar kin en ging ook zitten. Lipp gromde.

'De zon schijnt,' zei Kovacs.

Ze begonnen hun planningsronde bij de personen die te verwachten waren: de vijf Maywalds; Wilferts zoon, die in München een drankenimporthandel leidde; zijn ex-vrouw; hun gezamenlijke zeventienjarige dochter; Wilferts broer en zus, die nog in leven waren, de zuster die met haar tweede man in Bruck an der Mur woonde, en de broer die waarschijnlijk niet zou komen omdat hij na een zwaar hartinfarct met een verlamming aan de rechterhelft van zijn lichaam in een rolstoel zat. De drie broers en zussen van Wilferts overleden vrouw met hun gezinnen; de buren, waarbij het wegens de ligging van de boerderij om niet meer dan twee families ging; afvaardigingen van de jachtclub en de ouderenbond; eventueel een paar goede kennissen; meer niet. Zoiets als vrienden had haar vader allang niet meer, had Luise Maywald bij haar laatste verhoor gezegd.

'Zouden de jagers een saluutschot afvuren?' vroeg Lipp.

Op dat moment stootte Lefti de terrasdeur open. Hij zette een dienblad met een grote, ronde terracottapot, drie lichtblauw geglazuurde schalen en bestek op tafel. '*Bismillah*,' zei hij. 'Eet smakelijk,' zei Kovacs. 'Wat is dat?' vroeg Lipp. 'Bietentajine met couscous,' antwoordde Lefti.

'Nee, ik bedoel dat bisma-en-nog-wat.'

'*Bismillah*. In naam van God. Dat is de groet waarmee in Marokko de heer des huizes de tafel opent.'

Lipp zei daar niets op. Kovacs tilde het deksel van de pan op en snuffelde. 'Steranijs en koriander.'

'Dat herstelt na de feestdagen de maag weer,' zei Lefti. Hij ziet er ernstiger uit dan anders, dacht Kovacs. Er is iets met hem aan de hand.

'Ik denk niet dat jagers op een begrafenis hun geweer afvuren,' zei Kovacs en de twee anderen waren het helemaal met hem eens. Soldaten gaven saluutschoten, eventueel de Tiroler schutters, maar jagers niet.

Florian Lipp at met bijzondere smaak. Telkens doopte hij grote stukken brood in de saus. Zoiets heeft hij nog nooit gegeten, dacht Kovacs. Hij zocht in zijn herinnering, maar vond geen beeld van Lipps moeder.

Ze spraken af dat Sabine Wieck Wilferts familie in de gaten zou houden, Lipp de andere begrafenisgasten en Kovacs de omgeving. Lipp zou bovendien foto's maken, voor alle zekerheid. Dat de moordenaar ook na zijn daad de nabijheid van zijn slachtoffers zoekt was wel een cliché, maar eigenlijk kon niemand zeggen hoe het ging tussen moordenaars en clichés. Kovacs probeerde zich het kerkhof voor te stellen, het gebied met de hoge met beeldhouwwerken versierde grafstenen meteen rechts van de ingang, waar de notabelen van de stad en geselecteerde ereburgers lagen, de neogotische aula met de smalle, spits toelopende ramen en het afschuwelijke opstandingsfresco, de rij oude cipressen binnen de noordelijke grensmuur. Het zou koud zijn en daarom zouden de mensen niet alleen hun hoofd intrekken, maar zich ook met dassen en mutsen vermommen, wat nog ging. Geen duidelijke gezichten, dacht hij, dat past bij het verhaal.

De terrasdeur ging open. Lefti sprak met iemand. Kovacs keerde zich om. Een oosters uitziende man in een oranje winterjack kwam naar buiten. Lang, slank, een jaar of dertig, niets op zijn hoofd, geen handschoenen. Hij zette op een paar meter afstand twee stoelen tegen de door de zon beschenen huismuur.

Lefti liep rond, verdeelde met een zilveren tangetje stukjes gesuikerde gember over smalle glazen en schonk er pepermuntthee op. 'Gember verwarmt,' zei hij, en met een korte blik naar opzij: 'Dat is mijn neef.' Toen ging hij bij de man zitten.

Ze bespraken stap voor stap het te verwachten verloop van de begrafenis, de ceremonie, de plekken. 'Wat verwachten we eigenlijk?' vroeg Lipp na een poosje. Kovacs keek hem verbaasd aan. 'Iemand die zich graag vertoont,' zei hij. Hij voelde tegelijk dat hij onrustig was geworden. Het kwam door Lefti's neef en door Sabine Wiecks verminderde oplettendheid. Ze keek telkens opzij en friemelde aan de manchetten van haar fleecejack. Ze vindt die man leuk, dacht hij, en ik ben jaloers. Hij probeerde zich hem met een paar pakjes semtex op zijn lichaam voor te stellen en een elektronische ontsteker in zijn jaszak, maar het lukte hem niet. De man had een opvallend rollende lach en Lefti leek in zijn aanwezigheid bijna uitgelaten; dat was vreemd. Waar is Szarah, dacht Kovacs, met haar bedachtzaamheid en haar ernst?

Toen ze wilden vertrekken, lag de schaduw van de Kammwand als een holografisch plaatje in de mistsluier over het meer. De weersverslechtering die voor de komende dagen was voorspeld, was nog niet zichtbaar. Ludwig Kovacs had de smaak van pastinaken en peterselie in zijn mond. Hij dacht eerst aan Marlene en aan hoe fijn hij het vond als ze kookte, en vervolgens aan Demski, van wie hij nog steeds zo weinig wist. Ten slotte dacht hij aan zestienjarigen, die grijnsden en anderen de armen braken en aan mannen die kinderen tegen ijzeren stangen sloegen.

Zestien

Mijn hand voelt raar aan, vanbuiten als een ijsklomp en vanbinnen als vuur dat zich uitbreidt en weer krimpt. Ik weet dat als ik lang genoeg hier in de kou sta, alleen met mijn cape en mijn gedachten, alles weer gewoon wordt, en als die oude man met de doorgesneden keel en het fijngeprakte hoofd diep onder de grond ligt en het gat is dichtgegooid, zal alles voorbij zijn. Ik stel me voor dat ik in mijn sterrenjager zit en hoog over Hoth, de ijsplaneet, vlieg en dat ver beneden mij een kudde tauntauns over de eindeloze sneeuwvlakte galoppeert, misschien op de vlucht voor een wampa, dat enorme roofdier, maar misschien ook wel gewoon zomaar. Mij kan niets gebeuren en er is ook niets wat me pijn doet, want ik heb allang zo'n mechnohand als Anakin Skywalker.

Het begon er allemaal mee dat vader meteen vanmorgen door het huis liep, vijf keer, tien keer, vijftien keer, want hij was een paar dingen vergeten op te geven bij de belasting, de vloerverzegeling in de servicehal bijvoorbeeld of de nieuwe kanteldeur bij de garage. Daniel stond voor de magnetron en zei: 'Daar gaat de wereld niet aan kapot' en toen maakte vader een klein gebaar met zijn hand: naar het kantoor.

Als Daniel terugkomt, zie je nog niet zo veel, alleen de licht gebarsten onderlip en zijn naar rechts verdraaide manier van lopen. Als hij zijn grijze trui met capuchon al had aangetrokken, zou je aan zijn gezicht helemaal niets zien. Hij neemt een vel papier van het kladblok naast de telefoon, schrijft er iets op en stopt het me toe: Gerstmanns kat.

Hij loopt naar buiten, naar rechts verdraaid, keert zich niet om en ik weet onmiddellijk: dat werkt niet. Dat Gerstmann een opgeblazen terreinopzichter is met een opgeblazen terreinopzichtervrouw en drie opgeblazen terreinopzichterkinderen staat niet ter discussie en dat hij dat allemaal verdient ook niet, maar dat verandert er jammer genoeg niets aan dat ze allemaal in Noord wonen in een van die flats op de vijfde of zesde verdieping, met alleen een balkon, ver weg van een tuin. De schildpadangorakat, waarover hij altijd praat als over zijn vierde kind, en die net zo is als je je Gerstmanns kat voorstelt, namelijk een arrogante, opgeblazen terreinopzichterkat. Zij blijft daarom altijd in huis en geen mens komt ook maar in de buurt van haar hals, laat staan met een mes.

Als ik in Daniels kamer kom en het tegen hem zeg, krijg ik een dreun en nog een, wat wel goed is, want uiteindelijk heb ik nee gezegd en eigenlijk is hij de imperator al omdat hij op dat moment de grijze trui over zijn hoofd trekt. Zijn gezicht ziet er nu uit alsof hij een erge allergieaanval heeft, met opgezwollen ogen en knalrood en alles, maar dan is het ook al weer in de schaduw van de capuchon verdwenen. Hij zegt: dat met de kat geeft niets en het lelijke angorabeest zal wel eens door onze straat lopen en dan zal Gerstmann staan te kijken met zijn domme gezicht. Ik ben blij en zeg: ja, dan zal hij staan te kijken, en, omdat ik het gewoon zo bedenk: een hond, ik zal de volgende keer een hond nemen. Hij is tevreden en zegt dat hij me als beloning iets van binnen zal vertellen of misschien zelfs laten zien. Voor zover ik het verdiend heb.

De koelkast is leeg. Met Nieuwjaar worden de overgebleven spullen altijd weggegooid. Dat moet Lore doen, anders krijgt moeder een aanval. Ik kijk alleen voor de zekerheid nog even. Ze had immers iets vergeten kunnen hebben. Ik doe mijn zwarte cape om, zet het masker op en ga op bed liggen. Ik haal adem en maak het juiste geluid erbij. Ik ben Darth Vader.

Bij de Spar op de hoek van de Ettrichgasse en de Linzer Straße ken ik de dunne vleesverkoopster met de roodgerande bril. Ik weet dat ze een dochter heeft die voor kapster leert en dat ze in een kleine donkergroene Citroën rijdt. Ze begrijpt me meteen als ik om worst met een kerstklok of een ster of een dennenboom vraag. Ze zegt dat Kerstmis al anderhalve week geleden is en dit soort worst normaal gesproken om deze tijd van het jaar niet meer wordt gevraagd, maar ze gaat toch in de koeling kijken en vindt nog een restje met een komeet. Een ster met vijf punten en een gebogen staart. Ze vraag hoeveel ik nodig heb en ik zeg een ons, omdat iedereen bij worst een ons zegt, en ze geeft hem me voor de helft van de prijs, omdat er toch geen vraag naar is.

Een kort stuk de Linzer Straße uit, eenmaal naar rechts, langs een affichemuur, nog een keer naar rechts en dan is het het tweede huis. In de tuin een paar antieke figuren, goden en nymfen en zo, maar wel van een of andere atoombestendige kunststof. Ik loop nog vijftig meter door tot aan het punt waar de Linzer Straße een bocht naar links maakt en rechtdoor een klein pijnhoutbosje ligt, bijna een park, alleen dan zonder banken. Ik ga in het midden onder de bomen staan, zodat niemand me ziet, kijk op mijn horloge en ben ervan overtuigd: nog tien minuten.

De deur gaat open en hoewel ik hem niet kan zien, weet ik dat boven aan de trap Reithbauer staat in zijn volle buschauffeursmassa en tegen de hond zegt: 'Ga maar.' De hond rent de trap af, springt omhoog, duwt met zijn voorpoten op de klink van het tuinhek en is buiten.

Ik hou hem in de gaten, hoe hij zigzaggend de straat door loopt, heen en weer en heen en weer, van de ene straatlantaarn naar de volgende. Intussen doe ik mijn rugzak af, zet het masker op en haal het pakje met de kerstworst tevoorschijn. De hond is zo vet dat bij iedere stap zijn buik een stuk opzij zwaait, eenmaal links, eenmaal rechts. Hij is zelf een worst en worsten zijn er om in te snijden. Iets van die strekking zou Daniel zeggen, tot zover klopt alles. Ik leg mijn vuisthamer naast mijn rugzak in de sneeuw en schuif de kling van het stanleymes zover mogelijk uit. Een dikke hondennek heeft een lange kling nodig. Als de hond bij de rand van het bosje aankomt, roep ik zachtjes: 'Cora!' De hond blijft staan, spitst zijn oren en komt dan kwispelend op me af. Honden kan het niets schelen als je een Darth Vader-masker voor je gezicht hebt, ze gaan altijd af op de geur van de worst in je hand. 'Cora, zit!' zeg ik. De hond gehoorzaamt, gaat op een meter of twee bij me vandaan zitten en begint stom te janken. Ik neem een dubbele plak kometenworst in mijn linkerhand, het stanleymes stevig in mijn rechter en ga langzaam op hem af. Ik haal uit met mijn linkerarm, zeg: 'Brave Cora' en op het moment dat de hond zijn hals strekt en voorzichtig met de punt van zijn bek de worst aanpakt, stoot ik toe.

Je rekent er niet op dat een mes niet zo in hondenhuid gaat als in mensenhuid, en je rekent er niet op dat een ver uitgeschoven stanleymeskling die in hondenhuid met vacht erop moet gaan, doorbuigt als een handzaag die in het hout blijft steken. Daarom aarzel je op het cruciale moment een tiende seconde, maar dat is genoeg. De hond draait zijn kop om, precies als ik voor een tweede keer uithaal, de kling breekt af en ik zie, als hij me in mijn hand bijt, dat er aan zijn hoektand rechtsonder nog een halve plak kerstworst hangt. Ik sla en schop hem tot hij me loslaat en jankend wegloopt, en ik grabbel mijn spullen bij elkaar en ren ook weg.

Als ik bij het botenhuis van het biologische waarnemingsstation kom, daar waar het meer nooit dichtvriest, doet mijn hand zo'n pijn dat ik het bijna niet meer uithoud, en het bloed druipt nog steeds. Het stanleymes met de rest van de kling heb ik nu in mijn linkerhand en als iemand me nu ziet, zal die waarschijnlijk denken dat ik zojuist heb geprobeerd mijn polsen door te snijden. Ik ga eerst op de steiger vlak naast het botenhuis op mijn knieën zitten, en als ik zie dat de afstand tot het water te groot is, ga ik op mijn buik liggen. De kou die via de sneeuw in mijn lichaam dringt, voel ik niet meer vanaf het moment dat ik mijn hand in het water steek.

Ik heb aan Wawrowsky gedacht, dat weet ik nog, aan onze carrosseriespuiter, die een keer heeft gezegd: als je je hand verbrandt, bijvoorbeeld aan het motorblok of een knalpot, is het het belangrijkste dat je die onmiddellijk in ijswater doopt en net zo lang laat zitten tot je niets meer voelt. Toen moest ik denken aan skiën met mijn ouders dat altijd nogal saai is, omdat mijn vader de hele tijd loopt te schreeuwen: Bovenlichaam naar voren! of zo, en als je dat niet doet, geeft hij je een dreun, midden op de piste. Aan het einde ging ik aan de ijsplaneet Hoth denken, aan dat daar alles wit is, en zelfs Han Solo, die op de tauntaun over de sneeuwvlakte rijdt, een wit donsjack draagt. Toen had ik absoluut nul gevoel in mijn hand. Voor alle zekerheid heb ik die nog een minuut in het water gehouden en toen ik hem eruit haalde, was hij ook helemaal wit. Geen pijn meer en geen bloed, precies zoals Wawrowsky heeft gezegd, ook al is het geen verbranding. Ik heb mijn want over mijn hand aangetrokken en het stanleymes in het meer gegooid. Geen mens zal het daar vinden.

Nu sta ik hier op het kerkhof op een plaats waar niemand me ziet en mijn hand speelt weer op. Ik denk dat het er minder mee heeft te maken dat ik mijn hand langer in het meer had moeten houden, maar vooral met het feit dat ik de opdracht niet naar behoren heb uitgevoerd. Daniel zal me vertellen dat ze je hand daarbinnen tot moes slaan. En dan zal hij net zolang alcohol op de bijtwond laten lopen tot ik zeg: ja, het bijt erg.

Over tien minuten zullen ze komen, maximaal met twintig, in een lange, zwarte optocht, en door al die sneeuw zal het eruitzien als een oude film. Ik stel me voor dat een misdienaar met een kruis boven op een lange staaf vooropgaat en een ander een wierookvat laat bungelen. Bovendien stel ik me voor dat de priester per ongeluk vraagt of er iemand aanwezig is die de dode nog een keer wil zien, en dan staat er echt iemand op en roept: ja, en een ander neemt dan het hoofddeel van de kist af, vóór de overigen: 'stop!' kunnen roepen. Ik denk dat als het gat met de dode oude man is dichtgegooid, alles voorbij is en dan zal ik later Daniel nog wel eens vragen hoe hij het heeft gedaan.

Zeventien

Het kerkschip staat glashelder voor hem. Als een blok ijs. Erin gegoten de lichtkegel, die vanuit het rozetraam in de ruimte valt. Helemaal beneden de mensen, met minimale bewegingsruimte.

Hij beeft vanbinnen. Onder zijn borstbeen is het koud. De adem bevriest in hem. Hij kan hem amper uitblazen.

De Heer zij met u.

En met uw geest.

Sommige mensen staan op. Sommigen knielen. Zoals altijd een moment van onzekerheid.

Zo zegene u de almachtige God. De Vader, de Zoon en de Heilige Geest. Amen.

Tot slot 'Zegen ons, Maria'. De tranenproef. Wie bij het derde couplet nog niet huilt, heeft geen echte relatie met de overledene gehad.

Zegen ons, Maria, in onz' laatste stond,
Sterk ons godsvertrouwen, geef het vaste grond.
Uwe hand, Maria sluit onz' ogen dicht,
Als wij blijde opgaan naar Gods glorielicht!

Vooraan in het middenpad de kist van licht eikenhout, bovenop een krans van dennentakken, hulst en buxus, met daartussen bessen en een paar donkere rozen.

'Een laatste groet. Luise, Ernst, Ursula, Georg, Katharina.' Frank, de oudste misdienaar, pakt het processiekruis op. Hij draagt wollen handschoenen, met afwisselend een zwarte en een grijze vinger. De kist wordt op de kar getild en naar de poort gerold.

Hij grijpt in de split van zijn mishemd, trekt zijn donsgilet aan de ritssluiting omhoog en tast de zijzakken af. Rechts de iPod, links de vingerloze handschoenen. Voor de zekerheid.

De achterklep van de lijkauto staat al open. De kist wordt de trap van het portaal af gedragen en in de wagen geschoven. Links en rechts staan wanhopige mensen, kriskras door elkaar. Ze doen hem niets.

Hij gaat met de misdienaars vooraan in de stoet lopen. Vlak achter zich hoort hij het motorgeluid van de auto. Ik zal hard lopen. Dat is een van de weinige dingen die hij helder kan denken.

Waarschijnlijk komen ze niet. Hij zal op het perron staan en zijn armen uitspreiden en er zal niemand zijn. Ze zullen in hun huisje in het dorpje aan de Salzach zitten en niet gekomen zijn en hij zal zich omdraaien en zijn oordopjes in doen.

You try so hard / But you don't understand / Just what you'll say / When you get home.

Door de voorhof naar buiten over de brede hoofdinrit. Tegenover de Rathausplatz. Onder de kastanjes een paar hoge sneeuwbergen. Linksaf de Stiftsallee in, langs de zuidelijke gevel van het klooster. Een tijdlang luidt de kleinste van de klokken.

Dat heeft hij allemaal aan Clemens te danken. Een acuut bijeengeroepen abt- en priorcongres van de hele diocese, heeft hij gezegd, vooral vanwege de problemen met de nieuwe bisschop. Hij kon onmogelijk wegblijven. Robert had verplichtingen in zijn parochie en Jeremiah is herstellende van een heupoperatie. Plotseling was er geen alternatief.

De jonge agent die bij de afslag naar de oude Abt-Karl-Straße het verkeer regelt, salueert als hij langsloopt. Hij salueert terug.

De Abt-Karl-Straße door, de hoek om naar de Weyer Straße, rechtstreeks naar het kerkhof. Het smeedijzeren hek staat wijdopen.

Een oordopje. Het linker.

Because something is happening here / But you don't know what it is / Do you, Mister Jones?

Alle paden van de kerkhof zijn optimaal geruimd, de meeste zelfs met grind bestrooid. Weinstabel heeft heel wat werk verricht. De doodgraver staat voor de werktuigenschuur, klein en mager, in een donkergrijze loden mantel, zijn bontmuts in zijn hand, zijn blik omlaag.

Het graf ligt aan de oostzijde van het kerkhof, in de op een na laatste rij, iets verhoogd, zodat men een goed overzicht heeft. In totaal bevinden zich driehonderdelf mensen binnen de muren, zevenentwintig van hen vlak bij het graf, iets terzijde van hen de jachthoornblazers, op het brede middenpad de vertegenwoordigers van de openbare instellingen, onder wie Steinböck, de burgemeester, en Jelusitz, het districtshoofd, daarachter de afvaardiging van de jachtclub en, rondom een zwart-met-zilveren vlag, een handvol stokoude mannen, de vertegenwoordigers van de Kameraadschapsbond.

De kist wordt op de touwen van de installatie om hem te laten zakken geplaatst. Op het zwartgelakte rooster is de naam van de producent te lezen: Lovrek. Misschien heten alle producenten van deze installaties ter wereld wel Lovrek, denkt hij, en de heer Lovrek is een steenrijke man.

Hij weet dat hij nog iets moet zeggen, maar hij merkt dat ieder concept hem is ontschoten.

Genade zij met u.

Hij geeft de vier heren van de jachthoornblazersgroep een teken en ze spelen een koraal. Hij is bang dat het ook zijn muziek verscheurt. Hij houdt zijn handen beschermend boven zijn linkeroor.

When someone attacks your imagination.

De mensen kijken verbaasd, maar dat kan hem niet schelen.

Vlak voor hem de dochter en schoonzoon van de overledene met hun drie kinderen. Dicht tegen haar moeder aan de kleinste van de twee dochters in een groen gewatteerd jack met eekhoorntjes. Ze heeft als enige van de familie geen bosje rozen in haar handen.

Een van de blazers heeft problemen met de hoge tonen. Vermoedelijk komt het door de kou. Luise Maywald heeft desondanks tranen in haar ogen. Ze kijkt star in de verte, over de muur, ook over de toppen van het ooibos. Haar linkerwang is lila verkleurd.

Hij weet dat hij nu iets zou moeten zeggen. Het boek Prediker schiet hem te binnen. Hij kent de passage uit zijn hoofd. Toch wenkt hij de misdienaar en doet alsof hij leest uit het boek.

Alles heeft zijn uur;
Alle dingen onder de hemel hebben hun tijd.
Er is een tijd om te baren en een tijd om te sterven,
Een tijd om te planten en een tijd om wat geplant is te oogsten.
Een tijd om te doden en een tijd om te genezen,
Een tijd om af te breken en een tijd om op te bouwen.
Een tijd om te huilen en een tijd om te lachen,
Een tijd om te rouwen en een tijd om te dansen.

Iedereen buigt het hoofd. Hij weet dat hij iets over het leven van de overledene zou moeten zeggen, en hij weet dat hij het notitieblaadje achter in het ceremonieboek heeft liggen, maar tegelijk verscheurt hij het en in een aantal stukken vliegt het ergens heen.

Hij heeft drie mensen van de politie geteld: Florian Lipp, meteen links van de ingang; bij de splitsing naar het graf, daar waar ze de rolbaar hebben laten staan, een jonge vrouw met donkerblond haar en oorbeschermers, van wie hij de naam niet weet; en aan de oostelijke grensmuur, vlak achter zijn rug en daarmee buiten zijn gezichtsveld, Ludwig Kovacs. Lipp was destijds leerling in zijn allereerste wiskundeklas, een slanke knaap met donker haar, altijd bedachtzaam, nooit op de voorgrond, geen streken. Van Kovacs wordt gezegd dat hij niets zo graag heeft als de directe weg naar de eenvoudige verklaring. Hij leidde ooit een ondervraging van alle docenten, toen het gerucht ging dat op het kloostergymnasium grotere hoeveelheden cocaïne in omloop waren. Op een neutrale toon, niet tendentieus, de uitkomst geheel correct.

You put your eyes in your pocket / And your nose to the ground.

Een windvlaag veegt over het kerkhof, zuigt hier en daar de sneeuw in de vorm van kleine windhozen omhoog, een meter hoog, misschien anderhalf. Hij slaat zijn armen om zijn lichaam, om te voorkomen dat het misgewaad gaat wapperen.

You should be made / To wear eyephones.

De burgemeester vat de pauze als aansporing op, komt naar voren en haalt zijn aantekeningen uit zijn zak. Hij kijkt om zich heen als bij het begin van een verkiezingsrede: Hoge Geestelijkheid! Beste familie Maywald! Geachte rouwenden! Geweld vereist officiële woorden. Van politici kun je op aan.

Hij kijkt om zich heen. Als ze hier waren, zou hij het allang weten. Sophie zou ergens op de achtergrond staan en de jongen tegenhouden, want een omhelzing bij een open graf ging niet.

Aan de rechterkant van zijn gezichtsveld neemt hij iets vertrouwds waar. Hij probeert zich te concentreren.

Something is happening here / But you don't know what it is / Do you, Mister Jones?

Iets van de menigte af, op een wat breder pad, zit in een rolstoel, stevig in dekens gepakt, een vrouw. Franziska Zillinger uit zijn bejaardentehuis in Waiern. Ze lijkt naar de toespraak van de burgemeester te luisteren en schudt af en toe haar hoofd. Tussendoor glimlacht ze bedachtzaam. Op de grepen van de rolstoel leunt een jongeman in een grijs jack, vermoedelijk iemand die zijn alternatieve dienstplicht vervult. Hij stapt van zijn ene voet op de andere en trekt zijn schouders in.

De hoek met de watertapplaats. De cipressen. Negentien stuks. Bij de tweede van rechts staat plotseling nog iemand, alsof hij zojuist achter de stam vandaan is gekomen. Bij elkaar dus driehonderdtwaalf. Klein, smal, donker jack, blauwe hoofdband, voor zich op de grond een rugzak. Björn.

Hij draait zich helemaal om. Kovacs bevindt zich nog steeds op zijn plaats. Hij leunt tegen de muur, vlak naast het graf van Engelbert Stransky, de voormalige kloosterorganist, en schrijft iets in zijn aantekenboekje. Hij kan niet beoordelen of Kovacs alle aanwezigen heeft geregistreerd.

Over Björn denkt hij: een voorbijganger, die toevallig langskomt. Of een jongen die voor de klas komt en iets op het bord schrijft, een zin, die middenin afbreekt. Over Kovacs denkt hij: rijzig en stevig, en hij ziet hem voor zich, hoe hij langzaam van een trap af komt, in zijn armen iets waarvan hij niet kan zien wat het is. Misschien een mes.

Introibo ad altare Dei.

De burgemeester trekt zich terug. Hij heeft de hele tijd gesproken over een onopvallend leven in dienst van de gemeenschap. Niets dan loze woorden.

Introibo ad altare Dei.

Ad Deum, qui laetificat inventutem meam.

Hij gaat bij het graf staan en begint aan de zwengel te draaien. Lovrek, leest hij weer. Een van de dragers trekt aan zijn mouw en fluistert hem iets in het oor. Hij trekt zijn hand terug en laat hem begaan.

Neem, aarde, wat van jou is.

Buiten voor de poort blaft een hond, steeds harder en harder.

De kist zakt in de kuil.

Het punt waar de dingen in elkaar beginnen te passen.

Hij duwt de tweede oordop in zijn oor.

Achttien

Er waren van die dagen, die begonnen heel vroeg. Slaapdronken probeerde je jezelf wijs te maken dat het niets met jou te maken had, maar dat hielp niet veel. Je keek om je heen en er was niets wat je blij stemde. Behalve dan misschien dat de kat nog leefde.

Irene had niet meer kunnen slapen. Ze had eerst liggen woelen, toen was ze rechtop gaan zitten met haar rug tegen het hoofdeinde en had in het donker gestaard. Hij was wakker geworden en weer ingedommeld en toen hij weer wakker werd, was ze weg. Hij had een spijkerbroek en een trui aangetrokken en was op zoek gegaan. Ze zat in de stal, in zijn fauteuil, en luisterde naar het Schumannconcert, de opname met Jacqueline du Pré. 'Ben je verdrietig?' had hij haar gevraagd. Ze had geen antwoord gegeven. Hij had haar thonetstoel gepakt en was naast haar gaan zitten.

'Is het verstandig om je met het onbereikbare te confronteren als het toch al slecht met je gaat?'

Ze had haar hoofd omgedraaid en hem even aangekeken. 'Ze speelt het gewoon zo mooi.' Na een tijdje was hij zacht opgestaan en naar de keuken gelopen. Wat ben ik toch een psychosukkel, had hij gedacht.

Hij had eerst de kat eten gegeven en was toen begonnen met het ontbijt klaar te maken. Sinaasappelsap, geroosterd brood, gegrild spek. Ze raakt Tobias kwijt en ze heeft een hekel aan Tsjaikovski, had hij gedacht. Hij had op de klok gekeken. Het Schumannconcert duurde een klein halfuur. Hij was weer teruggegaan en had haar bij het begin van de tweede zin onderbroken. 'Voor de hoeveelste keer luister je hier al naar?' had hij gevraagd. Ze had vier vingers opgestoken. Hij had zijn arm om haar heen geslagen.

Om tien over zes, toen hij juist de tweede kop koffie had ingeschonken, ging de telefoon. Clemens, de abt. Bauer deed vreemd, dat wil zeggen, vooral de vorige dag, bij de begrafenis, was het blijkbaar moeilijk geweest. De burgemeester zelf had hem opgebeld, niet verontwaardigd, maar eerder bezorgd. We kennen Bauer immers. Hij, Clemens, was verbaasd, want Bauer had de laatste tijd een buitengewoon stabiele indruk gemaakt, zodat hij hem zonder aarzeling deze precaire plechtigheid had toevertrouwd. Ook het begin van de school na de kerstvakantie was zonder problemen verlopen en noch uit de klassen, noch uit de vergaderzaal had hij klachten gehoord.

Hij had opgehangen en daarbij naar Irene gekeken, die een lepel perengelei uit de pot nam. 'Het ziekenhuis?' had ze gevraagd. Hij had zijn hoofd geschud: 'Nee. Bauer.' Vervolgens had hij nog gezegd een pater benedictijn die niet helemaal spoort, begraaft een oude man van wie de schedel tot moes is geslagen, dat is toch iets geks. Irene had gezwegen en hij had zich afgevraagd waarom de abt de ordepater alleen tegenover hem, de psychiater, 'Bauer' noemde, hoewel hij anders consequent 'Pater Joseph' zei. Irene had nog een tijdje de kat geaaid en was ten slotte opgestaan. 'Heb je de stal nodig?' had ze gevraagd en hij had zijn hoofd geschud: 'Nee, ik ga in het kantoor zitten.'

Bauer was in zijn bewegingen misschien iets hoekiger dan anders; afgezien daarvan viel Horn niets op. Hij had sinds ongeveer een week de quetiapine naar tweehonderdvijftig milligram per dag verhoogd, zei hij, en nu begon hij langzaam het effect te merken. Hij had weer het gevoel gehad alsof er gaten in zijn lichaam werden geboord en dat het alleen nog maar een kwestie van tijd was tot hij met een reuzeknal in duizend stukken werd gescheurd. Ja, natuurlijk had hij dag en nacht gerend als ik weet niet wat en natuurlijk had hij naar zijn muziek geluisterd.

'Ook tijdens de begrafenis?'

'Ja, ook tijdens de begrafenis.'

Als hij het precies wilde weten – hij had naar *Ballad of a Thin Man* geluisterd en omdat hij dacht dat het voor de psychiater bijzonder interessant was – hij heeft ernaar geluisterd omdat het een door en door paranoïde nummer was en hij zich dan niet zo alleen voelde. Nog een klein restje spanning, dacht Horn, een licht projectieve scherpte die de ander voor zijn eigen ellende verantwoordelijk maakt. Verder was er niets verdachts, geen incoherentie in zijn denken, geen afglijden, nee, zelfs geen zweem van een associatieve verzwakking, geen stemmen in zijn hoofd, geen ervaring van beïnvloeding of besturing van buitenaf, geen overmatige betekenisgeving, geen grootheidswaanzin. Als je niet wist hoe snel Bauer kon vallen en hoe snel hij zich weer kon herstellen, had je Clemens' beschrijving van de gebeurtenissen van de vorige dag als pure fantasie kunnen beschouwen.

Horn pakte Bauer bij de pols en bij de ellebogen en testte de passieve beweeglijkheid. 'Quetiapine roept geen parkinson op,' zei Bauer.

'Soms wel.'

Bovendien behoorde het tot het ritueel van een zenuwarts en was het de enige gelegenheid een patiënt aan te raken zonder je verdacht te maken. Horn zei hierover niets. 'Is je bij de begrafenis iets opgevallen?' vroeg hij. Bauer dacht na. 'Ja,' zei hij ten slotte, 'dat het bedrijf dat de kistdaalinstallaties maakt Lovrek heet. Dat heb ik gisteren voor het eerst geregistreerd.' De hyperscherpe werkelijkheidswaarneming van de psychoticus, dacht Horn, en tegelijk dacht hij dat je als psychiater in de loop der tijd de mensen op een uitermate eigenaardige wijze begon te zien. Bovendien vond hij dat 'kistdaalinstallatie' een prachtig woord was.

Bauer vertelde hoe moeilijk het was indrukken uit een fase weer te geven waarin je ervan overtuigd was dat je vroeg of laat in gedeelten zou oplossen, over de angst die in golven over je heen spoelde en hoe fragmentarisch waarneming en rangschikking van de dingen plaatsvonden. 'Jachthoornblazers,' zei hij, 'vier stuks. De burgemeester, die zijn mond open- en dichtdoet en niets van wat hij zegt, dringt tot je door. Een groen jack met eekhoorntjes erop.' 'Uitstekend,' zei Horn en Bauer keek hem verward aan.

'Ik bedoel dat je zo veel hebt geregistreerd.'

Horn dacht dat hij zelf niet de waarheid sprak en daarbij geen spoor van een schuldgevoel had, omdat hij vooral tevreden was over dat het kind er was geweest en dat er niets verschrikkelijks was gebeurd. Hij stelde zich haar voor, hoe ze aan het graf stond, haar ogen op de neus van haar laarzen gericht, een hand in die van haar moeder, de andere tot een vuist gebald diep in de zak van haar jack, drie stappen bij een priester vandaan die rare dingen zei en bij wie een witte draad uit zijn linkeroor hing. Hij wist opeens zeker dat ze nog steeds geen woord had gezegd.

'Kun je werken?' vroeg Horn. Een flauw glimlachje vloog over Bauers gezicht. 'Dat is Clemens' grootste zorg – dat de mensen naar de kerk gaan en achteraf over me praten of dat ik zeg dat ik kan lesgeven, en dan komen de ouders bijvoorbeeld klagen dat ik in de klas gezegd zou hebben dat niets zeker is, zelfs de commutatieve wet van de rekenkunst niet.'

Niets is zeker, dacht Horn, zelfs daaraan raak je gewend. Hij herinnerde zich het begin van hun gezamenlijke wandelingen, dat hij toen Bauers tempo niet had kunnen bijhouden, en dat hij toen langzaam begon te begrijpen dat het permanente ter discussie stellen van dingen niet een teken was van destructieve drang, maar de behoefte om je in de wereld verder coherent en één met met jezelf te voelen, hoe fragmentarisch je ook je eigen persoon waarnam. Hij herinnerde zich de eerste afspraken, Bauers wantrouwen, zijn eigen pogingen om uit te vinden wat hem in deze man zo aantrok, en dat Irene op een avond had gezegd: Als ik psychoanalytica was, zou ik zeggen dat het met homoerotiek te maken had, maar godzijdank ben ik dat niet.

'Denk je dat je kunt werken – ja of nee?'

'Ik heb wel eens in een heel andere toestand gewerkt.'

Horn probeerde zich Tobias en zijn klasgenoten voor te stellen en dat Bauer voor de klas de hoekfuncties uit stond te leggen of het snijpunt van drie dimensies in de ruimte en af en toe dingen uitstootte die er niet bij pasten. Hij vroeg zich af of hij hun ook vertelde over de vrouw en het kind, en hoeveel ze ervan geloofden. Zelf had hij aanvankelijk alles van hem aanvaard: de namen, de gezichten, het huis met de tuin, die helaas een beetje in de schaduw lag, de voorliefde van de vrouw voor Scandinavische literatuur, de aanleg voor neurodermitis van de jongen en zijn steeds sterkere verlangen naar een wit hondje.

Langzamerhand was hij toen gaan twijfelen. Er was nooit ook maar een schijn van een reëel contact tussen Bauer en de vrouw en het kind geweest. Bovendien waren de verhalen geheel en al harmonieus gebleven, ja, zelfs idyllisch: geen irritatie, geen ambivalentie, geen conflict. Bauer had slechts geglimlacht, toen hij hem de eerste keer had verteld wat hij had gesignaleerd, en ook later, toen hij hem duidelijk had gezegd dat hij het allemaal als een verfijnde paranoïde constructie beschouwde, had hij hem niet tegengesproken. Tegen de behandeling met neuroleptica was het bouwsel verregaand resistent gebleven, wat vermoedelijk alleen lag aan het feit dat Bauer het wilde behouden. Dat was zo met alle hoger gesystematiseerde waanconstructies: de mensen hadden er rechtstreeks psychodynamisch profijt van en verweerden zich ertegen het te verliezen.

'Ga naar driehonderd milligram,' zei Horn. 'Minstens voor de komende twee weken.' Bauer knikte. Hij doet toch wat hij wil, dacht Horn en in zekere zin vond hij dat ook wel goed. Een keer, toen hij over het realiteitsgehalte van de beide personen nog onzeker was geweest, had hij hem gevraagd waarom hij in het klooster was gegaan, als hij tegelijk zoveel waarde hechtte aan vrouw en kind. Bauer had geantwoord: 'Dat gaat alleen mij en mijn God iets aan. Met andere woorden: dat begrijpt u niet.' Ze hadden toen nog 'u' tegen elkaar gezegd en Bauer had er op dat moment zo zelfbewust en afgebakend uitgezien als later nooit meer.

Ze zaten een tijdje zwijgend bij elkaar en keken beiden uit het raam. Bij het vogelhuisje probeerde een goudvinkmannetje tegen een zwerm koolmezen stand te houden. 'De laatste dagen was er af en toe een hop,' vertelde Horn, 'dat zie je maar zelden.' Bauer leek niet te luisteren. De kat kwam en streek langs Horns kuit. Ze wil naar buiten, dacht hij.

Buiten op de gang keerde Bauer zich om. 'Er is me nog iets te binnen geschoten,' zei hij. 'Franziska Zillinger uit het bejaardenhuis in Waiern was op Wilferts begrafenis, en bovendien de kleine Gasselik.' Horn aarzelde een seconde. 'Ik ken geen Franziska Zillinger,' zei hij toen. Tegelijk probeerde hij de restanten van de kou af te schudden die zojuist door hem heen was gegaan.

Ze troffen Clemens niet in de keuken aan, maar bij Irene in de stal. Het Schumannconcert draaide weer. Clemens zat op de thonetstoel en zou blijkbaar juist het boekje bij de cd doorbladeren. Hij stond haastig op en heel even zag je aan de contouren van zijn habijt dat hij een erectie had. Horn begreep het. Op de achterkant van het boekje het leuke meisje met het lange haar in een mouwloos zomerjurkje, glimlachend, haar ogen gesloten, en haar instrument losjes tegen haar lichaam. 'Ik ben gewoon de muziek achternagegaan,' zei de abt. 'Eerst dacht ik dat het uw vrouw was, die daar speelde.' 'Helaas niet,' zei Irene. Ze strekte zich en stond op. Ze had Clemens van het begin af aan al niet gemogen.

Horn vertelde over de multiple sclerose, die aan de carrière van Jacqueline du Pré voor haar dertigste verjaardag een eind had gemaakt en tot de mythe rondom haar persoon aanzienlijk had bijgedragen. 'Een vroege vervulling,' zei hij. 'Iemand kan dingen op zijn twintigste die anderen pas op hun vijftigste kunnen.' Irene zette de muziek uit. Ze stond een paar seconden onbeweeglijk, alsof ze de stilte niet vertrouwde. De klanken werden door de muren geabsorbeerd en later langzaam aan de ruimte afgegeven, net als bij een akoestische tegelkachel. Dat was een van haar lievelingsideeën. Als ze erover sprak, trilde ze van enthousiasme.

'Sommige mensen zijn net dertig als ze overlijden en laten toch een werk achter dat de wereld verandert,' zei de abt.

'Schubert bijvoorbeeld.' Irene kon Clemens werkelijk niet uitstaan, het allerminste als hij op de manier van een zondagspreek probeerde over godsdienst te praten. In Horns ogen was hij op de eerste plaats lomp en armoedig. Zij leek iets anders waar te nemen.

'Valt u niets op?' vroeg Clemens, toen ze in de auto zaten en naar de stad reden. Horn schrok op. 'Nee, neem me niet kwalijk.' Hij had aan een vroege vervulling gedacht, aan de zin: iemand kan dingen op zijn twintigste die anderen pas op hun vijftigste kunnen en aan het feit dat er mensen bestonden die bepaalde dingen vermoedelijk al op hun zestiende konden. Hij had even overwogen om Bauer te vragen wat die ervan dacht, maar het toen laten zitten. Niemand wist welke beelden Bauers fragiele psyche verdroeg en welke niet. Clemens streek met zijn hand zacht over het stuur en het dashboard. De wagen was nieuw, een zwarte Passat Variant met vierwielaandrijving. Een donatie, de tegenprestatie eigenlijk niet de moeite waard, zei de abt. De kinderen van

Seifert, de VW- en Audi-handelaar, waren nog te jong voor het gymnasium, wist Horn. Het moest dus om iets anders zijn gegaan. Het kon hem niet schelen.

Hij vroeg de abt hem voorbij de rotonde te laten uitstappen. De paar honderd meter beweging en frisse lucht had hij nodig.

Het water in de Ache stond laag. Op de grindbanken lag een dun laagje rijp. Boven aan de betonnen trap, die aan de overkant naar een van de huizen van de oude stad omhoogleidde, stond iemand in de richting van het meer te kijken. De gedrongen gestalte tekende zich duidelijk af tegen de lichtblauwe hemel. Het was niet te zien of het een man of een vrouw was.

Ongeveer halverwege het ziekenhuis kwamen Brigitte en Laszlo hem tegemoet, die op I23 nachtdienst hadden gehad. Ze zagen er onbekommerd en doelgericht uit, alsof ze op weg waren naar het ontbijt in een van de hotels aan het meer, naar de Bauriedl bijvoorbeeld of de Federkorn. Gabriele Zehmann heeft even na middernacht eindelijk afscheid genomen, vertelden ze; aan de psychiatrische kant was niets voorgevallen. Lili Brunner was speciaal gekomen en had mevrouw Zehmann de opiaten zelf toegediend. De jongste van de drie dochters was nogal hysterisch tekeergegaan toen het zover was, dat had iedereen een beetje verbaasd, maar je weet eigenlijk nooit hoe de familieleden aan het einde reageren, zelfs als een ziekteverloop zich over vele jaren uitstrekt. Gabriele Zehmann had aan een zeldzame, auto-immunologisch bepaalde longfibrose geleden en was op grond van haar algehele constitutie niet meer in aanmerking gekomen voor orgaantransplantatie, hoewel ze nauwelijks zestig jaar oud was. Ze had dat blijkbaar sneller geaccepteerd dan haar gezin en tegen Horn, toen hij op het laatst nog een keer met haar voor de tv was gaan zitten, had ze gezegd: ik heb blijkbaar korter te leven dan de anderen.

Hij dacht dat Lili Brunner weliswaar pas voor in de dertig was, maar ondanks dat iemand van wie je ook bij het sterven op aan kon. Dat was opmerkelijk en dat ze bij de evaluatie van de dagelijkse dingen en vooral op het gebied van mannen nogal raar was, deed er eigenlijk niet toe, als je dat bedacht. Misschien krijg ik ook multiple sclerose, dacht hij, een sneller verloop dan Jacqueline du Pré, en ik heb algauw een hospitium nodig. Hij vormde een sneeuwbal en gooide die tegen het parkeerverbodsbord voor de inrit van het ziekenhuis. Hij raakte de rand.

Op afdeling K1 was het ontbijt aan de gang. Magdalena stond midden op de gang bij de etenskar en smeerde broodjes met jam, vulde schaaltjes met muesli en schonk chocolademelk in. De kinderen die hun bed uit mochten, kwamen halen wat ze wilden en aten aan de grote tafel in de conversatieruimte. Allemaal waren ze in pyjama en sommigen liepen op blote voeten rond. De kleintjes werden geholpen door twee leerlingverpleegsters, die er zelf uitzagen alsof ze nog maar vijftien waren. Horn had even de behoefte om te blijven staan kijken. Het was net zo'n gevoel als het verlangen dat nog steeds af en toe de kop op stak om het opgroeien van zijn zoons tegen te houden.

In zijn kamer stond het raam open en het was bar koud. Bianca, de schoonmaakster, zat vast en zeker met haar collega's ergens aan de koffie, had alles vergeten en had, als je haar erop wees, zelfs geen greintje schuldgevoel. Hij draaide de radiator hoog. Over Limnig, het afdelingshoofd van radiologie, werd gezegd dat hij een verhouding had met een van de jongere werksters. Limnig was een niet zo spectaculair uitziende man, die behalve over de toepassingen van de spiraal-CT-scan het liefst over Anglo-Amerikaanse literatuur sprak, zoals over Faulkner, Updike of Alice Munro. Beatrix Frömmel, de cheffin van de röntgenassistentes, had vanaf het bekend worden van het werkstersverhaal een hekel aan hem, de andere mensen in het team kon het niet schelen. Geen van hen las Faulkner of Alice Munro, daar was Horn van overtuigd. Hij vroeg zich af hoe Irene zou reageren als hij een verhouding met een werkster had en ze erachter kwam. Hij wist het niet.

Tijdens de ochtendvergadering werd lang en breed over de euthanasiewet gediscussieerd, die de vorige dag met de stemmen van de middenstandspartij en de nationalisten was aangenomen. Lili Brunner was extreem opgewonden, had tranen in haar ogen en benadrukte steeds weer dat ze in geen geval een uitvoeringsorgaan van een economisch-fascistoïde bruikbaarheidsideologie wilde zijn. 'Bij ons zal zoiets niet gebeuren,' probeerde Leithner haar gerust te stellen.

'De mensen zullen komen en het willen hebben,' zei ze.

'En dan zegt u: nee, zoiets doen we hier niet.'

'Ze zullen komen en zeggen: waar wacht u nog op, maakt u er toch eindelijk een eind aan!'

'Dan zullen de mensen ergens anders heen moeten.'

Dat is zo gemakkelijk gezegd, zei ze – je begeleidt de mensen tot het einde en om te sterven moet je ze dan ergens anders naartoe sturen? 'Het een of het ander,' zei Cejpek. De discussie werkte zichtbaar op zijn zenuwen. 'Wat heeft dat te betekenen: het een of het ander?' vroeg Lili Brunner.

'Of ze doen het zelf, of de mensen gaan naar Zwitserland, Hongarije of Nederland.'

'De mensen gaan nergens heen als ze behoorlijk worden behandeld.'

Ze discussieerden over de mogelijkheid van een verplichte ethiek in de geneeskunde, over het inspraakrecht van familieleden en over die vorm van stervenshulp die *para legem* de hele tijd in praktijk werd gebracht. Horn merkte hoe weinig het onderwerp hem interesseerde, dat hij nog dacht: hopelijk val ik niet in slaap en hopelijk praat ik niet hardop! en toen wegdreef.

Hij dacht aan het huis, het overdekte terras, dat nog steeds niet was betegeld, zijn plan om van olieverwarming over te gaan op hout, en Irenes wens de grootste van de twee schuren af te breken en in de kleinste een zwembad aan te leggen. Tegen andere mensen zei hij altijd: nooit meer een oud huis! en dat het alleen een even romantische als argeloze stedeling als hij kon overkomen met zoiets in zee te gaan. Voor zichzelf wist hij dat er in werkelijkheid niets beter bij hem paste dan dit bijzondere pand met zijn hoekjes en gaten en dat het praatje van argeloze stedeling pure koketterie was. De laatste tijd vroeg hij zich wel eens af welke van zijn zoons ooit het huis zou overnemen, en iedere keer overviel hem, voor hij zichzelf ook maar de aanzet van een antwoord kon geven, met zo'n kracht het gevoel een oude man te zijn dat hij niet meer in staat was om verder te denken.

Lili Brunner stootte hem aan. Leither was bezig met de belasting van de afdelingen van de laatste maand te bespreken en zijn grote zorg uit te drukken, speciaal wat de psychiatrische bedden betrof. 'Kerstmis komt ieder jaar terug,' zei Prinz en dat verbaasde Horn, want Prinz viel hem anders nooit bij. Met cynisme komen we niet verder, zei Leitner en Prinz antwoordde dat ook hij soms de indruk had dat het bij Kerstmis in eerste instantie om een manifestatie van cynisme ging. Horn had de aansluiting weer gevonden en wierp tegen dat hij inmiddels op tien bezette bedden stond, dus meer dan tachtig procent belasting en dicht tegen het jaargemiddelde aan. Leithner kalmeerde desondanks maar langzaam: hij zag de afgelopen weken een diepe val, bijna een gat, en tenslotte droeg hij de verantwoordelijkheid. Horn zuchtte. De gemiddelde Oostenrijkse chef de clinique, dacht hij, opportunistisch en laf tot op het bot. Inge Broschek zei wel eens dat haar baas zich als een echte masochist gedroeg, want er was niets aantrekkelijkers voor hem dan de naderende ondergang, en dan kreunde Cejpek dat de ondergang inderdaad moest naderen, want blijkbaar had de pest van de psychoanalytische wereldbeschouwing al op het afdelingssecretariaat om zich heen gegrepen. Ik weet niets van Inge Broschek, dacht Horn en hij keek naar de ietwat anorectisch uitziende, nauwelijks veertigjarige vrouw, die met pen en schrijfblok naast Leithner zat. Hij boog naar Lili Brunner. 'Heeft Broschek een man?' Lili Brunner keek hem onthutst aan. 'Wat wil je van haar?' vroeg ze. Hij grijnsde. 'Niets,' zei hij. Ze scheen hem niet te geloven.

Linda was van skivakantie terug en had tien keer zoveel sproeten in haar gezicht als daarvoor. Daarbij droeg ze een truitje met vier blikjes Campbellsoep voorop. 'Waar is uw kersttrui?' vroeg Horn. 'Naar de stomerij,' zei ze. 'Dankzij de ketchup bij de spareribs.' Hij merkte dat hij opeens bang werd dat de vlekken er niet meer uit gingen en vond dat tegelijkertijd nogal idioot. Hij probeerde zich Irene in de soepblikjestrui voor te stellen. Het beeld dat hij ten slotte voor zich zag, was uitgesproken leuk, hoewel hij wist dat ze met al die popart niet veel op had. In de hals van het truitje lagen aantrekkelijk haar sleutelbeenderen, haar kleine borsten zaten in de twee buitenste soepblikken en de mouwen reikten tot aan haar vingergewrichten. 'Is er iets?' vroeg Linda.

'Waar hebt u die trui gekocht?'

'In Londen, in de museumwinkel, in die voormalige elektriciteitsfabriek.'

'Wanneer bent u in Londen geweest?'

'Afgelopen herfst. Een lang weekend.'

De afdelingszuster vliegt met haar geremde boswachtersvriendje voor een weekend naar Londen, dacht hij, en zelf heb ik de New Tate nog niet eens gezien.

'Wat vond u ervan?'

In eerste instantie was alles enorm, zei ze, en ongelooflijk ver bij elkaar vandaan. Alleen de paden van de ene brug over de Theems tot de volgende leken haar eindeloos, maar haar Reinhard had zo weinig mogelijk met de metro willen rijden. Terwijl die aanslag nu toch alweer een tijdje geleden is. Nog zo'n lafaard, dacht Horn. Hij keek over zijn schouder Linda na en vroeg zich af wat ze vond aan iemand die alleen niet bang voor bomen was.

Het kerststuk op de tafel van de afdeling was helemaal verdroogd. Hij haalde de kaars weg en gooide de takken bij het afval. Hij herinnerde zich dat Irene ooit ondanks haar zwangerschap erop had gestaan de koepel van de St Paul's te beklimmen en dat ze boven volledig buiten adem was en desondanks straalde. Ze hadden over de toekomst gesproken, over het kind, over de opnamekansen bij verschillende orkesten en over zijn specialistenopleiding. Van Furth was nog geen sprake geweest. Wat doe ik met de kaars? vroeg hij zich even af en hij stak die toen in zijn zak. Rood met gouden sterren. Tegen kitsch op kleine schaal heb ik niets, zei Irene wel eens.

Elena Weitbrecht, de supermarktdirectrice met de tics, had een flinke tremor aan haar rechterhand. Horn was er na een kort onderzoek van overtuigd dat ze simuleerde. Ik wil helemaal niet weten waarom ze dat doet, dacht hij, liet de medicatie ongewijzigd, sprak van een observatiefase en wilde haar over een week terugzien. Ze leek daarmee matig tevreden te zijn. Een twaalfjarige jongen die sinds enkele maanden onder toepassing van complexe dwangrituelen niet meer naar school ging en zijn hele familie wanhopig maakte, wees hij een psychologische test toe en een jong gepensioneerde bouwvakker met een hypochondrisch getinte somatiseringsstoornis schreef hij eenmaal per dag een tabletje fluoxetine voor.

Horn had nog twee dossiers voor zich liggen, toen opeens Benedikt Ley in de deurpost geleund stond. Hij was in rust al behoorlijk onhandig, dat zag je op het eerste gezicht, en toen Horn hem had uitgenodigd naar zijn bureau te komen, strompelde hij wild zigzaggend door de kamer. 'Ik moet weer worden opgenomen, *dottore*,' lalde hij en hij probeerde te grijnzen. Zijn ogen waren rood, zijn pupillen zo klein als speldenknopjes. 'Wat heb je gebruikt?' vroeg Horn.

'Mijn moeder vindt ook dat ik moet worden opgenomen.'

Horn voelde de gal omhoogkomen. 'Waar is je moeder?'

Ley wees naar de deur.

'Roep haar binnen.'

Ley probeerde op te staan, maar dat lukte niet. Horn wimpelde het weg en liep zelf naar de deur.

De vrouw zat in de verste hoek van de wachtkamer. Ze droeg deze keer een olijfgroen tweed mantelpakje dat haar twee maten te groot was. Uit de tweedehandswinkel, dacht Horn. 'Wat moet dat?' vroeg hij hard. Ze keek hem bang aan. 'Wat bedoelt u?'

'Waarom brengt u hem hierheen?'

'Al sinds oudjaar is hij zo,' zei ze. Toen zweeg ze weer. Horn pakte haar bij haar bovenarm en trok haar mee zijn kamer in. Haar zoon grijnsde nog steeds. Horn dwong haar naar zijn pupillen te kijken en gaf een kort college over de werking en bijwerkingen van opiaten. '*Dottore*, ik heb die troep van opiaten niet gebruikt,' protesteerde Ley. Horn schoof met kracht de linkermouw van zijn sweatshirt omhoog. 'U krabt me, *dottore*!' Ley probeerde zijn arm van Horn los te trekken. 'In Amerika zou ik een klacht tegen u indienen.' De jongeman kreeg de maaiende bewegingen van zijn romp amper in bedwang. Zijn moeder stond erbij, negeerde de naaldenprikken en keek naar de grond.

Horn voelde opeens dat hij kort na vijf uur uit zijn bed was gekropen en sindsdien met de angstige begeerlijkheden van een abt en een chef de clinique te maken had gehad, met een schoonmaakster die het niet kon schelen wanneer hij het koud had en met een afdelingszuster die hem confronteerde met het feit dat hij in twintig jaar niet op het idee was gekomen zomaar naar Londen te vliegen. Hij stond op.

'Maak dat je naar huis komt – allebei,' zei hij. De vrouw tilde haar hoofd op. Ley zei: 'Dat kunt u niet maken.'

'En of ik dat kan maken,' antwoordde hij.

'Ik heb een opname nodig.'

'Even dringend als een blindedarmoperatie,' zei Horn. Ley kromp eerst ineen, toen sperde hij zijn ogen open en greep zich aan de deurpost vast. 'Hij heeft alles gedaan wat mogelijk is, totaal in de war,' zei de vrouw.

'En dat sinds het laatste ontslag?' vroeg Horn. Ze knikte. Horn maakte een hulpeloos gebaar.

Benedikt Ley had het inmiddels klaargespeeld op te staan. Daar het hem niet lukte Horn te fixeren, keek hij zomaar ergens naar. Hij begon te schreeuwen. 'Zwijn dat je bent! Wat ben je met me van plan?!'

'Dat heb ik al gezegd. Ik stuur u naar huis.'

'Je wilt me opereren, perverse klootzak!'

'Niemand wil u opereren. U staat stijf van de paranoia. U gaat nu naar huis, neemt drie dagen lang geen enkel verdovend middel en komt dan terug.'

'Heb je dat gehoord? Hij wil me opereren,' zei Ley tegen zijn moeder. De vrouw zette een stapje naar Horn toe: 'Zijn vader slaat hem dood.'

'Dat geloof ik niet,' zei Horn. Er bestaan spinnen, dacht hij, die injecteren je met hun speeksel, dan zuigen ze je uit en voor je iets kunt doen, ben je een bleek, leeg karkas.

'Hij slaat er zomaar op los.'

'En op u?'

'Op mij ook.'

'Ik geloof u niet.'

'Ik laat dat niet met me doen!' Ley trok zijn moeder mee naar de deur. Hij zuigt aan haar en zij aan hem, dacht Horn, en eigenlijk is van allebei niet veel meer over.

'Waar is uw neusring eigenlijk?' riep Horn hem achterna. Ley bleef nauwelijks buiten de kamer staan, leunde met zijn linkerhand op de onderarm van zijn moeder en voelde met zijn rechterhand keurend aan zijn gezicht. Hij leek even na te denken, en maakte toen een wegwerpgebaar en de twee verdwenen.

Linda gluurde achter de ontvangstbalie vandaan. 'Het spijt me. Ze gingen gewoon naar binnen.'

'Geen probleem,' zei Horn.

Ik heb u tegen hem gezegd, dacht hij, of er is me erg veel gelegen aan de afstandelijkheid of mijn onderbewustzijn beleeft hem zo vergroeid met zijn moeder, dat ik hem automatisch net zo aanspreek als haar.

'U moet trouwens uw afdeling bellen,' zei Linda.

Ik hou niet van junkies, dacht Horn, dat is de waarheid.

Liu Pjongs gehuil golfde in het trappenhuis naar beneden tot op de begane grond. Soms was het onheil zo vriendelijk zich aan te kondigen voor het je in de ogen keek. Sebastian Stemm, de hoofdverpleger chirurgie, die hij bij de ingang naar de operatieafdeling tegenkwam, zei meelevend: 'Veel plezier.' 'Dank je wel,' antwoordde Horn. Stemm was vanaf het begin een steun geweest in de omgang met het ressentiment dat tegenover psychiatrische patiënten bestond. Sommigen zeiden dat het verband hield met het feit dat hij een psychiatrische halfbroer had, anderen dat daar niets van waar was. Horn vond Stemm in menselijk opzicht in orde, linksom of rechtsom.

Toen hij de deur naar de afdeling opende, zag hij eerst Ernst Maywald midden op de gang staan, met naast hem Katharina. Meteen daarachter zat links tegen de muur Caroline Weber die de oren van haar krijsende baby dichthield. Op de achtergrond zwol mevrouw Pjongs stem ritmisch aan en weer af. De waanzin vormt clusters, dacht Horn. 'Stuur ze allemaal naar buiten,' zei hij tegen Christina, die net de zusterspost verliet. Ze knikte en duwde hem de fixeerband, die ze bij zich droeg, in de hand. 'Liu is in haar kamer,' zei ze.

Raimund en Hrachovec hielden mevrouw Pjong op haar bed vast. Toen ze Horn zag komen, flitsten haar ogen en ze begon nog harder te brullen. 'Ze wilde de baby hebben,' zei Hradovec. Hij transpireerde en was vuurrood in zijn gezicht. 'Mevrouw Weber wilde dat niet,' zei Raimund. Op zijn rechteronderarm was een verse bijtwond te zien, die op een plek een beetje bloedde. 'Bent u tegen tetanus ingeënt?' vroeg Horn. Raimund glimlachte een beetje zuur en knikte.

Op het moment waarop de banden aan het ledikant aangebracht en om Liu Pjongs polsen gesloten waren, kalmeerde ze. Horn besloot haar toch een slaapmiddel te geven en stuurde Raimund om een Dormicuminfuus. Hij besprak de verdere aanpak met Hradovic. Ze moesten de patiëntenadvocaat en de rechtbank op de hoogte brengen, ongeacht of een overplaatsing naar de kliniek nodig zou zijn, en ze moesten de zaak meedelen aan Richard Jurowetz, de levenspartner van de vrouw. Voor hem zou het het moeilijkste zijn, daarover waren ze het eens. 'Hij houdt van haar,' zei Hrachovec en het klonk even alsof dat iets heel bijzonders was.

Terwijl ze de veneuze toegang legden en de druppelsnelheid van het infuus instelden, lag Liu Pjong er met dichte ogen bij en zweeg.

Pas toen Horn zich oprichtte en Hrachovec verzocht nog even bij het bed te blijven, zei ze: 'En het is toch mijn kind en ze heet Liu net als ik en iedereen die iets anders zegt, liegt.' Hrachovec leek daarop iets te willen antwoorden, maar Horn legde zijn vinger op zijn lippen. 'Als ze slaapt, haalt u de banden er weer af,' mompelde hij in het voorbijgaan.

Buiten was intussen Caroline Webers man met warme kleren voor zijn vrouw en dochter, een gloednieuwe kinderdraagzak en een chocoladetaart voor het afdelingsteam verschenen. Hij nam van iedereen afscheid en bedankte uitvoerig. 'Hij is bang,' zei Christiane, toen het drietal weg was. 'Ik zou ook bang zijn,' zei Raimund. Horn werd door de geschiedenis van Liu Pjong en de Webers en de baby herinnerd aan iets anders, maar hij wist niet aan wat.

Irene en Michael kwamen in zijn hoofd op toen hij het trappenhuis in stapte. Vermoedelijk heeft ze onze zoon ook een tijdlang voor een soort duivel aangezien, dacht hij, en ik heb me te weinig om hem bekommerd. Geen van ons heeft zich destijds afgevraagd waar hij bang voor was.

'U hebt het ook niet gemakkelijk,' zei Ernst Maywald. Horn haalde zijn schouders op. Een passender reactie kon hij niet bedenken. Katharina keek uit het raam naar buiten. Het gehuil leek haar niet bijzonder te hebben geïrriteerd. Horn zag haar voor zich, terwijl ze precies zo bij het graf van haar grootvader stond, bedekt onder vriendelijke eekhoorntjes, een beetje koppigheid op haar gezicht en hij stelde zich voor dat ze aan zwaarden dacht waarmee je je kon verdedigen en aan helmen met een vizier die je hoofd beschermden. Hij herinnerde zich nu weer dat Luise Maywald hem had opgebeld met de vraag of hij niet iets eerder tijd had. Katharina had bij wijze van uitzondering maar drie uur school en haar man kon even weg van de zaak en haar naar therapie brengen en dan zou zijzelf haar daarna ophalen. Hij had snel ja gezegd, dat wist hij nog, en hij meende zich te herinneren dat hij dat had gedaan omdat de vrouw op zijn zenuwen had gewerkt. Bij moeders gebeurde dat soms.

Ze namen de weg via de administratie om bij K1 te komen. Het was de rustigste zone in het hele huis. Bij de ingang naar de clearinginstelling zat een oudere vrouw te wachten met een handtas van lakleer, verder zagen ze niemand. Ernst Maywald draaide zijn ogen amper naar links en rechts. Hij nam enorme stappen, zodat Katharina daarnaast flink moest rennen, dat viel Horn op. Ze hadden hem naar I22 gestuurd toen hij naar Horn had gevraagd, excuseerde de man zich, hij wist niet dat de therapie ergens anders plaatsvond en zijn dochter had hem de juiste weg ook niet kunnen wijzen. Katharina leek het verwijt in de uitspraak van haar vader op geen enkele manier waar te nemen. Ze draaide zich pas om toen haar vader haar toeriep dat hij nu wegging en haar moeder haar zou komen ophalen. Toen hij naar haar zwaaide, keek ze hem zwijgend aan. Verder deed ze niets.

Katharina kwam de kamer in en koerste kaarsrecht op de boekenkast af. Ze was blijkbaar heel tevreden dat ze de prinsessenpop zo aantrof als ze haar de vorige keer had achtergelaten. Ze trok haar tevoorschijn, evenals het heldenverhalenboek, en legde de beide dingen midden in de kamer op de grond. Daarna trok ze haar laarzen en jas uit, liep op haar sokken een keer in een kringetje en pakte uit de la met de tekenbenodigdheden een middelgroot tekenblok en het blik met oliekrijtjes. Ze ging op haar hielen zitten, nam een krijtje uit de trommel, draaide het vel rechtop voor zich en begon te tekenen. Horn leunde achterover in zijn bureaustoel. De spanning van het meisje was vergeleken met de vorige zitting zichtbaar verminderd. De grootvader was eindelijk onder de grond; nu leek ze in staat te zijn te kalmeren. Uit het oog uit het hart: de psyche van een kind van zeven werkte nog vooral concreet – dat was tenminste iets waar je van uit kon gaan. De dader had ze blijkbaar niet gezien; daarom bestond hij voor haar ook niet.

De eerste lijn die Katharina trok, liep ongeveer drie vingers breed naar de paginarand, langs alle vier de kanten, de tweede een dikke centimeter meer naar binnen. Een kader dat van buiten houvast geeft, dacht hij, iets wat we allemaal willen. Hij dacht aan Ley en zijn moeder, aan Joseph Bauer, die de hele tijd door de omgeving liep en zelfs op het kerkhof zijn dopjes in zijn oren stopte en aan het feit dat de voortdurende hervormingen van de theorie in de psychiatrie ook niets anders waren dan een wanhopige poging om rondom de waanzin een enigszins betrouwbaar draagstel te bouwen.

Beginnend in de linkerbenedenhoek tekende Katharina de oppervlakte tussen de twee lijnen minutieus nauwkeurig. Alleen in het midden van de onderste dwarsbalk liet ze een veld open. Ze schoof achteruit, leek even na te denken, schreef er in blokletters iets in. 'Wat schrijf je daar?' vroeg Horn. Ze keek hem aan en zei niets. Toen hij vooroverboog om het woord te lezen, bedekte ze het met haar hand en drukte toen het vel papier tegen zich aan, zodat hij alleen nog de achterkant kon zien.

Even later schoof ze een stuk van hem vandaan, keek de kamer rond en verplaatste ten slotte het heldenboek naar een plek op de grond waarop direct zonlicht viel. Ze legde de tekening boven op het boek en precies in het getekende kader de pop. Een meisje ligt op haar bed, dacht Horn, en daaronder ligt een boek met honderd ridders – een eigenaardige versie van de prinses op de erwt. 'De prinses ligt in de zon,' zei hij. Katharina bekeek haar rechterhand en stond toen op. Ze liep naar het bureau en haalde uit de houten beker met de pennen het papierschaartje dat middenin stond. Ze ging weer op haar knieën zitten, pakte de pop en knipte voorzichtig de onderkant in de buitenste laag van het tule jurkje weg. Horn kwam even in de verleiding haar tegen te houden, maar hield zich in. Het begin van de reactievorming, dacht hij, de identificatie met de vermoedelijke agressor. Op deze manier probeert haar onderbewustzijn greep te krijgen op haar vernietigingsangst.

Katharina knipte een rechthoekig stuk tule uit het jurkje en legde het op het gezicht van de pop. Horn stelde zich de ridders met hun helm voor en Katharina's grootvader, die geen vizier voor zijn gezicht had gehad. Zij is de pop, dacht hij, ze beschermt zichzelf in zijn plaats en tegelijk laat ze zien dat ze zich kan verzetten.

Katharina zat op haar knieën en leek na te denken. Op dat moment rinkelde voor het eerst de telefoon. Horn vloekte vanbinnen, toen hij opnam. Katharina bracht de schaar omhoog en begon vastbesloten de prinses van de heupnaad omlaag het jurkje van het lichaam te knippen

Het was Edith, een van de ervaren zusters van traumatologie. 'Mike heeft gezegd dat ik u moet vragen te komen. De kleine Schmidinger huilt en geeft al een uur over.'

'Is Mike bij haar?'

'Nee, ik ben bij haar.'

Katharina bond de beide tule stroken die ze had afgeknipt enkele keren om het hoofd van de pop. Toen legde ze het schaartje opzij, ging zitten, trok de knieën tegen haar borst en bekeek haar werk.

‘Kunt u Mike aan de telefoon roepen?’

‘Ik vrees dat dat op dit moment niet gaat.’

‘Waarom gaat dat niet?’

‘Hij moet bij de afdelingsdeur blijven.’

Katharina streek met het topje van haar wijsvinger over het tule web dat om het hoofd van de pop lag.

Toen zei ze iets, één enkel woord.

Horn verstijfde. Onwillekeurig stak hij zijn linkerarm de kamer in. Het woord pakken, dacht hij, de tijd tegenhouden en het woord pakken.

‘Bent u daar nog?’ vroeg Edith.

Ja, ik ben er nog, dacht Horn, ik sta hier als Mozes die de Rode Zee splijt en probeer een woord te pakken.

‘Ja, ik ben er nog,’ zei Horn. ‘Wat doet Mike bij de afdelingsdeur?’

‘Hij houdt in de gaten dat haar vader niet weer terugkomt.’

‘Welke vader?’

‘Die van Birgit.’

Horn hing op. Even voelde hij zich duizelig worden. De tijd tegenhouden, het woord pakken, mijn arm omlaag nemen, dacht hij, en vervolgens: Schmidinger.

Hij stond voorzichtig op, alsof hij iets kapot kon maken, liep op het meisje af en ging naast haar op zijn knieën zitten: ‘Ik heb gehoord wat je daarnet zei. Ik heb het onthouden, daar kun je zeker van zijn.’

Katharina tilde haar wijsvinger langzaam op van het tule hoofddeksel van de pop. Horn kon nu zien wat ze in het lege veld in het zwarte kader had geschreven: LORVEK. Het kostte even voor hij het begreep. Joseph Bauer vanmorgen, dacht hij, de indrukken van de begrafenis, de installatie om de kist te laten zakken. Eerste klas lagere school, dacht hij – ze kent al veel letters. Af en toe verwisselt ze ze nog.

De telefoon rinkelde weer. Toen hij opstond, merkte hij dat hij chagrijnig werd. Twee woorden, dacht hij, een gesproken en een geschreven, twee meisjes – een dat dringend hulp nodig heeft en een dat nog steeds raadsels opgeeft, bovendien een psychopaat – en voortdurend de telefoon. ‘Ik kom al!’ blafte hij in de hoorn.

Het was traumatologie niet, maar Irene. Ze sprak zacht. ‘Wees alsjeblieft niet boos omdat ik je stoor. Ik wilde je alleen maar vertellen dat ik besloten heb Tsjaikovski niet te spelen.’

Hij voelde zich plotseling hulpeloos en leeg en wist niet waarom.

Hoewel het meisje naast hem op de grond zat en alles kon horen, zei hij: 'Katharina heeft zojuist voor het eerst gesproken. Ze heeft een heel bijzonder woord gezegd. Daarvoor heeft ze een pop tule om het hoofd gebonden.' Irene zweeg. Hij luisterde in de stilte.

Negentien

Het was een soort déjà vu. Ludwig Kovacs voelde een kinderlijke blijheid toen hij het besefte. Demski had hem één keer thuis gebeld, drie jaar geleden, toen hij 's avonds laat over de rand van de douchecabine was gestruikeld en met zijn gezicht tegen de kraan was gevallen. Demski had een gebroken jukbeen opgelopen en het was volledig duidelijk dat hij met de beste wil van de wereld niet in staat zou zijn de volgende ochtend naar het bureau te komen. Toch had hij zich duizend keer geëxcuseerd voor zijn vergissing, zoals hij het noemde.

Nu excuseerde hij zich weer, weer duizend keer en op dezelfde toon. Hij noemde het deze keer niet 'vergissing' maar 'fout'. Om precies te zijn zei hij: 'Misschien heb ik een fout gemaakt.' Kovacs was nog een keer blij, even en op een kinderlijke manier, want Demski had tot nu toe nog nooit een fout gemaakt.

Hij had zoals afgesproken Walter Grimm gebeld, de reclasseringsmedewerker, en inderdaad was Daniel Gasselik hem toegewezen. Hij had het niet zo op jonge misdadigers, had Grimm gezegd, onder andere omdat hun prognose zo slecht was en ze allemaal vroeg of laat voor ernstige geweldsdelicten achter slot en grendel gingen, maar goed, een baan is een baan. Hij had Gasselik aan het eind van zijn gevangenschap tweemaal in de cel bezocht om hem de functie van de reclassering uit te leggen, maar was op absolute desinteresse gestuit. Er was al helemaal niet zoiets als een relatie ontstaan, en daarom had het hem, eerlijk gezegd, ook niet verbaasd dat de jongeman niet naar de eerste afspraak was gekomen en ook niet had afgebeld. Over Gasseliks voortijdige ontslag had hij, Grimm, met twee justitiële bewakingsambtenaren gesproken, over karakterbijzonderheden en zo, en beiden hadden vreemd gegrijnsd en gezegd: 'Je zult zien, daar komt nog wat van terecht.'

Kovacs probeerde met zijn linkerhand een sok over zijn voet te trekken. 'Heeft Grimm uit zichzelf iets gedaan?' 'Wat bedoel je met "gedaan"?' vroeg Demski.

'Heeft hij hem gebeld? Is hij erheen gereden?'

'Daar heeft hij niets over gezegd.'

Paranoïde en aartslui was een uitgesproken onsympathieke combinatie, zei Kovacs en Grimm moest je eerst zijn *e-shocker* afnemen, want daarmee verdedigde hij alleen maar zijn eigen passiviteit. De sok bleef aan Ludwig Kovacs' kleine teen hangen en er was verder geen beweging in te krijgen. Kovacs vloekte. 'Zo belangrijk is hij nu ook weer niet,' zei Demski.

'Wie? Mijn sok?'

'Hoezo je sok?'

'Vergeet het! Stap in je auto en haal me op.'

'Hoezo? Wat ben je van plan?'

Kovacs probeerde de sok weg te slingeren en raakte daarbij met de rug van zijn hand een tafelpoot. Hij kermde. Demski leek achterdochtig te worden. 'Als Marlene bij je is en je hebt net seks of zo, dan bel ik later wel terug,' zei hij. Ik word net door een tafelpoot in mijn voet geneukt, dacht Kovacs, dat is helaas de waarheid. 'We gaan naar Gasselik,' zei hij, nadat hij drie keer diep had in- en uitgeademd. 'Wat bedoel je met "we"?' vroeg Demski.

'Wij tweeën. Jij en ik.'

'Ik weet niet of dat wel zo'n goed idee is.'

'Waarom niet?'

'Hij heeft tenslotte ervaring met me.'

'En jij met hem,' zei Kovacs. Hij heeft hem destijds tijdens het verhoor bijna geslagen, dacht hij, hij is bang voor hem en hij haat hem, dat is het punt. Demski zweeg. 'Hij veracht je. Misschien verleidt dat hem tot een fout,' zei Kovacs.

'Waarom veracht hij mij?' Demski was hoorbaar geïrriteerd.

'Hij heeft je angst gevoeld. Psychopaten verachten mensen die bang zijn en tegelijk hebben ze het gevoel van macht over hen nodig.'

Hij had in zijn leven wel eens aangenamere rollen gespeeld dan die van doelobject voor de zieke neigingen van een psychopaat, zei Demski, maar tenslotte had hij het zich zelf op de hals gehaald. Op de hals gehaald en een fout gemaakt: allemaal dom geklets, dacht Kovacs – hij ziet hem ervoor aan, net zoals ik, en net zoals ik heeft hij hem in werkelijkheid vanaf het begin ervoor aangezien. Daar waren minachting van de gedragsvoorwaarden en al die ontboezemingen van Grimm niet voor nodig geweest.

'Wanneer kun je hier zijn?' vroeg hij. 'Over twintig minuten,' antwoordde Demski. Kovacs keek op de klok. Hij was tevreden. Ze zouden aanbellen en de Gasseliks zouden aan het ontbijt zitten.

Hij bekeek de rode streep die dwars over de rug van zijn hand trok. Het was objectief niet zo erg, maar toch voelde hij zich zielig. Soms wilde je dat er iemand was om je te troosten, zo simpel was dat. Yvonne had dat niet zo slecht beheerst, dat moest hij haar nageven: arme schat, heb je je pijn gedaan? Zal ik je een compres brengen? Wil je een borrel? Enzovoorts. Marlene was op dit gebied veel afstandelijker. Misschien kwam het allemaal wel door de maan.

Kovacs kleedde zich om weg te gaan. De seks met Marlene was niet zo bijzonder geweest, vlot en nonchalant. Ze had daarna alleen maar haar schouders opgehaald, gezegd dat het misschien wel door de maan kwam, en was even later in slaap gevallen. Hij was vervolgens haar woning uit geslopen en naar huis gegaan. Hij had geen zin gehad om urenlang naast haar in bed te liggen, naar het plafond te staren en aan de relatiepech van zijn leven te denken. Hij had zichzelf twee kleine grappa's gegund, was op het dak geklommen en had zijn verrekijker eerst op de Plejaden gericht. Toen hij over de lichten van de stad zwenkte, was de lensfout hem weer opgevallen die sinds een jaar bij grotere kou zichtbaar was – een smalle, bleekgele sikkel rechtsboven, die prompt verdween als het gezichtsveld donkerder werd. De hoorns van de stier, de bleke vlek van de kreeftnevel, Castor en Pollux convergerend in het zenit. Er is een tijd geweest dat hij al die verhalen uit zijn hoofd kon vertellen, van Perseus en Andromeda, van de voerman met het bokje op zijn schouder of over Herakles die de leeuw van Nemesis wurgt. Zijn broer had hem uitgelachen en zijn ouders had het niet kunnen schelen.

Vanaf de straat was het geschreeuw van vechtende jongeren omhooggedrongen. Onder andere had hij de stem van de sheriff en zijn twaalfjarige nichtje herkend. Daarop had hij besloten in zijn woning terug te keren.

'Geloof jij in de maan?'

Demski stond in de deuropening en keek schaapachtig. Natuurlijk geloofde hij niet in die hele lunaresoterische onzin, antwoordde hij ten slotte, maar aan de andere kant kon je de getijdeninvloed van de maan niet ontkennen en als die in staat was het meer te laten stijgen en weer dalen, was er niet echt een argument om aan te nemen waarom hij hetzelfde niet ook met lichaamsvloeistoffen of de sappen in planten zou doen. Waarom hij hem zo'n vreemde vraag stelde. 'Ik had een relatieprobleem en misschien kwam het door de maan – vandaar,' antwoordde Kovacs. 'Dus toch,' zei Demski terwijl hij hem triomfantelijk aankeek.

'Dus toch wat?'

'Dus toch Marlene. En seks. Daarnet, toen je de hele tijd over sokken praatte.'

'Ja, dus toch,' loog Kovacs. Hij haalde een aluminium pot met verse espresso van het fornuis. Demski nam het aanbod aan. Dat deed hij anders nooit.

Onderweg van Walzwerk naar het centrum zwegen ze een poosje. Toen vroeg Demski: 'Wat hebben we tot nu toe eigenlijk?'

'Niets,' zei Kovacs. 'Om precies te zijn hebben we helemaal niets.'

Een schoolklas stak de Rathausplatz in de richting van het klooster over, en daarom stopten ze. 'Je ziet de zaak te somber in,' zei Demski. 'We hebben een beetje.'

'En wat dan wel?'

'Een rechtshandige moordenaar, die zowel rationeel handelt als ook vol met woede zit. Een vindplaats die met zekerheid ook de plaats van het misdrijf is. Een ondubbelzinnig bandenspoor.'

'Een groen Lego-blokje. Een paar spijkers. Een knoop. Geen vingerafdrukken. Geen tekenen van verweer. Een gezicht dat volgens de bloedspetters nog het meeste door een meteoriet kan zijn verpletterd.'

Demski schraapte zijn keel. Hij kucht een domme meteorietenopmerking weg, dacht Kovacs. Er was hem te binnen geschoten hoe Patrizia Fleurin Sebastian Wilferts kapotte gezicht had laten zien en daarbij de uitstraling had gehad van een botanica, die haar publiek een nieuwe orchideeënsoort uitlegt. Ik weet niets van haar, dacht Kovacs, niet of ze thuis een man heeft of een aquarium of planten in dikke boeken perst.

'En wat denk je van dat met de dieren?' vroeg Demski. 'Hetzelfde als jij,' zei Kovacs. 'Jeugdige psychopaten stichten brand, plassen 's nachts in bed en pesten dieren. Dat zegt het leerboek.'

'En als een oude man hen voor de voeten loopt, moet hij eraan geloven in plaats van de hond.'

'Precies.' Ludwig Kovacs vertelde niet dat hij Mauritz inmiddels had gevraagd de afgebroken kling van het stanleymes, die in de hals van de dikke hond van Reithbauer was blijven zitten, nauwkeuriger te onderzoeken, en dat Mauritz naast een heleboel hondenbloed en haren van een colliekruising één enkele donkergroene wolvezel had gevonden. Het was niet officieel, omdat het doden van dieren onder vernieling viel en de recherche daar slechts in uitzonderingsgevallen verantwoordelijk voor was. Eyltz, het hoofd van de politie, nam zulke competentievragen in de regel heel serieus.

Ze wisselden nog een paar woorden over Ernst Maywald, over zijn lichaamskracht en zijn grote handen, over de blijkbaar gespannen relatie met zijn schoonvader en over de vraag welke rol daarbij zijn functie als lid van de ondernemingsraad en socialistisch vakbondslid in de houtfabriek zou kunnen hebben gespeeld. In de verhoren van de familie was in elk geval het conflictueuze in deze relatie nooit omzeild en vooral Georg had bereidwillig over het gekibbel tussen zijn vader en grootvader verteld. Onder andere ging het over de manier waarop er nieuwe dakpannen op het huis moesten worden gelegd of over het juiste tijdstip om hout te hakken. Er was nooit ook maar bij benadering een escalatie geweest die een moord had kunnen verklaren.

'Kerstbomen hak je bij voorkeur bij volle maan,' zei Demski. 'Dan blijven ze het langst fris.'

'Dat beweren de kerstboomhandelaren tenminste.' Kovacs dacht aan het kleine kerstboompje met drie zilveren ballen en tien slingers dat bij Sebastian Wilfert op het dressoir stond, en hij stelde zich voor dat Yvonne en Charlotte sinds kort een plastic boom hadden, die ze op zes januari uit elkaar haalden en in een doos pakten, zodat hij niet stoffig zou worden.

Op de Severinsbrug was het spekglad. Demski nam voorzichtig gas terug. 'Volgens de weersverwachting moest het al warmer zijn,' zei hij.

'Ik voel nog niets,' antwoordde Kovacs.

Konrad Gasseliks bronskleurige Range Rover stond tussen andere voertuigen op de parkeerplaats, een man in een groene overal met neongele signaalstrepen hakte oude sneeuwresten van het asfalt en voor de meeste ramen van het woongedeelte waren de gordijnen nog dicht. 'Ze besparen stroom,' zei Demski, die op een lichtmast wees. Slechts iedere tweede halogeenschijnwerper was aan. De alertheid die zich op het beslissende moment vanzelf manifesteerde. Ludwig Kovacs keek van opzij naar George Demski: een modderkleurig ruwleren jack met een ingevette bontkraag, een pas gestreken pantalon, altijd de correcte korte haarsnit. Ondanks dit alles zou hij hem ooit opvolgen. 'Waarom grijns je zo?' vroeg Demski. 'Ik dacht aan de opwindeend, die je achter in je auto hebt liggen,' antwoordde Kovacs. Demski kneep een oog dicht en zei niets. Of hij rood was geworden, kon je niet zien.

Manuela Gasselik deed open. Ze droeg een lichtblauwe badjas, had een witte katoenen handdoek met franjes strak om haar hals gedrapeerd en haar haren in een losse knot opgestoken. Even gleed een korte schrik over haar gezicht, toen ontspande ze weer. 'Ik ken u,' zei ze glimlachend. Kovacs knikte en stak haar zijn hand toe. 'Hij is in zijn kamer,' zei ze.

In de voorkamer rook het naar sigarettenrook. Aan de kapstok hing een dik pak mantels en winterjassen. Vanuit de keuken klonk de radio. Door de open deur zag hij een blonde jongen die aan tafel cornflakes zat te eten. 'Björn. Zijn broertje,' zei Manuela Gasselik. De jongen keek even op en staarde toen weer in het niets.

Voor de derde deur van de gangachtige voortzetting van de voorkamer bleven ze staan. Ze legde haar hand op de klink. Kovacs legde zijn hand op haar arm. 'Waar is uw man?' mompelde hij. Ze keek op en haalde haar schouders op. 'Geen idee. Misschien weg met een klant. Hebt u hem nodig?' Hij aarzelde kort. 'Eventueel later,' antwoordde hij. Waarom heb ik het gevoel dat ik de man nodig heb? dacht hij. Hij keek naar Demski. Die was zichtbaar gespannen als een boog.

Daniel Gasselik zat met zijn rug naar de deur op zijn bureaustoel. Hij haalde zijn vingers van het toetsenbord, greep in zijn nek, trok de capuchon van het donkergrijze sweatshirt over zijn hoofd en draaide zich langzaam om. Hij grijnsde. Niemand zei iets. Hij is bijna niets veranderd, dacht Kovacs, hij is niet groter geworden, niet dikker en hij heeft nog geen baardgroei. Hij merkte dat hij daar versteld van stond. Je verwacht blijkbaar dat de gevangenis sporen achterlaat, dacht hij. 'Hoe is het met uw zoon, meneer Demski?' Ook de stem was nog licht en krakend als bij een dertienjarige.

'Waarom hou je je niet aan de gedragsregels die de rechter je heeft opgelegd?'

'Hij gaat na de zomervakantie naar school, toch?'

'Ik zou niet weten wat jij daarmee te maken hebt.'

'Het interesseert me nu eenmaal. U interesseert zich ook voor wat de rechter mij heeft opgelegd.'

'Ja, dus?'

'Grimm is een loser.'

'En hoe kun jij dat weten?'

'Zou u Grimm als oppasser willen?'

Kovacs werd onrustig. Demski moet leren niet meer in dit soort vallen te trappen, dacht hij. 'Je kent toch dat ondervragingsspelletje,' zei hij tegen Daniel Gasselik. 'Ze gaan in de regel net zo als op de tv: waar was u toen en toen? Wie kan dat bevestigen? Dus: kun je je herinneren waar je in de late avond van 26 december was?'

'Hier.'

'Wat betekent "hier"?'

'Hier in deze kamer.'

'Je was alleen, neem ik aan.'

'Nee, mijn broertje was bij me.'

'Wat hebben jullie gedaan?'

'We hebben gespeeld. Zoals altijd.'

'Waarom weet je dan zo zeker dat je hier was?'

Daniel Gasselik sloot zijn ogen en maakte het gebaar van kelen. Het gaat toch om de nacht waarin die oude man was vermoord, of niet soms? Kovacs zei niets. Dromerig, dacht hij, hij doet zijn ogen dicht en mij schiet dit woord te binnen. Demski sloeg zijn armen over elkaar en balde zijn vuisten onder zijn oksels. In de krant had gestaan dat ze de man eerst de keel hadden doorgesneden en vervolgens zijn schedel tot moes hadden geslagen, of dat klopte. Kovacs staarde langs de grijze capuchon naar de computer. De screensaver werkte. Drie hoofden uit *Star Wars*, die een voor een verschenen en weer verdwenen: Darth Maul, de imperator, Darth Vader. Hij had zich altijd afgevraagd hoe dat voelde, een schedel tot moes slaan, wat je in je handen voelde, als je de hamer liet neersuizen en het bot een fractie van een seconde weerstand bood voor het meegaf. Hij had het zich telkens weer voorgesteld, inmiddels zeker al honderd keer, als je omlaagkeek en het bloed spoot nog uit de snee in de hals en het voorhoofd of de rechterhelft van het gezicht was al helemaal ingedrukt en hoe je dan de aandrang kreeg nog een keer toe te slaan en een derde en een vierde keer, net zo lang tot er van het origineel niets meer over was.

'Het mooiste is het geluid,' zei Gasselik. 'Weet u hoe het klinkt als een bot breekt? Weet u dat het helemaal door je heen gaat? Dat raak je niet meer kwijt.' Kovacs dacht aan het zoemen van de lichtzwaarden in de Star Wars-films, het minizwaard van Yoda en de scène waarin Darth Maul door een haal van Anakin Skywalker doormidden gekliefd in die eindeloze schacht valt.

'Gaat het bij dieren hetzelfde als bij mensen?' vroeg Demski. Gasselik was even verbaasd, maar begon toen te schateren. 'Ganzen, katten, honden, cavia's – dat was ik helaas ook niet,' zei hij.

'Zeker weten?'

'Zeker weten.'

'Wie dan?'

'Ben ik de politie of bent u dat? Bovendien is dat voor u hooguit vernieling.'

'Wie zie je ervoor aan dat hij dat zou kunnen doen?' vroeg Kovacs. Gasselik liet zijn beide middelvingers knakken. Toen schoof hij zijn handen onder zijn dijen. 'Een of andere psychopaat,' zei hij. 'Iemand die stemmen hoort of op bevel van een hogere macht handelt.'

Kovacs dacht aan de Apulische koppensneller en aan het beeld van

Lefti's neef met de explosievengordel om zijn lichaam. Daarbij kwam hij zichzelf nogal stompzinnig voor. Wie van ons is geen psychopaat? dacht hij en hij draaide zich om om te gaan. 'Heb je eigenlijk wollen handschoenen?' vroeg hij op de drempel. Gasselik dacht na. 'Ja, die heb ik,' zei hij ten slotte.

'Hoeveel paar?'

'Een paar wanten. En een paar handschoenen; met van die losse vingertoppen.'

'Welke kleur?'

'Mijn wanten zijn grijs en mijn handschoenen roodbruin.'

'Heel goed. Dank je wel.'

Aan Demski's blik kon je zien dat hij er niets van begreep. Kovacs trok hem de gang op en sloot de deur. 'Ik leg het je in de auto uit,' zei hij.

Manuela Gasselik zat in de keuken in een tijdschrift te bladeren en een sigaret te roken. Toen ze Kovacs en Demski aan zag komen, blies ze de rook uit, trok de witte sjaal strakker om haar hals en stond op. 'Heeft hij gepraat?' vroeg ze. 'Hij heeft gepraat,' antwoordde Kovacs. De blik van de vrouw flikkerde. Hij had met haar te doen. 'Kan uw zoon eigenlijk autorijden?' vroeg hij. Ze lachte. 'Dat is het enige wat hij van mijn man heeft geleerd. Toen hij tien was,' zei ze.

'Hoe vaak rijdt hij?'

'Geen idee. Hij pakt een auto van de parkeerplaats en rijdt rond. Zomaar. Niemand controleert dat.' Het kan haar niet schelen, dacht Kovacs, hoe verder weg hoe liever.

De lampen waren inmiddels uit. De hemel boven de montagehal was blauw met een zweem oranje. De man in de groene overall schepte ijsbrokken op het laadvlak van een vrachtwagentje. Hij vloekte daarbij binnensmonds en schopte enkele keren tegen het achterwiel.

Kovacs ging in de auto zitten, greep achter zich en haalde Demski's opwindeend van de achterbank. Hij liet hem boven op het dashboard langs de voorruit hoppen. Demski was geïrriteerd. 'Wat doe je?' vroeg hij. 'Ik praat met hem,' zei Kovacs.

'En wat zegt hij?'

Kovacs keek de eend een seconde in zijn blinde oog. Toen zette hij hem weer op de achterbank. 'Hij heeft het niet gedaan,' zei hij.

Sabine Wieck holde huilend in de vergaderzaal heen en weer. Lipp stond met een uitdrukking van onbegrip op zijn gezicht tegen de muur en Eleonore Bitterle zat onbeweeglijk tegen de muur, haar handen om haar theekop gesloten. Kovacs opende de ritssluiting van zijn jack. 'Wat is er gebeurd?' vroeg hij. Sabine Wieck pakte in het voorbijgaan de spons uit het bakje onder de tafel en smeet hem dwars door de kamer. 'Dat stelt me gerust,' zei Kovacs. Hij liep naar de tafel toe, schonk zich koffie in en wachtte.

'We waren in de Bergheimstraße, zoals afgesproken,' zei Lipp. Sabine Wieck keerde zich naar Kovacs, leunde op de tafel en schreeuwde: 'Daar grijnst dat smerige zwijn me aan en zegt: denkt u dat ik mijn dochtertje iets zou kunnen aandoen? En ik zeg: ja, dat denk ik. En hij grijnst nog meer en zegt: kijk naar me – ik ben psychisch ziek. Zelfs al zou het zo zijn, dan kon ik er niets aan doen!' Kovacs roerde bedachtzaam suiker in zijn koffie. Hij dacht eraan hoe leuk hij het vond om met Sabine Wieck door de sneeuw te stappen en hoe heerlijk ze opvlamde als ze boos was. 'Jullie zijn dus bij de familie Schmidinger geweest?' Lipp knikte. Of hij het zich goed herinnerde als hij denkt dat ze dat niet hebben afgesproken, vroeg Kovacs, en Lipp antwoordde haastig dat ze hadden overlegd dat het toch zinvol kon zijn een keer alleen met de moeder van het meisje te praten. Hij had de vrouw eerst opgebeld en ze had ja gezegd, ze was alleen want haar man was in het ziekenhuis bij het kind, en niemand had er rekening mee kunnen houden dat hij uiteindelijk opeens in de deuropening stond. Sabine Wieck ging zitten, pakte een servetje, en veegde daarmee over haar ogen. 'Eigenlijk maakte het ook niet uit,' zei ze. 'Wat maakte niet uit?' vroeg Kovacs.

'Of hij er was of niet.'

'Dat begrijp ik niet.'

Ze waren bij het buurhuis aan de linkerkant begonnen, vertelde Sabine Wieck, en hadden meteen maar een jonge spoorwegambtenaar uit zijn bed gejaagd, die na zijn nachtdienst zojuist was gaan slapen. De man was dus slechtgehumeurd geweest. Ja, hij had een vrouw, en nee, hij had gegarandeerd geen hond. Een zoon van vier, die nu op de crèche is, had hij eventueel nog te bieden, als dat misschien mocht helpen. De brief die ze hem voorhielden, had hij nog nooit gezien, had hij gezegd, en hij kon zich niet voorstellen dat zijn vrouw die had geschreven, hoewel Norbert Schmidinger beslist een geesteszieke man was. Wat bedoelde hij dan met 'geestesziek' vroegen ze de man en hij zei: 'Hij staat met een veldkijker op het balkon en kijkt in ieder raam dat er in zijn blikveld komt en als hem dat genoeg heeft opgewonden, haalt hij zijn ding tevoorschijn en rukt zich af. Dat bedoel ik met "geestesziek".' Dat zei de man en toen verontschuldigde hij zich ook nog voor zijn plastische taalgebruik, omdat ze tenslotte een vrouw was.

Eleonore Bitterle keek op. 'Denk je dat hij dat echt doet?' vroeg ze. 'Ik bedoel: zo openlijk.' 'Geen idee wat dat zwijn allemaal doet,' antwoordde Sabine Wieck. Lipp probeerde zijn grijns te verbergen, door zijn beker voor zijn gezicht te houden. Ze keken hem allemaal aan. 'Wat is er?' vroeg Wieck.

'Niets.'

'Je lacht!'

'Ik probeerde me alleen die hardheidstest voor te stellen: bij min 15 graden op het balkon... Sorry, het is zo primitief.'

'Ja,' zei Sabine Wieck. 'Het is primitief.'

Met de primitiviteit van het opgewonden mannelijk lid zal ze zich nog bezig moeten houden als ze deze baan wil houden, dacht Kovacs, en hij dacht ook dat een man die zich openlijk op het balkon aftrok hem veel liever was dan iemand die de benen van zijn kinderen brak. Eleonore Bitterle tekende een penis op een vel papier en zette er toen een kruis door. Sabine Wieck zag het en werd zichtbaar rustiger.

Door de voortuin van het andere buurhuis was hen zodra de deur open was gegaan een hondje tegemoet gesprongen, vervolgde ze haar verhaal, hevig keffend en niet moeilijk als bastaardteckel te herkennen. Op de drempel was een vrouw van een jaar of zestig verschenen, in een afschuwelijk gebloemde peignoir, Hannelore Ifferling, een voormalige docente aan een middelbare school. 'Toen je dat gezicht zag en die peignoir daaronder wist je meteen dat ze alles zou ontkennen,' zei Lipp.

Kovacs herinnerde zich dat de vrouw in de war was geweest, dat haar stem schel had geklonken en dat ze had gezegd dat ze uit een telefooncel belde om niet herkend te worden. Hij dacht eraan dat die mix van simpelheid en angst dit land kenmerkte en dat het een mix was die bepaalde bevolkingsgroepen speciaal karakteriseerde, bijvoorbeeld leraren, politiechefs of toppolitici.

De vrouw had hen amper in de voorkamer gelaten, vertelde Sabine Wieck, en ze had inderdaad alles ontkend, grondig en consequent: geen telefoontje, geen brief, geen meisjesbenen die tegen een ijzeren stang werden geslagen. 'Liefst had ze ook de hond ontkend,' zei Florian Lipp, maar dat ging niet en daarom had ze gezegd dat bastaardteckels voorkwamen als zand aan de zee, ook in deze stad, en hij had zich op dat moment niet kunnen inhouden en geantwoord: misschien niet lang meer. Ze schrok zich blijkbaar een hoedje en toen had hij haar gevraagd of ze soms geen kranten las. De hond heette overigens Augustus.

Ze is bang dat hij op het balkon gaat staan en door de verrekijker naar haar kijkt, dacht Kovacs, en ze is bang dat hij zijn ding uitpakt, dat ze waarschijnlijk niet eens waagt te benoemen, maar het meest is ze bang dat hij haar hond pakt en ergens tegenaan slaat.

Bitterle vroeg of de vrouw iets had gezegd over de persoon van Norbert Schmidinger en Sabine Wieck antwoordde dat ze niets had gezegd, behalve dat ze zich principieel niet mengde in opvoedingskwesties van andere mensen, maar zich met belangrijker dingen moest bezighouden, met de tuin en de hond en het huis. De hond had overigens de hele tijd tegen haar kuitbeen gesprongen – een absoluut contactgestoord beest.

Over Barbara Schmidinger wilde ze eigenlijk helemaal niets meer vertellen, zo frustrerend had ze het gevonden hoe die vrouw met strakke blik zat te kijken en stereotiep de versie van haar man had herhaald: een donkerblauwe stationcar, bullbar tegen de scheenbenen van het kind, automobilist is doorgereden en in de consternatie kijkt niemand naar het kenteken. Het werkelijk spookachtige was echter geweest, vertelde ze, 'dat die onnoemelijke man opeens in de kamer stond en je aan zijn manier van doen en aan zijn toon en aan de uitdrukking op zijn gezicht merkt dat hij er absoluut zeker van is dat zijn vrouw intussen niets heeft verraden.'

Kovacs had de altijd wat gebogen houding van de vrouw voor ogen en haar eigenaardig stroachtige haar en hij dacht dat soms de mate van de bedreiging de enige relevante maatstaf in het leven was. Hij voelde zich ellendig.

Sabine Wieck keek naar Lipp. 'En toen heb ik een fout gemaakt,' zei ze. Je kon zien dat de tranen weer opwelden in haar ogen. Iedereen wachtte. Demski krabde suiker van de bodem van zijn koffiebeker.

Ze had Florian overgehaald naar het ziekenhuis te rijden, zei Sabine Wieck. Ze waren naar U14, de afdeling ongevallen, gegaan, hadden hun identiteitspapieren getoond en gezegd dat ze Birgit Schmidinger iets moesten vragen. De afdelingszuster had even geaarzeld en gezegd dat ze niet wist of het goed was, want de vader was namelijk pas geweest en dat had het meisje nogal onrustig gemaakt; maar ze hadden hen uiteindelijk toch door laten lopen.

Het kind had in bed gelegen en een oudere zuster las haar voor uit een boek. Alles had er vredig uitgezien tot ze had gezegd dat ze van de politie waren. Het meisje had haar ogen wijd opengesperd en was over haar hele lichaam beginnen te beven en ze had niets kunnen bedenken om de situatie te ontspannen. De zuster had gebaard dat ze beter weer konden gaan, maar ze was zo dom geweest om nog te vragen: hebben jullie in de tuin iets waaraan je moeder de was ophangt? Toen was het kind jammerlijk gaan huilen, had haar vingers in de deken geslagen en tussendoor had ze steeds weer één zin uitgesproken: het was een blauwe auto, het was heel zeker een blauwe auto. Ze was blijven staan en had zich schuldig gevoeld en boos tegelijk en ze wist niet wat ze moest doen, toen eindelijk die lange, magere dokter was gekomen, de psychiater zoals later was gebleken, en hen naar buiten had gestuurd.

'Een blauwe auto, zei ze, het was een blauwe auto. Ze is vijf jaar! Vijf jaar!' Sabine Wieck stond te snikken.

Kovacs greep zijn jack en stond op. 'Ik moet nog even weg,' zei hij. En omdat de anderen hem niet-begrijpend aankeken: 'Iets regelen.'

Toen hij de trap af liep moest hij aan Marlene denken, die onlangs had gezegd dat deze baan ontzettend veel van je eiste en dat ze het onverantwoordelijk vond dat werk door jonge, idealistische mensen te laten doen. Bovendien schoot Daniel Gasselik hem te binnen met het zwart-rode masker van Darth Maul vlak achter hem en Norbert Schmidinger, die met zijn verrekijker op het balkon ging staan. Tot slot dacht hij weer aan de sheriff, die mensen kende die voor heel weinig geld en een paar toezeggingen alles deden wat je van hen wilde.

Buiten voor de hoofdingang stapte Mauritz uit zijn zilverkleurige Renault. Hij wenkte Kovacs naderbij. 'Ik ben nog een keer teruggegaan om die bijenramp af te sluiten,' zei hij. 'En ik heb met Christoph Moser gesproken, met de jonge boer die alles heeft ontdekt. Hij beweert dat hij de vorige ochtend iemand in het bos had gezien. Het past niet echt bij hetgeen we hebben, maar hij blijft erbij.'

In Ludwig Kovacs dook het beeld op van hoe ze destijds door het winterse lariksbos hadden gelopen, de bandensporen achterna, en hoe ze ontspannen hadden gepraat, en hij wist ook nog dat hij zich toch niet aan de indruk had kunnen onttrekken dat er iets niet klopte, maar hij kreeg het niet te pakken.

'Heeft Moser de man herkend, die hij daar in het bos heeft gezien?'
Mauritz knikte. 'Ja, maar hij heeft er niet veel bij gedacht, zei hij.'

'En?'

Mauritz sloeg het portier achter zich dicht. Hij trok zijn rechterhandschoen uit, voor hij begon te vertellen. Dat zag er een beetje grappig uit.

Twintig

Ze zijn er. Ze steken schuin de parkeerplaats over en misschien nemen ze hem wel mee. Net als toen. Ze zullen er niets aan hebben. Vroeg of laat zal hij het winnen. Net als toen. Misschien gauw, misschien in het volgende sterrentijdperk, misschien in dat daarna. Hij is de imperator. Hij heeft alle tijd van de wereld, ik weet het.

Ik eet mijn cornflakes niets sneller dan anders. Ze vragen naar mijn vader. Die is ergens, zegt mijn moeder. In werkelijkheid is hij aan de overkant in zijn kantoor. Ze gaan allemaal naar achteren, naar Daniels kamer. Mijn moeder komt terug, gaat zitten en steekt een sigaret op. Ik heb er een hekel aan, maar dat kan haar niet schelen. Daniel kan haar ook niet schelen. Luke Skywalker en zijn zus Leia krijgen adoptieouders als hun moeder doodgaat. Mijn moeder weet niet eens wie Luke Skywalker is.

Door de muur kun je ze horen praten, heel rustig. De verhoren die rustig beginnen, zijn de gevaarlijkste, zegt Daniel. Uiteindelijk putten ze je uit. Ik controleer mijn rugzak: het masker, de vuisthamer, het nieuwe stanleymes, het grote uit de set van drie, de schoolspullen, de cape. Ik grijp onder mijn matras en haal het ding tevoorschijn waarmee Daniel me laat zien hoe het binnen is. Het is van voren zilver en van achteren zwart. Het lijkt een beetje op Yoda's lichtzwaard. Niemand mag het vinden. Ik stop het bij de andere spullen.

Mijn jack, mijn laarzen, mijn bivakmuts. Als ik mijn want over mijn rechterhand trek, doet het pijn, hoewel ik onder het verband vier verschillende zalven op de wond heb gesmeerd. Als een pitbull me had gebeten in plaats van een bastaardcollie met korte poten zou mijn hand nu weg zijn, zegt Daniel. Het was een vingerwijzing van de duistere kant van de macht, zegt hij, en als ik de volgende keer een pitbull neerleg, maakt hij me zijn plaatsvervanger. Ik weet niet hoelang het duurt tot ik een pitbull te pakken krijg, maar Daniel zegt dat ik de tijd heb en hem eerst moet bestuderen. Konrad Seihs, die klootzak van een fascist, heeft een pitbull, zegt Daniel, en hij woont in de Linzer Straße, tweede dwarsstraat links, vierde huis. Dat is een opdracht voor later, zegt hij.

Moeder hoort ons nooit als we weggaan. Ze ligt nog in bed of ze zit ergens te roken. Daniel zegt dat ze een nutteloze slet is. Ik weet niet of dat klopt. Soms denk ik dat mijn moeder niet veel denkt. Op die manier is het niet zo tragisch dat we haar niets kunnen schelen. Momenteel heeft ze LV rondom haar hals. Hoe dat is gebeurd weet ik niet. Daniel zegt dat het niets voorstelt. Anakin Skywalkers moeder gaat in deel II dood. Hij redt het ook wel zonder haar. Een vader heeft Anakin niet. Hij heeft hem nooit gemist. En toch is hij Darth Vader geworden.

De kale buschauffeur, die in de winter een wollen muts draagt, die precies op zijn achterhoofd past – als een deksel. Die deugt wel. Af en toe zijn er mensen bij wie je het gevoel krijgt dat ze hun taak uitvoeren en helemaal niet onaardig kunnen zijn, zoals R2-D2. Op een keer gaan ze gewoon door het lint, dan is het te laat. Dat is het nadeel.

Het varkentje zit in de rij vlak achter de chauffeur, met Markus naast hem. Markus is geen probleem, die zegt nooit iets. Het varkentje praat onafgebroken, gewoon over huiswerk en *De Miljoenenshow* en *Need for Speed*. Ik zeg tegen hem dat ik laat ben opgestaan en kijk de andere kant op. Dat verandert ook niets. Hij heeft een slechte uitstraling.

In de doorgang naar de eerste binnenplaats heb je rechts een kort gangetje, eigenlijk de achteringang van de kloosterapotheek. Er is na een paar meter een nis, waarin drie blauwe vuilnisbakken staan. Ik ga erachter op mijn hurken zitten en wacht. Ik bedenk dat je op Hoth overal sneeuwkuilen kunt graven. Daar vindt niemand je, geen wampa, geen jedi, zelfs yoda niet. De kerkklok slaat vier keer licht en acht keer zwaar. Ik tel gemiddeld snel tot honderd, dan vertrek ik. Ik heb een taak.

Leo komt altijd op de fiets. Hij woont in de buurt en de banden van zijn BMX zijn zo breed dat dat ook bij sneeuw werkt. Het nummer van zijn kettingslot is 1407, zijn verjaardag. Het is stom, maar iedereen doet dat. Ik open het slot en zet het zadel een beetje lager voor ik opstap.

Daniel heeft me eerst een dreun gegeven en nog een en gezegd dat ik me wel aan mijn opdrachten moet houden. Toen duwde hij mijn gezicht op het krantenartikel en ik heb gezegd dat ik dat niet was. Hij zei toen, dat hij me als ik lieg in mijn kont neukt, net zoals ze binnen doen, en toen zei hij dat er een vreemde macht in het spel was en dat ik dat moest uitzoeken.

Dat het pad bij de weg achter de okergele hal van de houtfabriek begint, weet ik nog van toen, toen we er allemaal waren, de hele klas. Op een gegeven moment op de lagere school gaat iedereen erheen en de dingen worden je precies uitgelegd met de pollen en de achterpoten en de koningin en aan het eind krijg je een potje met een hapje om te proeven.

De rijweg is tot een stuk voorbij het laatste huis geruimd, vanaf daar wordt alles moeizaam. Ik rij in het rechter van de twee diepe bandensporen. Ik sta op de pedalen en probeer heel regelmatig te trappen, maar het is zo ruw dat ik om de paar meter een voet op de grond moet zetten. Voorbij de eerste bocht is het pad gebarricadeerd, misschien door een kleine lawine of dichtgeschept. Ik leg de fiets tegen de struiken. Ik zet hem niet op slot. Hier komt niemand. Ik klim over de sneeuwberg. Bovenop gooi ik de cape om mijn schouders en zet het masker op. Ik schuif het op mijn voorhoofd, zodat het op mijn schedel ligt. Dan ga ik te voet verder, in het rechterbandenspoor, net als eerst. Ik stel me voor dat ik boven op een tauntaun zit en hem alleen maar commando's hoef te geven. Hij loopt stevig door en zelfs de ergste stijgingen maken hem niets uit.

Ik vraag me verschillende dingen af, bijvoorbeeld hoe snel de bijen waren bevroren toen hun kasten kapot werden geslagen, of er bijen waren die nog vijf meter hebben gevlogen of zelfs tot de eerste boom aan de rand van het bos, of dat het mogelijk was om het op dezelfde manier te doen als met de eenden en de katten, met een vuisthamer en heel veel kracht. Ik vraag me ook af of ze Daniel intussen met een natte handdoek hebben bewerkt of met wat voor psychotrucs dan ook en of ze hebben gedreigd hem uit zijn slaap te houden of met de isoleercel. Ik weet alleen dat hij niets zal hebben gezegd, geen woord.

Bij elkaar zijn het elf bochten, tot het terrein vlakker wordt. Dat heb ik ook van Daniel geleerd: het leven wordt veiliger als je meetelt. Ik trek het masker over mijn gezicht. Ik haal adem als Darth Vader. Het struikgewas houdt op, de bomen staan nu niet meer zo dicht op elkaar en na twee, drie toppen op het terrein heb je vrij zicht op de open plek.

Ik sta daar en weet dat er iets helemaal verkeerd is. Ik kan me de dingen goed herinneren: we zien een paartje bonte spechten in spiralen de stam van een grove den op lopen; mevrouw Zelsacher, onze juf, heeft zakken met winegums bij zich; Dorothea Schaupp valt en bezeert haar knie en iemand tilt haar op en draagt haar het laatste stuk, naar waar in de zomer de wei is. Ik kan me de kleurige bijenkasten goed herinneren, zelfs de eerste kast op de onderste rij die donkerrood is geverfd, en ook de oude zwarte schuur rechtsachter. Alles is nog net als toen. Maar dat is compleet verkeerd.

'Een beeld van verwoesting,' stond in de krant, dat heb ik onthouden en er stond ook dat zestien bijenkasten helemaal vernietigd zijn. Hier staan tweeëntwintig kasten opgestapeld, twaalf op de onderste rij, tien daarboven. Allemaal heel. Ik loop langzaam langs het houten hok. Ik gebruik de voetstappen die daar voorhanden zijn. Niets is kapot, helemaal niets. Boven op het dak ligt misschien dertig centimeter sneeuw. Aan een kant heeft iemand de sneeuw weggeveegd, niemand weet waarom.

Ik rij straks naar huis, met Leo's fiets. Ik ga naar Daniel in zijn kamer en zeg dan tegen hem: er bestaat geen vreemde macht, dat was allemaal een grote vergissing. Dan kijk ik hem aan en zal ik hem vragen hoe hij dat met die oude man heeft gedaan, met welke auto en met welk gereedschap en wanneer, aangezien hij toch de hele avond met mij in zijn kamer was.

Ik steek de vrije vlakte over, om weer bij de bandensporen te komen. Ze leiden rechtstreeks naar de zwarte schuur.

De poort van de schuur heeft geen slot, maar alleen een grendel van hout. Ik schuif hem weg en trek de deur op een kier open. Eerst zie ik niets, later toch wel iets.

Eenentwintig

In de vergaderzaal bevinden zich twaalf mensen. Nu zijn het er dertien; Verena Steinmetz is net binnengekomen. Ze draagt haar rode aktetas, als een advocate in een Amerikaanse speelfilm. Op haar plaats ligt helemaal niets. Links van haar is Brandhubers plaats. Daarop liggen een *Textus* van de vierde klas, een *Aeneis* van Vergilius, *Ab Urbe Condita* van Livius en zevenentwintig huiswerkschriften van de zesde klas. Brandhuber is er nog niet. Die heeft pas vanaf het tweede uur les. De tl-buis rechtsboven de deur flikkert. Dat is nieuw. Op Altmanns plaats liggen een *Autorevue*, een halve appel, een ongeopende melkliga en een proefexemplaar van Mistlbachers nieuwe wiskundeboek voor de eerste klassen. Altmann staat bij Krivanek te lachen.

In de klas hangt een dicht web van roosterlijntjes. Al tweeënhalf uur is hij hier en trekt die draden, heen en weer en heen en weer, tussen dingen en hoofden en kleine bijzaken. Niemand heeft het nog gemerkt. Dat hij de eerste is, valt verder niet op. Hij is altijd de eerste. Hij zal zich in het web gooien. Het zal hem houden. Sylvia Ruther kijkt hem aan. Hij kijkt weg. Ze is een slechte vrouw.

Noem de dingen bij hun naam. Neem ze voor wat ze zijn. Een schrift is een schrift. Een slechte vrouw is een slechte vrouw.

Op zijn plaats onderop, geseald, een blad papier met de regel in A3 voor en achter klein gedrukt. Drie zinnen heeft hij met een markeerstift opgelicht:

U weet trouwens hoe laat het is, u weet dat het uur om uit de slaap te ontwaken is aangebroken. Nu is onze redding dichterbij dan toen wij tot het geloof kwamen.

Daarbovenop zijn spullen. Het eerste uur wiskunde in de zevende klas, tweede uur wiskunde in de eerste, derde uur godsdienst in de zesde, vierde uur vrij, vijfde uur godsdienst in de zesde. Boeken, schriften, notitieblaadjes. Naast elkaar vier lage stapeltjes. Soms bestaat het leven uit draden en stapels.

Freyler vraagt hoe het met hem gaat. Hij zegt: dank u, goed. Freyler zet het model van een menselijk oog op zijn plaats. Hij is een aardige man, maar soms doet hij dingen die een vreemde sfeer oproepen.

Het uur om uit de slaap te ontwaken is aangebroken.

De uren hiervoor heeft hij aan de vrouw gedacht en aan het kind, aan de vraag hoe vaak ze naar de kapper gaat en of ze af en toe een kleurtje in haar haar laat doen. Nu denkt hij eraan dat het kind over een paar jaar over de zintuigen zal leren en dat hij misschien een leraar zal hebben die koeienogen meebrengt naar de les en dan zal hij zijn arm opsteken en zeggen: ja, ik wil er ook een uit elkaar halen.

Hij neemt de meest linkse stapel en wacht. Om hem heen draaien de mensen zich naar de deur. Zevende klas. De eerste grafiekdiscussies. De verbazing van sommige leerlingen dat dat altijd opgaat: je zet de eerste afleiding op nul en krijgt dan de pieken en dalen.

Met de anderen naar de aula, het trappenhuis in, naar boven, naar de tweede verdieping. Hij loopt de gang uit.

Door de grote boogvensters zie je uit op de parkeerplaats, op de eerste binnenplaats beneden. Altmanns Espace, Verena Steinmetz' turquoise Peugeot. Keindl stapt uit zijn oude Mercedes. Hij komt vaak te laat. Vanaf de hoofdingang komt iemand aan. De hoofdband, de rugzak, de kleine gestalte. Björn. Hij loopt rechtstreeks naar de fietsenstalling en gaat daar aan de gang.

Hij ziet hem achter in de kerk staan en op het kerkhof tussen de cipressen. Hij hoort hem zeggen: Daniel is er weer.

Er komt spanning op het web. Hier en daar scheurt een draad.

Hij legt het stapeltje voor het raam op de grond en draait zich om.

De gang terug, de trap af, rechtsaf naar de poort. Hij ziet de rugzak door de poortboog verdwijnen. Hij ademt de lucht door zijn neusvleugels in. Het is weer iets warmer geworden. Schuin over de binnenplaats. Hij rent.

I'll walk to the depth of the deepest black forest.

Clemens heeft hem verboden de iPod mee naar school te nemen. Hij heeft gedreigd hem uit de schooldienst te ontslaan als hij zich er niet aan mocht houden. Op dit moment maakt het hem niet veel uit. Hij krijgt zijn muziek toch wel in zijn oren. Hij hoeft alleen de quetiapinedosis weer omlaag te schroeven. Als hij dat niet doet wordt alles stil en leeg.

Een klein stukje langs de Stiftsallee, dan rechtdoor het spoor over en meteen daarna links de Grafenaustraße in. Björn lijkt haast te hebben. Je kunt zien dat het niet zijn eigen fiets is.

Er is iets wat verkeerd aanvoelt. De broek, de warme trui, vooral de schoenen.

I saw guns and sharp swords in the hands of young children.

De huizen van de wijk, daarna de drie hallen van de houtfabriek, de kleine olijfgroene en de grote olijfgroene, de okergele. Aan de verlenging van de Grafenaustraße ligt een groepje oude keuterboerderijtjes, daarachter begint het bos.

Björn neemt het rechter van de twee bandensporen. Hij staat op de pedalen en kwelt zich zichtbaar. Het komt door het grove profiel van het spoor. De sneeuw is nog hard en koud.

Hij loopt nu heel langzaam. Op sommige gedeelten glijden zijn zolen toch weg.

Op een plaats waar de weg is versperd stapt Björn van de fiets en legt die aan de rand neer. Hij klimt over de sneeuwberg die dwars over de weg ligt en gaat te voet verder. Hij draait zich daarbij niet om. Hij ziet er gehaast uit.

Hij ziet Björn op het kerkhof staan, tussen de tweede en de derde cipres van rechts. Als de oude man onder de aarde ligt en iedereen het kerkhof verlaat, loopt hij naar de noordelijke muur. Björn rent niet weg. Hij vraagt hem wat er aan de hand is, en Björn antwoordt eigenlijk niets, behalve dat Daniel weer thuis is. Hij is de imperator van allemaal en hij vertelt verschillende dingen waarvan je iets kunt leren. Onder andere zegt hij: binnen is alles relatief. Het is bijvoorbeeld veel beter als je door een stuk ijzer of rubber in je kont wordt geneukt dan dat ze het met hun eigen dingen doen. Zoiets weet je niet van tevoren.

Where black is the color, where none is the number.

De fiets is van Leo. Hij had hem bij het vorige middaguitstapje bij zich.

Hij klimt over de sneeuwberg. Zijn zoon heeft misschien ook al een fiets, knalblauw of zilver met een roodbruine vos erop. Zijwieltjes – wie vijf is, heeft zijwieltjes nodig.

Aan de andere kant lopen de bandensporen gewoon verder.

Er zal een moment komen dat hij zijn zijwieltjes losgeschroefd zal hebben en hem achter bij de zadelrand zal vasthouden, en dan zal hij hem loslaten en hij zal een stukje alleen rijden en helemaal verbaasd zijn.

Björn klimt flink de haarspeldbochten op die het goederenpad beschrijft. Hij heeft iets over zijn schouders gelegd, wat er van een afstand uitziet als een zwarte cape.

Hij houdt anderhalve bocht afstand. Hij loopt met middelgrote passen. Als hij naar opzij kijkt, overziet hij de hele stad. De rook uit de schoorsteen van de houtfabriek stijgt nog loodrecht op. Soms lukt het hem exact het moment te bepalen waarop het weer omslaat. Dan is het alsof je in de grootst mogelijke helderheid kijkt, en als je nog een keer kijkt, is alles al gelig.

Het zijn alles bij elkaar elf bochten. Daarna loopt de helling weer af en het pad loopt in een vlakke bocht naar het zuidwesten. De stammen van de lariksen en dennen zetten een stap opzij. De zon snijdt glinsterende driehoeken in het bos.

Björn verlaat het spoor en beweegt zich in oude voetstappen naar de bijenkasten links. Hij schrijdt de rij af, alsof hij iets moet controleren. Aan het eind blijft hij staan en legt even zijn hand op het schuine dak. Hij draait negentig graden, treedt in het spoor terug en gaat langzaam op de loods af. Hij draagt een Darth Vader-pak, dat is nu goed te zien.

Where black is the color, where none is the number.

De nok van de loods is in het midden nogal doorgezakt. De dakspanten zijn op diverse plaatsen onlangs opgeknapt.

Björn loopt naar de deur van de loods toe en onderzoekt hem. Ten slotte schuift hij de grendel weg en trekt de deur met twee handen een stuk open.

Hij nadert in duidelijke gelijkmatige stappen. Björn draait zich niet om, hoewel hij hem zonder twijfel hoort aankomen.

Hij staat naast hem en beiden kijken in het binnenste van de loods. Hij weet niet wat het is. Een ding dat lijkt op de top van een kraanwagen steekt schuin uit het donker. Helemaal bovenin plakt dreigend iets zwarts. Björn heeft zijn Darth Vader-masker voor zijn gezicht en ademt blazend.

Who did you meet, my son?

Hij opent de deur helemaal. Nu wordt het duidelijker. In de loods staat, met zijn achterkant naar de deur, een oude sleepwagen. Gele lakresten hier en daar, afgereden banden met een grof profiel. Achter op het platform een zwenkarm, onderaan een staaldraadlier, en aan de bovenkant de katrol. Vlak daaronder, ongeveer anderhalve meter boven hun hoofd, hangt aan een stevig, opengelast oog een middelgroot aambeeld. Vers uit een smederij, denkt hij.

Björn zet de rugzak neer, opent hem en pakt het masker en de cape in. Hij is nu rustiger.

Het zal gauw warmer worden, denkt hij. Een paar uur zal het drukkend zijn, en plotseling zul je in de sneeuw zakken. Dan zal de regen komen als een grijze muur.

Tweeëntwintig

Ik heb hem vermoord.

Het is heel gemakkelijk. Je gaat een stap achter hem staan, grijpt hem met je linkerhand bij zijn haar, buigt zijn hoofd achterover en maakt met je rechterhand de snee. Je hebt een scherp stuk gereedschap nodig, een stanleymes bijvoorbeeld. Niet een met afbreekmesjes, anders loopt alles fout. Als je zijn halsslagader te pakken krijgt, is hij na een paar seconden bewusteloos. Je trekt hem zoals je hem nodig hebt, dan rij je met de sleepwagen zo over hem heen, dat zijn lichaam in de lengte tussen de achterwielen ligt. Je richt het aambeeld, moet daarvoor misschien een stukje voor- of achteruit, trekt het ding omhoog tot aan de katrol en maakt de staaldraadbeveiliging los. Het aambeeld valt van drieënhalve meter hoogte op zijn gezicht. Je hebt wat je wilt.

Dat de auto vroeg of laat wordt gevonden, is me duidelijk, ook dat het meisje misschien mijn stem heeft herkend, want de meeste scholieren van de stad hebben mijn stem wel eens gehoord. Dat ik bij de actie een knoop van mijn mouw zou verliezen, heb ik niet gepland, maar daar kun je niets aan doen.

De zaak uitvoeren was gemakkelijk, zoals gezegd. Moeilijk was de tijd daarvoor.

Daarna was ik moe, verder niets.

Het zijn van die zinnen, waar je je in het leven onwillekeurig op baseert, die dan echter complete onzin blijken, zoals bijvoorbeeld: de tijd heelt alle wonden. Het tegendeel is het geval. De tijd heelt helemaal niets en soms zijn het een paar seconden, die je hele leven bepalen. Tot aan het einde.

Stelt u zich bijvoorbeeld voor dat ik een broer heb. Stelt u zich voor dat we in leeftijd niet veel verschillen en elk is voor de ander zoiets als zijn andere helft. De ene keer sla ik uit boosheid met de gehaktmolen op zijn hoofd en de andere keer trekt hij de valse herdershond van de buren van me weg, hoewel hij me al bij de keel heeft. Stelt u zich voor dat ik een klas over doe of misschien wel twee, om naast hem te kunnen zitten, en dat moet dan zo blijven tot aan het einde toe. We dragen dezelfde kleren, we lezen dezelfde boeken en we slapen naast elkaar. We zijn nooit gescheiden behalve voor twee weken, die ik met een blindedarmontsteking naar het ziekenhuis moest. Hij verwijt me naderhand dat als ik niet zoveel kersenpitten had doorgeslikt het niet zo ver was gekomen.

Wanneer en waar het gebeurt, maakt eigenlijk niet uit. Het kan gisteren zijn geweest of vier weken geleden of zestig jaar geleden. Het kan in Furth zijn gebeurd, in Salzburg of bijvoorbeeld aan de rand van het Thüringer Woud, in een dorp tussen Eisenach en Meiningen, op een lage heuvel boven de Werra. Er zijn enkele personen bij, onder andere *hij*, mijn broer en ik en nog iemand die hoe-dan-ook heet, Dorner of Strolz of Zillinger. Stelt u zich voor, *hij* gaat het eerste huis in en schreeuwt en slaat op tafel en eist iets te eten. Omdat er niets is, laat *hij* de hele familie opdraven, man, vrouw en twee dochters, en dan vraagt *hij* of er nog iemand in huis is, en de vrouw zegt: ja, mijn zoon, maar die kan niet lopen. *Hij* vraagt waar is hij, en de vrouw zegt, boven, en *hij* dwingt de vrouw mee de trap op te gaan. We vinden de zoon in zijn kamertje. Hij zit met een laken vastgebonden op een stoel met armleuningen en de vrouw zegt: de rolstoel is kapot. Voor zich op tafel heeft de zoon een ongelinieerd schrift liggen, daarnaast een platte houten kist met kleurpotloden. Hij heeft blijkbaar de bladzijden een voor een uit het schrift gescheurd en van iedere bladzijde een vlag gemaakt, de Duitse, de Engelse, de Italiaanse, de Franse. Op het moment is hij bezig met het veld rondom de sterren van de Amerikaanse vlag blauw te kleuren. *Hij* pakt de getekende vlaggen op en beveelt: allemaal naar beneden. We maken de zoon los en ik draag hem de trap af, hij is heel licht. Beneden legt *hij* de tekeningen op de keukentafel en vraagt hoe oud de zoon is, en de moeder zegt: vijftien, ook al ziet hij er niet zo uit, maar dat komt door zijn handicap. Dan zegt *hij* heel rustig dat er een bevel is van Manteuffel om in een huis waar een witte vlag wordt getoond zonder uitzondering iedere mannelijke bewoner boven de veertien neer te schieten. Omdat voor *hem* de Engelse, Franse en Italiaanse vlag nog veel afschuwwekkender zijn dan de laffe witte vlag bestaat er geen twijfel aan dat die bepaling van toepassing is. Mijn broer zegt dat kunt u niet maken en *hij* zegt: óf ik dat kan maken, ik heb het commando en alleen neerschieten zullen we ze niet. Er is een stal met twee plaatsen voor paarden en een kleine hooizolder erboven. Vooraan loopt een balk dwars door de ruimte.

Hij trapt zelf de kruk onder de benen van de man vandaan. Hij spartelt nauwelijks. De zoon zit op de grond, met zijn hoofd tussen zijn kreupele knieën. *Hij* loopt op mijn broer af en zegt: je tilt hem op en hangt hem in de strop, dat is een bevel, en mijn broer vraagt: en wat als ik dat niet doe? En ik zeg: dat kunt u niet doen, en *hij* steekt zijn pistool in de lucht, richt het op mij en zegt tegen mijn broer: dan schiet ik eerst hem dood en dan jou. Mijn broer hangt de zoon in de strop en die spartelt ook nauwelijks. Ik kijk de hele tijd in *zijn* gezicht en het brandt zich in een paar seconden meer in dan wat ook ter wereld.

Stelt u zich voor, mijn broer schiet zichzelf dan dood, misschien meteen, misschien een jaar later. Ik denk er lang over na of ik het ook zal doen. Ik besta nog maar half.

Ik zie het gezicht voor me. Ik weet altijd waar het zich bevindt. Ten slotte ga ik hem achterna. Ik zal het uitwissen.

Hij herkent me niet meer. Voor hem ben ik een vreemdeling met een zwarte tas. Dat geeft me alle tijd van de wereld.

Zoekt u ons niet. U zult ons niet vinden. Bovendien, waar zou het goed voor zijn?

Het enige wat me spijt is dat met de bijenkasten. Dat was geheel zinloos en uiteindelijk alleen maar tegen mezelf gericht. Sommige mensen slaan aan het eind een beetje om zich heen.

Weet u trouwens hoe bijen overwinteren? Ze kruipen midden in het volk heel dicht op elkaar en ze bewegen onafgebroken.

Drieëntwintig

De triomfmars uit *Aïda*. Een tweede en een derde keer. Kovacs had even nodig tot hij het begreep. Hij zette zijn bierglas op tafel en grabbelde in de zak van zijn colbert. Uiteindelijk vond hij het ding. Hij klapte het open. Horn was aan de lijn.

'Je bedoelt dat ze heeft gepraat?

– Tussen neus en lippen door?

– Eén woord, zeg je?

– Een zelfstandig naamwoord met lidwoord?

– Nog een keer, ik begrijp het niet.

– Weet je dat heel zeker?

– Ja, ik heb begrepen wat ze zei: de honingman.'

Hij hing op. Even later pakte hij zijn glas en gleed met zijn vingertop langs een schuimspoor. Dat was niet bevroren.

Het licht boven het meer had een gelige zweem. Hij zat daar en wachtte op de wind.